#과학은매일매일

#하루6쪽20일완성

#수능준비스타트

#과학기초하루시리즈

하루 수능

Chunjae
Makes
Chunjae

▼

저자	조향숙, 배유진
기획총괄	이성주
편집개발	김수연, 지수민
디자인총괄	김희정
표지디자인	윤순미, 김지현
내지디자인	박희춘, 이혜미
제작	황성진, 조규영

발행일	2021년 2월 15일 초판 2021년 2월 15일 1쇄
발행인	(주)천재교육
주소	서울시 금천구 가산로9길 54
신고번호	제2001-000018호
고객센터	1577-0902
교재 내용문의	(02)3282-8830

※ 정답 분실 시에는 천재교육 홈페이지에서 내려받으세요.

시 작 은

하루 수능

이 책의 구성과 특징

수능 과탐 준비의 시작은 하루 수능!

하루 수능 화학 I 은 혼자서도 단계적으로 공부할 수 있도록 한 입문서입니다.
하루에 6쪽씩, 일주일에 5일, 4주 동안 차근차근 기초를 완성할 수 있습니다.

1 이번 주에는 무엇을 공부할까? ❶, ❷

❶에서는 한 주 동안 공부할 내용을 알아봅니다. ❷에서는 기초 개념을 그림과 간단한 문제로 확인해 봅니다.

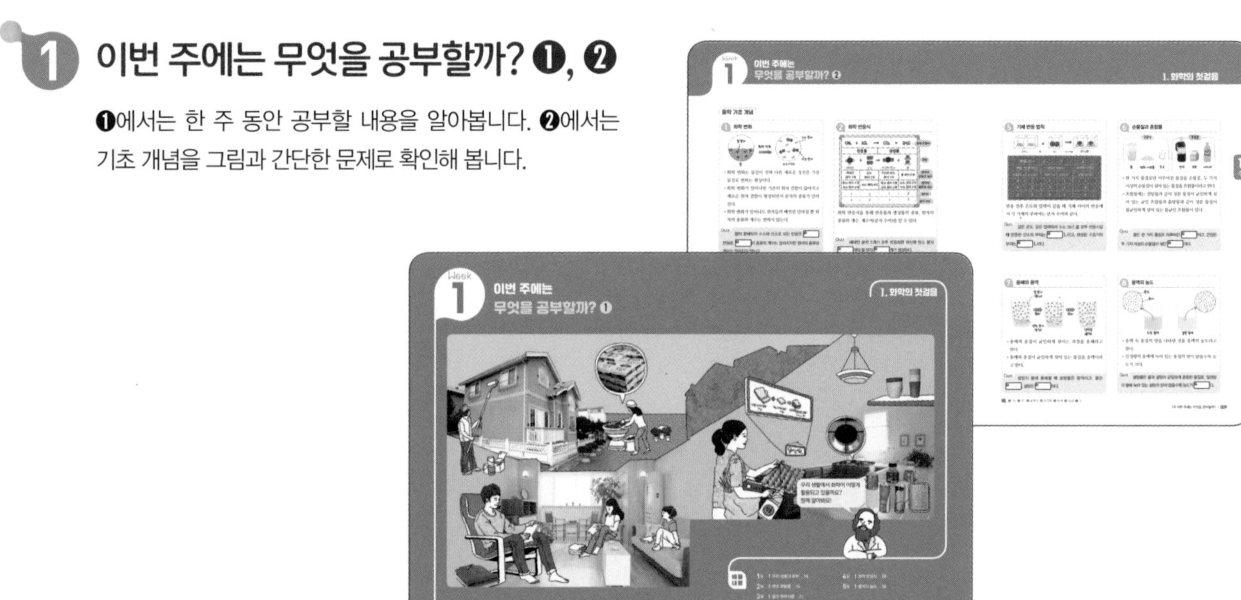

2 핵심 개념/개념 확인

그림을 살펴보며 핵심 개념이 무엇인지 파악하고, 개념 확인 문제로 핵심 개념을 잘 이해했는지 점검합니다.

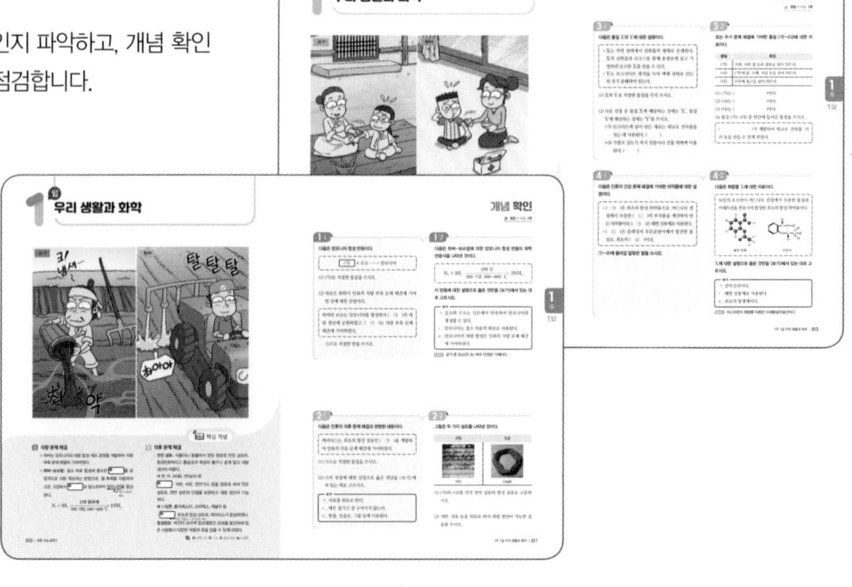

Features

3 기초 유형 연습

대표 기출 유형 문제를 자세히 분석하여 기출 문제에 대한 감각을 익히고, 실력을 다집니다.

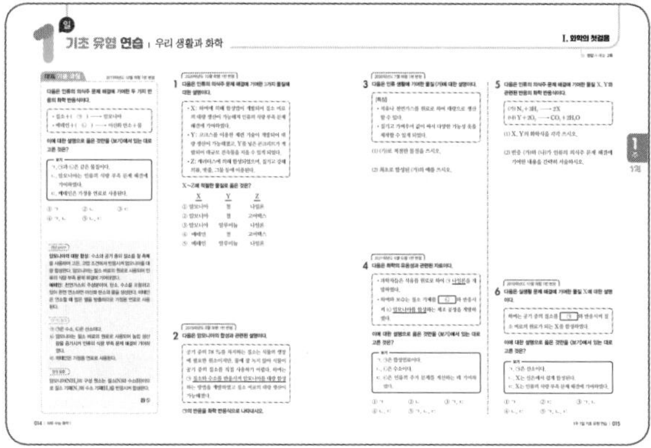

4 누구나 100점 테스트

매주 공부한 내용을 바탕으로 다양한 기출 문제와 변형 문제를 풀어 봅니다. 각주에서 공부한 내용을 다시 한 번 정리하고, 실력을 점검할 수 있습니다.

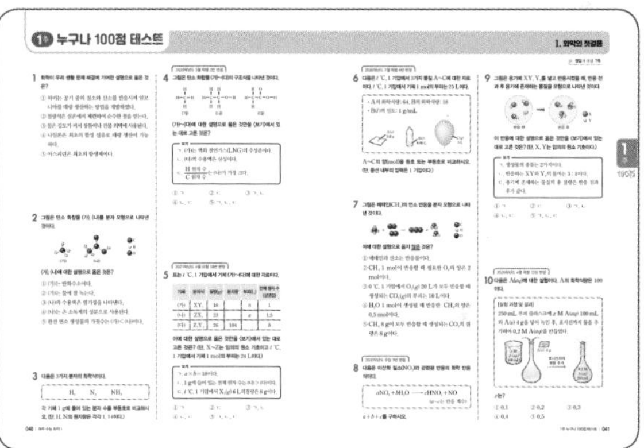

5 창의 · 융합 · 코딩

기출 문제 중 창의력이 필요한 문제, 복합 유형의 문제를 엄선하여 구성하였습니다. 5일 간 공부한 내용을 되짚어 보며 한 주를 마무리하세요.

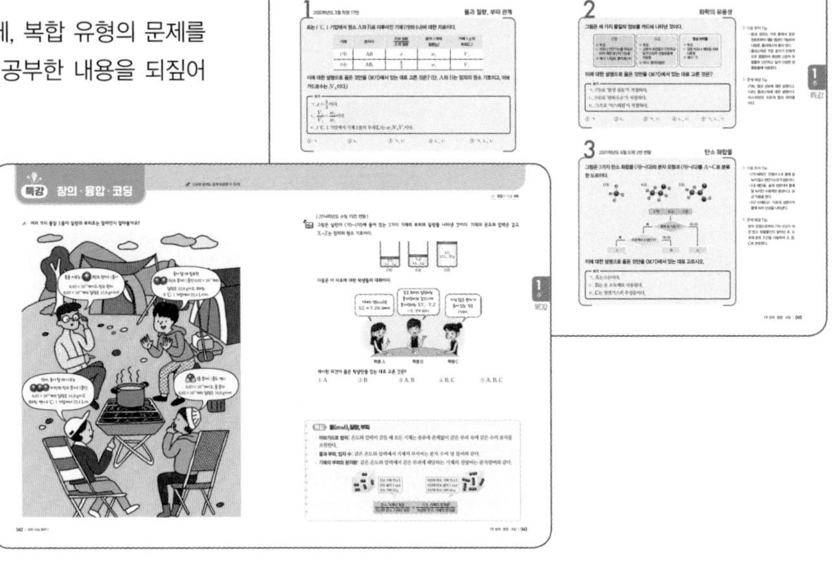

이 책의 차례

Contents

Week

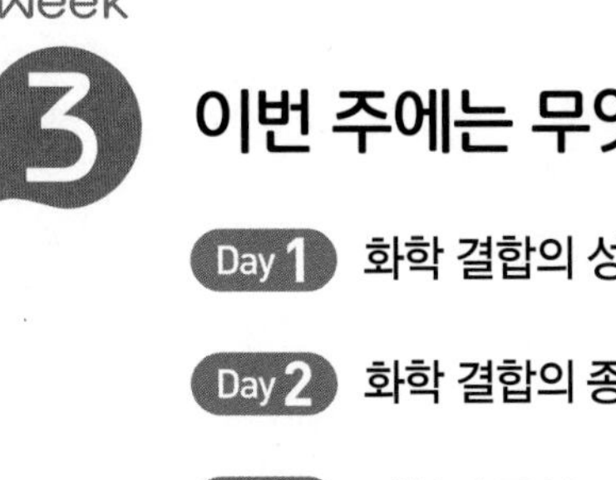

Week

Week 1

이번 주에는 무엇을 공부할까? ①

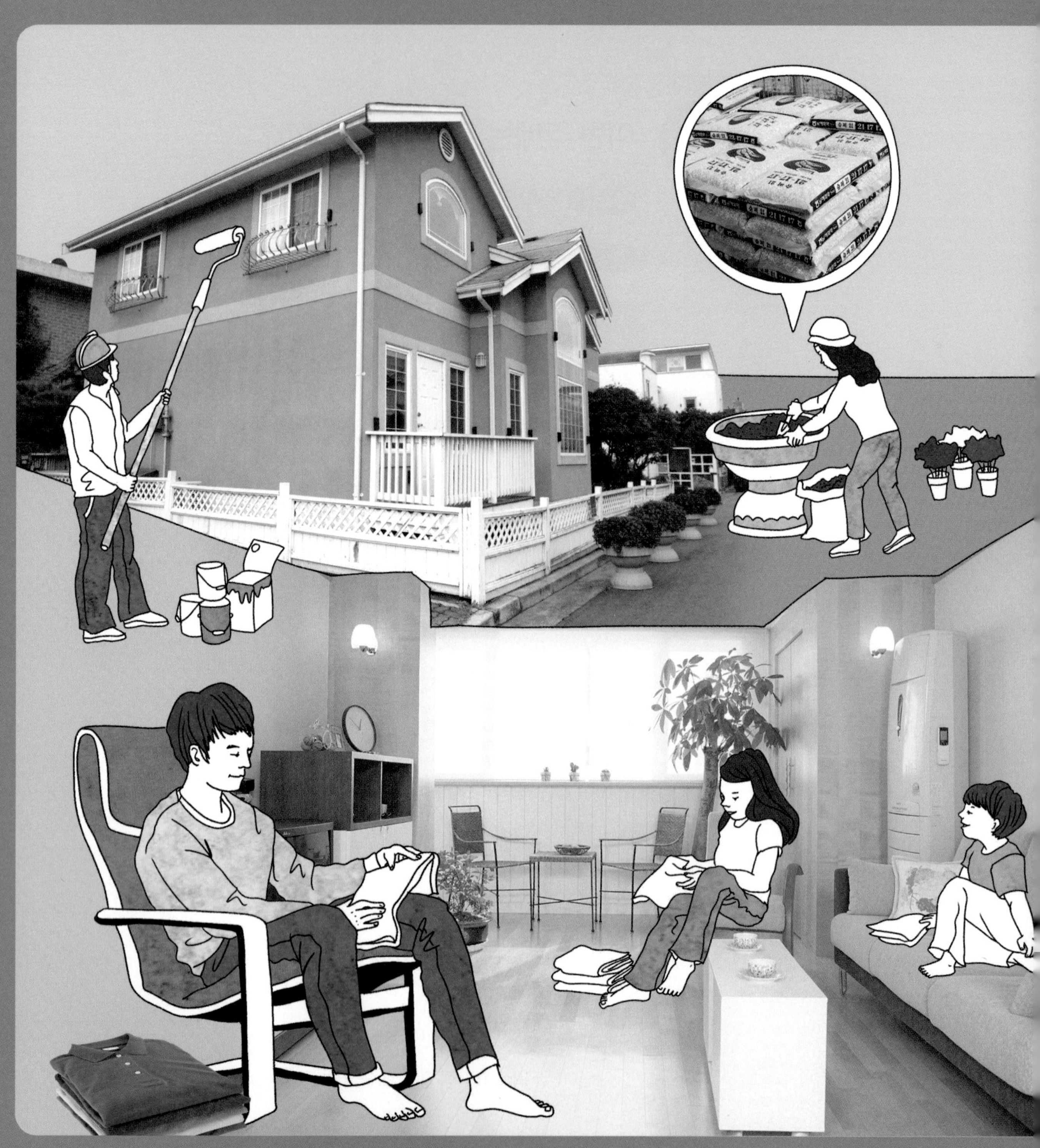

Ⅰ. 화학의 첫걸음

배울 내용

이번 주에는 무엇을 공부할까? ❷

중학 기초 개념

1 화학 변화

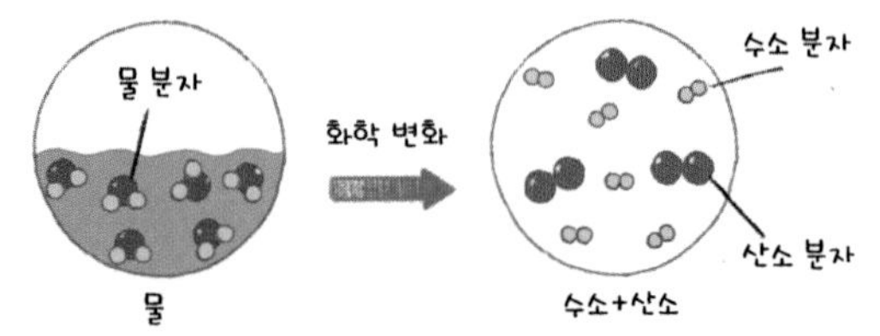

- 화학 변화는 물질이 전혀 다른 새로운 성질을 가진 물질로 변하는 현상이다.
- 화학 변화가 일어나면 기존의 원자 결합이 끊어지고 새로운 원자 결합이 형성되면서 분자의 종류가 달라진다.
- 화학 변화가 일어나도 원자들의 배열만 달라질 뿐 원자의 종류와 개수는 변하지 않는다.

Quiz 물이 분해되어 수소와 산소로 되는 반응은 ❶ 변화로, ❷ 의 종류와 개수는 달라지지만 원자의 종류와 개수는 달라지지 않는다.

2 화학 반응식

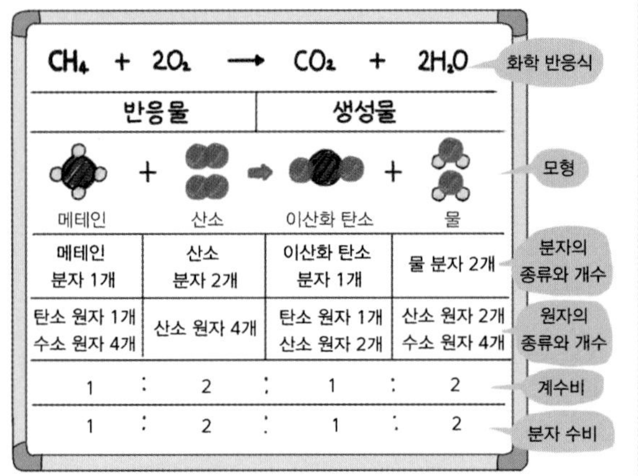

CH_4	+ $2O_2$	→ CO_2	+ $2H_2O$	화학 반응식
반응물		생성물		
메테인	산소	이산화 탄소	물	모형
메테인 분자 1개	산소 분자 2개	이산화 탄소 분자 1개	물 분자 2개	분자의 종류와 개수
탄소 원자 1개 수소 원자 4개	산소 원자 4개	탄소 원자 1개 산소 원자 2개	산소 원자 2개 수소 원자 4개	원자의 종류와 개수
1	: 2	: 1	: 2	계수비
1	: 2	: 1	: 2	분자 수비

화학 반응식을 통해 반응물과 생성물의 종류, 원자의 종류와 개수, 계수비(분자 수비)를 알 수 있다.

Quiz 메테인 분자 2개가 모두 반응하면 이산화 탄소 분자 ❸ 개와 물 분자 ❹ 개가 생성된다.

3 질량 보존 법칙

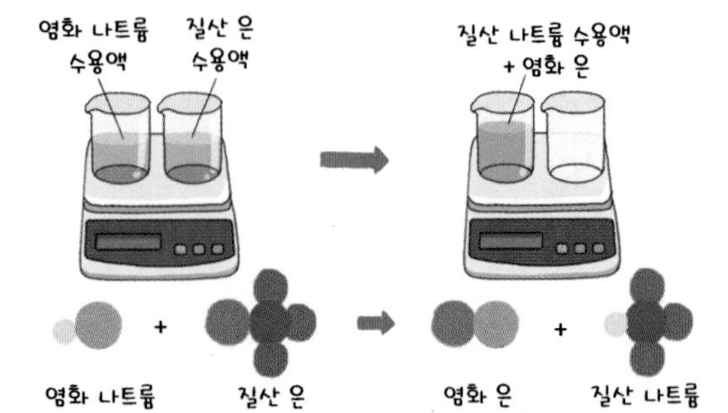

화학 반응이 일어날 때 물질을 이루는 원자의 배열만 달라질 뿐 원자가 새롭게 생기거나 없어지지 않으므로 질량이 보존된다.

Quiz 앙금 생성 반응에서 반응 전후 물질의 전체 질량은 ❺ 하다.

4 아보가드로 법칙

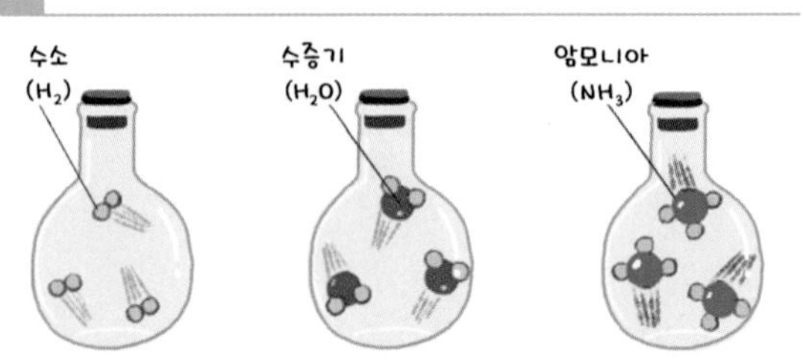

- 같은 온도, 같은 압력에서 같은 부피 속에 들어 있는 기체 분자 수는 같다.
- 아보가드로가 기체 반응 법칙을 설명하기 위해 주장하였다.

Quiz 0 ℃, 1 기압에서 22.4 L 속에 들어 있는 수소, 수증기, 암모니아의 분자 수는 모두 ❻ 다.

답 ❶ 화학 ❷ 분자 ❸ 2 ❹ 4 ❺ 일정 ❻ 같

5 기체 반응 법칙

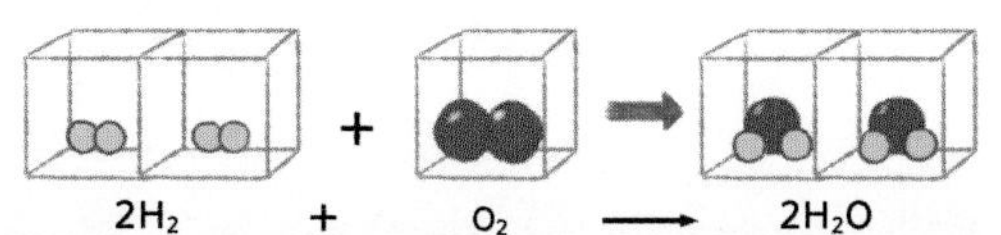

부피 비 =	2	: 1	:	2
반응 전 부피(L)		반응한 부피(L)		생성된 부피(L)
수소(H_2)	산소(O_2)	수소(H_2)	산소(O_2)	수증기(H_2O)
3	1	2	1	2
4	2	4	2	4
6	5	6	3	6

반응 전후 온도와 압력이 같을 때 기체 사이의 반응에서 각 기체의 부피비는 분자 수비와 같다.

Quiz 같은 온도, 같은 압력에서 수소 20 L를 모두 반응시킬 때 반응한 산소의 부피는 ❶ ＿＿ L이고, 생성된 수증기의 부피는 ❷ ＿＿ L이다.

6 순물질과 혼합물

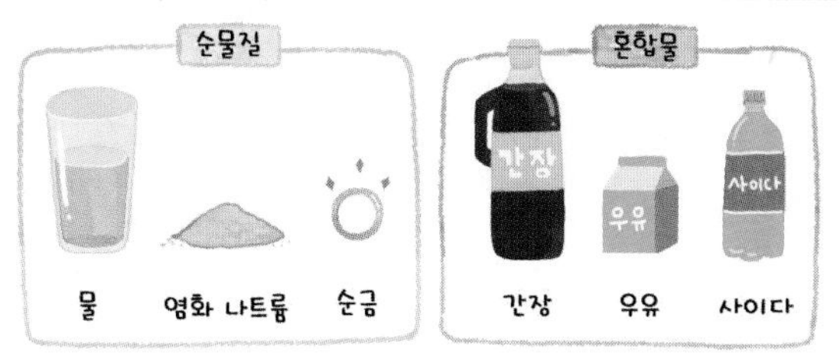

- 한 가지 물질로만 이루어진 물질을 순물질, 두 가지 이상의 순물질이 섞여 있는 물질을 혼합물이라고 한다.
- 혼합물에는 설탕물과 같이 성분 물질이 균일하게 섞여 있는 균일 혼합물과 흙탕물과 같이 성분 물질이 불균일하게 섞여 있는 불균일 혼합물이 있다.

Quiz 물은 한 가지 물질로 이루어진 ❸ ＿＿ 이고, 간장은 두 가지 이상의 순물질이 섞인 ❹ ＿＿ 이다.

7 용해와 용액

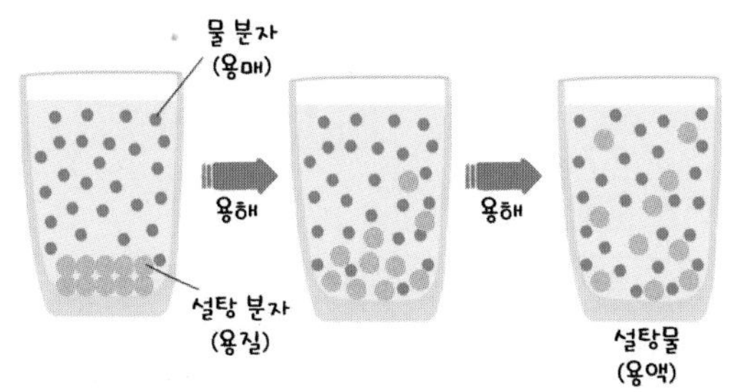

- 용매와 용질이 균일하게 섞이는 과정을 용해라고 한다.
- 용매와 용질이 균일하게 섞여 있는 물질을 용액이라고 한다.

Quiz 설탕이 물에 용해될 때 설탕물은 용액이고, 물은 ❺ ＿＿, 설탕은 ❻ ＿＿ 이다.

8 용액의 농도

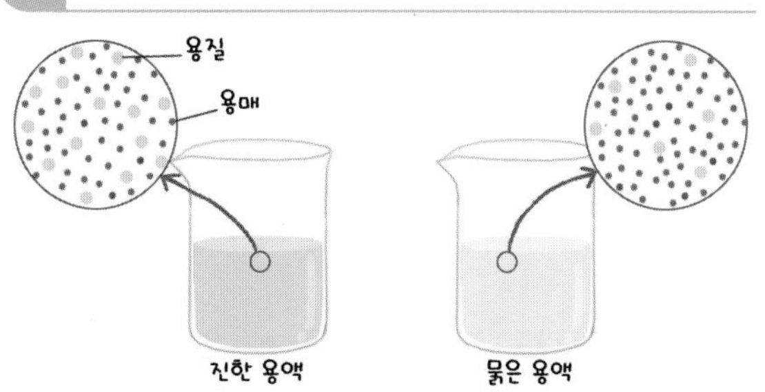

- 용액 속 용질의 양을 나타낸 것을 용액의 농도라고 한다.
- 일정량의 용매에 녹아 있는 용질의 양이 많을수록 농도가 크다.

Quiz 설탕물은 물과 설탕이 균일하게 혼합된 물질로, 일정량의 물에 녹아 있는 설탕의 양이 많을수록 농도가 ❼ ＿＿ 다.

답 ❶ 10 ❷ 20 ❸ 순물질 ❹ 혼합물 ❺ 용매 ❻ 용질 ❼ 크

1일 우리 생활과 화학

핵심 개념

1 식량 문제 해결

- 하버는 암모니아의 대량 합성 제조 공정을 개발하여 식량 부족 문제 해결에 기여하였다.
- **하버-보슈법**: 질소 비료 합성에 중요한 ❶ [　　] 를 공업적으로 대량 제조하는 방법으로, 철 촉매를 사용하여 고온, 고압에서 ❷ [　　] 와 질소로부터 암모니아(질소 비료의 원료)를 합성한다.

$$N_2 + 3H_2 \xrightarrow[\text{200 기압, 500∼600 ℃}]{\text{산화 철(촉매)}} 2NH_3$$

2 의류 문제 해결

- **천연 섬유**: 식물이나 동물에서 얻은 원료로 만든 섬유로, 환경친화적이고 흡습성과 촉감이 좋으나 쉽게 닳고 대량 생산이 어렵다.
  예) 면, 마, 모(울), 견(실크) 등
- ❸ [　　] : 석탄, 석유, 천연가스 등을 원료로 하여 만든 섬유로, 천연 섬유의 단점을 보완하고 대량 생산이 가능하다.
  예) 나일론, 폴리에스터, 고어텍스, 케블라 등
  - ❹ [　　] (밧줄, 칫솔모, 그물 등에 이용): 최초의 합성 섬유로, 캐러더스가 합성하였다.
- **합성염료**: 퍼킨이 보라색 합성염료인 모브를 발견하여 많은 사람들이 다양한 색깔의 옷을 입을 수 있게 되었다.

답 ❶ 암모니아 ❷ 수소 ❸ 합성 섬유 ❹ 나일론

개념 확인

정답과 해설 2쪽

1-1

다음은 암모니아 합성 반응이다.

(가) + 수소 ⟶ 암모니아

(1) (가)로 적절한 물질을 쓰시오.

(2) 다음은 화학이 인류의 식량 부족 문제 해결에 기여한 것에 대한 설명이다.

하버와 보슈는 암모니아를 합성하여 (㉠)의 대량 생산에 공헌하였고, (㉠)는 식량 부족 문제 해결에 기여하였다.

㉠으로 적절한 말을 쓰시오.

1-2

다음은 하버-보슈법에 의한 암모니아 합성 반응의 화학 반응식을 나타낸 것이다.

$$N_2 + 3H_2 \xrightarrow[\text{200 기압, 500~600 °C}]{\text{산화 철}} 2NH_3$$

이 반응에 대한 설명으로 옳은 것만을 〈보기〉에서 있는 대로 고르시오.

보기

ㄱ. 질소와 수소는 실온에서 반응하여 암모니아를 생성할 수 있다.

ㄴ. 암모니아는 질소 비료의 원료로 사용된다.

ㄷ. 암모니아의 대량 합성은 인류의 식량 문제 해결에 기여하였다.

Hint 공기 중 질소(N_2)는 매우 안정한 기체이다.

1 주 1일

2-1

다음은 인류의 의류 문제 해결과 관련된 내용이다.

캐러더스는 최초의 합성 섬유인 (㉠)을 개발하여 인류의 의류 문제 해결에 기여하였다.

(1) ㉠으로 적절한 물질을 쓰시오.

(2) ㉠의 성질에 대한 설명으로 옳은 것만을 〈보기〉에서 있는 대로 고르시오.

보기

ㄱ. 석유를 원료로 한다.

ㄴ. 매우 질기고 잘 구겨지지 않는다.

ㄷ. 밧줄, 칫솔모, 그물 등에 이용된다.

2-2

그림은 두 가지 섬유를 나타낸 것이다.

(가)	(나)
 비단	 나일론

(1) (가)와 (나)를 각각 천연 섬유와 합성 섬유로 구분하시오.

(2) 석탄, 석유 등을 원료로 하여 대량 생산이 가능한 섬유를 쓰시오.

1 일

우리 생활과 화학

핵심 개념

3 주거 문제 해결

- 건축 자재

① **철**: 산화 철과 ❶ ______ 를 용광로에 넣고 고온으로 가열하여 얻는다. ➡ 강도가 커서 기계, 운송 수단, 대규모 건축물 재료로 이용된다.

② **콘크리트**: 시멘트에 모래와 자갈 등을 섞고 물로 반죽한 뒤 건조한 것이다. (시멘트: 석회, 산화 철 등과 점토를 섞은 건축 재료)

③ ❷ ______ : 콘크리트 속에 철근을 넣은 것이다. ➡ 높은 건물, 다리, 댐 등의 대규모 건축물을 짓는 데 이용된다.

④ **알루미늄**: 산화 알루미늄(보크사이트)을 녹여 액체로 만들어 전기 분해하여 얻는다. ➡ 가볍고 단단해 창틀이나 건물 외벽에 이용된다.

- **난방**: 나무에서 석탄, 석유, 천연가스와 같은 화석 연료의 사용으로 변화되었다. (화석 연료: 주성분은 탄소(C)와 수소(H))
  - **천연가스**: 메테인(CH_4)이 주성분이며, 난방, 가정용 연료로 이용된다.

4 의약품의 발전

- **합성 의약품**: 천연 물질에서 약효를 가진 성분만을 추출하거나 화학적으로 합성하여 대량 생산한 의약품

① ❸ ______ (아세틸살리실산): 최초의 합성 의약품으로, 해열 진통제로 사용되던 살리실산의 부작용을 개선하여 만든 의약품이다.

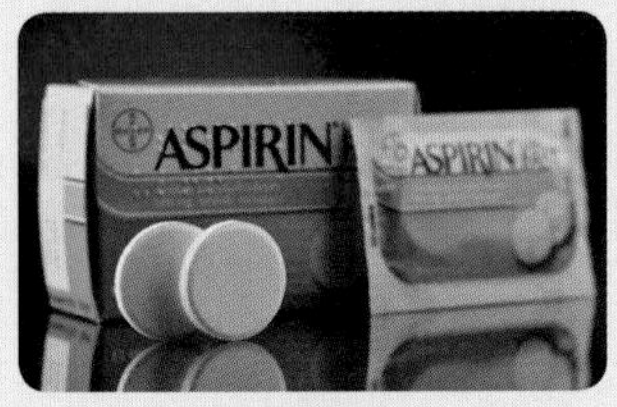

아스피린

② **페니실린**: 최초의 항생제로, 플레밍이 푸른곰팡이에서 발견하였다. (항생제: 세균의 성장이나 기능을 억제하여 죽이는 물질)

답 ❶ 코크스 ❷ 철근 콘크리트 ❸ 아스피린

개념 확인

정답과 해설 2쪽

3-1

다음은 물질 X와 Y에 대한 설명이다.

- X는 자연 상태에서 산화물의 형태로 존재한다. X의 산화물과 코크스를 함께 용광로에 넣고 가열하면 순수한 X를 얻을 수 있다.
- Y는 보크사이트 광석을 녹여 액체 상태로 만든 뒤 전기 분해하여 얻는다.

(1) X와 Y로 적절한 물질을 각각 쓰시오.

(2) 다음 설명 중 물질 X에 해당하는 것에는 'X', 물질 Y에 해당하는 것에는 'Y'를 쓰시오.

(가) 콘크리트에 넣어 만든 재료는 대규모 건축물을 짓는 데 사용된다. (   )

(나) 가볍고 강도가 커서 창틀이나 건물 외벽에 이용된다. (   )

3-2

표는 주거 문제 해결에 기여한 물질 (가)~(다)에 대한 자료이다.

물질	특징
(가)	석회, 산화 철 등과 점토를 섞어 만든다.
(나)	(가)에 물, 모래, 자갈 등을 섞어 만든다.
(다)	(나)에 철근을 넣어 만든다.

(1) (가)는 (   )이다.

(2) (나)는 (   )이다.

(3) (다)는 (   )이다.

(4) 물질 (가)~(다) 중 빈칸에 들어갈 물질을 쓰시오.

(   )가 개발되어 대규모 건축물, 다리 등을 만들 수 있게 되었다.

1주 1일

4-1

다음은 인류의 건강 문제 해결에 기여한 의약품에 대한 설명이다.

- (㉠)은 최초의 합성 의약품으로, 버드나무 껍질에서 추출한 (㉡)의 부작용을 개선하여 만든 의약품이다. (㉠)은 해열 진통제로 이용된다.
- (㉢)은 플레밍이 푸른곰팡이에서 발견한 물질로, 최초의 (㉣)이다.

㉠~㉣에 들어갈 알맞은 말을 쓰시오.

4-2

다음은 화합물 X에 대한 자료이다.

독일의 호프만이 버드나무 껍질에서 추출한 물질과 아세트산을 반응시켜 합성한 최초의 합성 의약품이다.

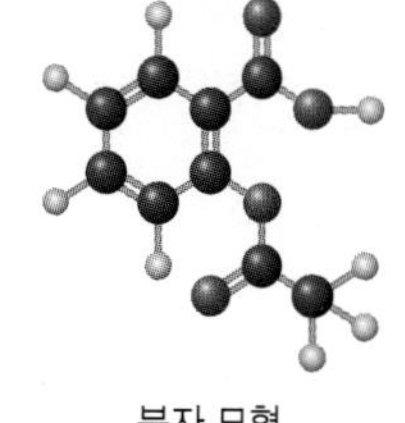

분자 모형

구조식

X에 대한 설명으로 옳은 것만을 〈보기〉에서 있는 대로 고르시오.

보기

ㄱ. 살리실산이다.

ㄴ. 해열 진통제로 사용된다.

ㄷ. 최초의 항생제이다.

Hint 아스피린의 화합물 이름은 아세틸살리실산이다.

기초 유형 연습 | 우리 생활과 화학

대표 기출 유형

2019학년도 10월 학평 1번 변형

다음은 인류의 의식주 문제 해결에 기여한 두 가지 반응의 화학 반응식이다.

- 질소+(㉠) ⟶ 암모니아
- 메테인+(㉡) ⟶ 이산화 탄소+물

이에 대한 설명으로 옳은 것만을 〈보기〉에서 있는 대로 고른 것은?

보기

ㄱ. ㉠과 ㉡은 같은 물질이다.
ㄴ. 암모니아는 인류의 식량 부족 문제 해결에 기여하였다.
ㄷ. 메테인은 가정용 연료로 사용된다.

① ㄱ ② ㄴ ③ ㄷ
④ ㄱ, ㄴ ⑤ ㄴ, ㄷ

개념 point

암모니아의 대량 합성: 수소와 공기 중의 질소를 철 촉매를 사용하여 고온, 고압 조건에서 반응시켜 암모니아를 대량 합성한다. 암모니아는 질소 비료의 원료로 사용되어 인류의 식량 부족 문제 해결에 기여하였다.

메테인: 천연가스의 주성분이며, 탄소, 수소를 포함하고 있어 완전 연소하면 이산화 탄소와 물을 생성한다. 메테인은 연소할 때 많은 열을 방출하므로 가정용 연료로 사용된다.

|보기| 풀이

ㄱ ㉠은 수소, ㉡은 산소이다.
ㄴ 암모니아는 질소 비료의 원료로 사용되어 농업 생산량을 증가시켜 인류의 식량 부족 문제 해결에 기여하였다.
ㄷ 메테인은 가정용 연료로 사용된다.

함정 탈출

암모니아(NH_3)의 구성 원소는 질소(N)와 수소(H)이므로 질소 기체(N_2)와 수소 기체(H_2)를 반응시켜 합성한다.

답 ⑤

2020학년도 10월 학평 1번 변형

1 다음은 인류의 의식주 문제 해결에 기여한 3가지 물질에 대한 설명이다.

- X: 하버에 의해 합성법이 개발되어 질소 비료의 대량 생산이 가능해져 인류의 식량 부족 문제 해결에 기여하였다.
- Y: 코크스를 이용한 제련 기술이 개발되어 대량 생산이 가능해졌고, Y를 넣은 콘크리트가 개발되어 대규모 건축물을 지을 수 있게 되었다.
- Z: 캐러더스에 의해 합성되었으며, 질기고 강해 의류, 밧줄, 그물 등에 이용된다.

X~Z에 적절한 물질로 옳은 것은?

	X	Y	Z
①	암모니아	철	나일론
②	암모니아	철	고어텍스
③	암모니아	알루미늄	나일론
④	메테인	철	고어텍스
⑤	메테인	알루미늄	나일론

2015학년도 6월 모평 1번 변형

2 다음은 암모니아의 합성과 관련된 설명이다.

공기 중의 78 %를 차지하는 질소는 식물의 생장에 필요한 원소이지만, 물에 잘 녹지 않아 식물이 공기 중의 질소를 직접 사용하기 어렵다. 하버는 ㉠ <u>질소와 수소를 반응시켜 암모니아를 대량 합성</u>하는 방법을 개발하였고 질소 비료의 대량 생산이 가능해졌다.

㉠의 반응을 화학 반응식으로 나타내시오.

정답과 해설 2쪽

2020학년도 7월 학평 1번 변형

3 다음은 인류 생활에 기여한 물질 (가)에 대한 설명이다.

[특징]
- 석유나 천연가스를 원료로 하여 대량으로 생산할 수 있다.
- 질기고 가벼우며 값이 싸서 다양한 기능성 옷을 제작할 수 있게 되었다.

(1) (가)로 적절한 물질을 쓰시오.

(2) 최초로 합성된 (가)의 예를 쓰시오.

2021학년도 9월 모평 1번 변형

4 다음은 화학의 유용성과 관련된 자료이다.

- 과학자들은 석유를 원료로 하여 ㉠ 나일론을 개발하였다.
- 하버와 보슈는 질소 기체를 [㉡]와 반응시켜 ㉢ 암모니아를 합성하는 제조 공정을 개발하였다.

이에 대한 설명으로 옳은 것만을 〈보기〉에서 있는 대로 고른 것은?

보기
ㄱ. ㉠은 합성염료이다.
ㄴ. ㉡은 수소이다.
ㄷ. ㉢은 인류의 주거 문제를 개선하는 데 기여하였다.

① ㄱ ② ㄴ ③ ㄱ, ㄷ
④ ㄴ, ㄷ ⑤ ㄱ, ㄴ, ㄷ

5 다음은 인류의 의식주 문제 해결에 기여한 물질 X, Y와 관련된 반응의 화학 반응식이다.

(가) $N_2 + 3H_2 \longrightarrow 2X$
(나) $Y + 2O_2 \longrightarrow CO_2 + 2H_2O$

(1) X, Y의 화학식을 각각 쓰시오.

(2) 반응 (가)와 (나)가 인류의 의식주 문제 해결에 기여한 내용을 간략히 서술하시오.

2019학년도 10월 학평 1번 변형

6 다음은 실생활 문제 해결에 기여한 물질 X에 대한 설명이다.

하버는 공기 중의 질소를 [㉠]와 반응시켜 질소 비료의 원료가 되는 X를 합성하였다.

이에 대한 설명으로 옳은 것만을 〈보기〉에서 있는 대로 고른 것은?

보기
ㄱ. ㉠은 산소이다.
ㄴ. X는 실온에서 쉽게 합성된다.
ㄷ. X는 인류의 식량 부족 문제 해결에 기여하였다.

① ㄱ ② ㄷ ③ ㄱ, ㄴ
④ ㄴ, ㄷ ⑤ ㄱ, ㄴ, ㄷ

2일

탄소 화합물

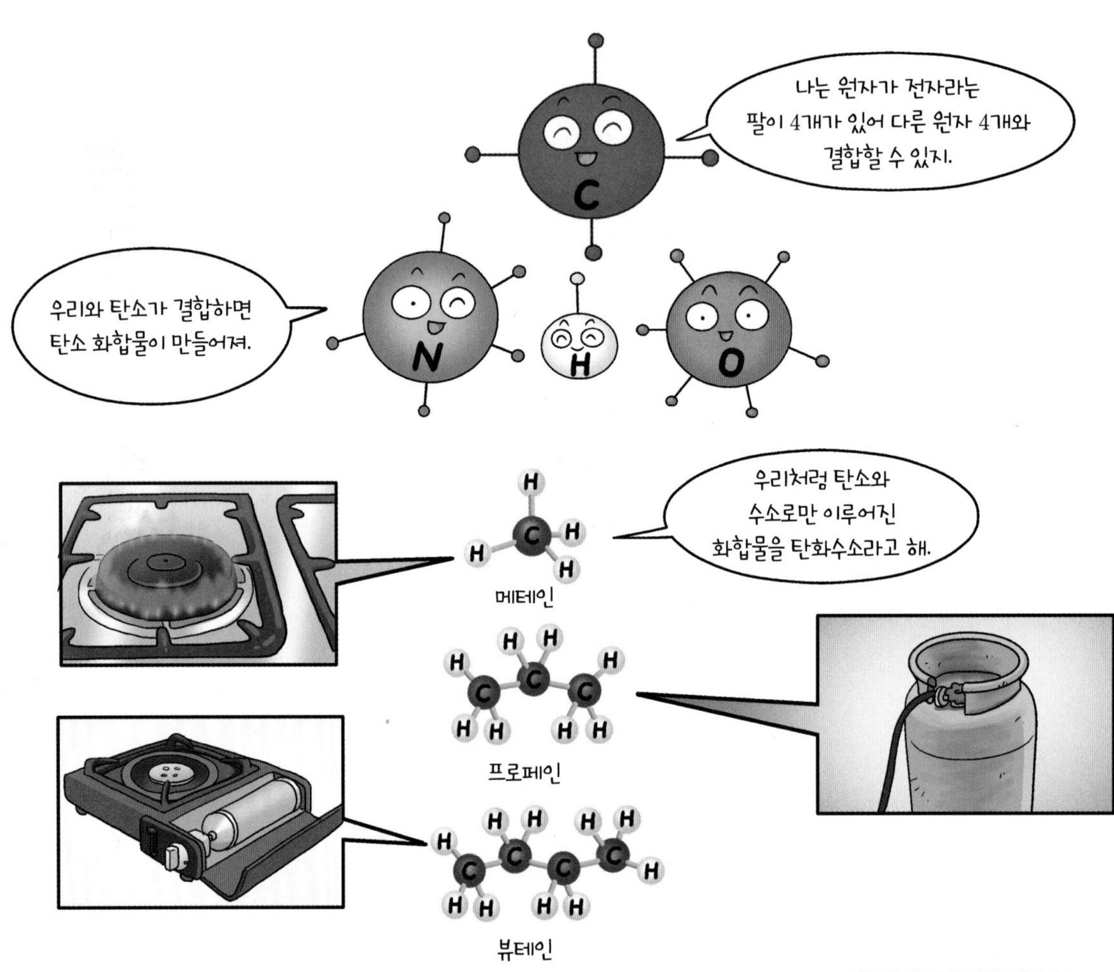

나는 원자가 전자라는 팔이 4개가 있어 다른 원자 4개와 결합할 수 있지.
우리와 탄소가 결합하면 탄소 화합물이 만들어져.
우리처럼 탄소와 수소로만 이루어진 화합물을 탄화수소라고 해.
메테인
프로페인
뷰테인

핵심 개념

1 탄소 화합물

- **탄소 화합물**: 탄소(C) 원자가 수소(H), 산소(O), 질소(N), 할로젠(F, Cl, Br, I) 등의 원자와 결합한 화합물
- **탄소 화합물이 다양한 까닭**: 탄소는 최대 ❶ 개의 다른 원자와 결합할 수 있고, 결합 방식이 다양하기 때문이다.
  └ 원자가 전자 수가 4개이므로

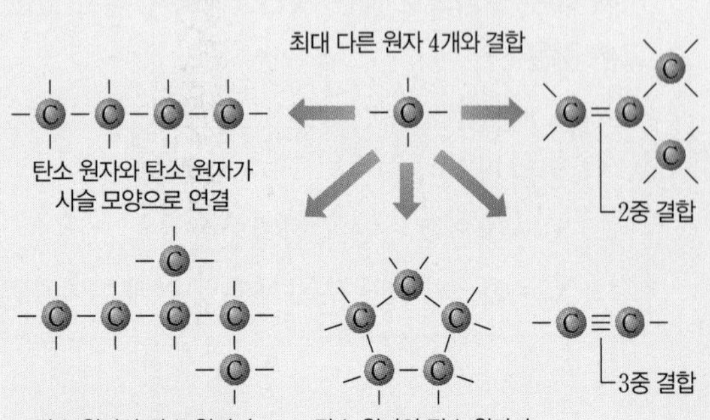

탄소 원자와 탄소 원자가 사슬 모양으로 연결

탄소 원자와 탄소 원자가 가지를 친 사슬 모양으로 연결
탄소 원자와 탄소 원자가 고리 모양으로 연결

2 탄화수소

- ❷ : 탄소와 수소로만 이루어진 화합물 예 메테인(CH_4), 에테인(C_2H_6), 프로페인(C_3H_8), 뷰테인(C_4H_{10})
- ❸ (CH_4): 가장 간단한 탄화수소로, 액화 천연가스의 주성분이다.

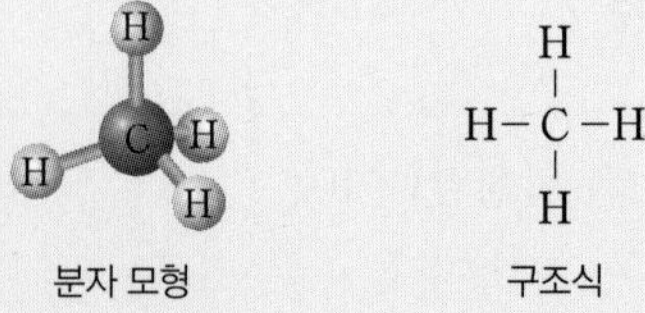

① 완전 연소하여 이산화 탄소(CO_2)와 물(H_2O)을 생성하며 많은 에너지를 방출한다.
② 냄새와 색깔이 없으며 물에 거의 녹지 않는다.

답 ❶ 4 ❷ 탄화수소 ❸ 메테인

개념 확인

정답과 해설 2쪽

1-1

다음은 탄소 화합물에 대한 설명이다.

- 탄소 화합물은 (㉠) 원자에 수소(H), (㉡), 질소(N), 할로젠(F, Cl, Br, I) 등의 원자가 결합한 화합물이다.
- 우리 주위에서 사용되는 대부분의 물질은 (㉢)이다.

(1) ㉠, ㉡에 들어갈 알맞은 원소를 각각 쓰시오.

(2) ㉢에 들어갈 알맞은 말을 쓰시오.

1-2

그림은 탄소 원자의 결합 방식의 몇 가지를 모형으로 나타낸 것이다.

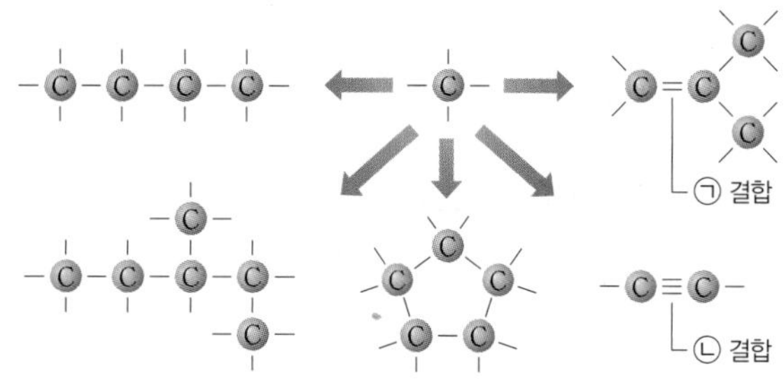

(1) 탄소 원자가 다른 원자와 결합할 수 있는 최대 결합 수를 쓰시오.

(2) ㉠, ㉡에 들어갈 알맞은 말을 쓰시오.

2-1

다음은 탄화수소에 대한 설명이다.

- 탄화수소는 탄소와 (㉠)로만 이루어진 화합물로, 완전 연소하면 (㉡)와 물을 생성한다.
- 탄화수소는 연소할 때 많은 에너지를 방출하므로 주로 (㉢)로 사용된다.
- 탄화수소 중 가장 간단한 화합물은 X이다.

(1) ㉠~㉢에 들어갈 알맞은 말을 각각 쓰시오.

(2) X에 대한 설명으로 옳은 것만을 〈보기〉에서 있는 대로 고르시오.

보기
ㄱ. 메테인이다.
ㄴ. 가정용 연료로 사용된다.
ㄷ. 고분자 화합물이다.

2-2

그림은 3가지 탄소 화합물을 분자 모형으로 나타낸 것이다.

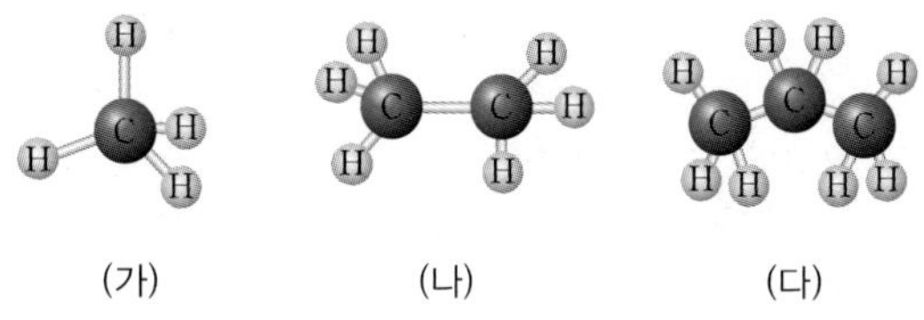

(가) (나) (다)

(가)~(다)에 대한 설명으로 옳은 것만을 〈보기〉에서 있는 대로 고르시오.

보기
ㄱ. 모두 탄소 화합물이다.
ㄴ. 완전 연소할 때 발생하는 물질 종류의 수는 (다)가 가장 크다.
ㄷ. 모두 물에 잘 녹는다.

Hint (가)~(다) 모두 탄소(C)와 수소(H)로만 이루어진 물질이다.

1 주 2일

2일 탄소 화합물

난 에탄올이라고 해.
소독용 알코올과
약품의 원료로 이용되지!

소독용
에탄올

난 식초의 성분인
아세트산이라고 해.

식초

우리들은 탄소 화합물로 이루어진 물질이야.

합성 섬유

플라스틱

세제
샴푸
합성 세제

핵심 개념

3 대표적인 탄소 화합물

- ❶ ______ (C_2H_5OH): 술의 성분, 소독용 알코올(손 소독제로도 사용), 약품의 원료로 이용된다. (소독용 알코올 ─ 살균 작용)
- **아세트산**: 물에 녹아 ❷ ______ 을 나타내며, 식초의 성분, 의약품, 염료의 원료로 이용된다. ─ 에탄올을 발효시켜 얻는다.

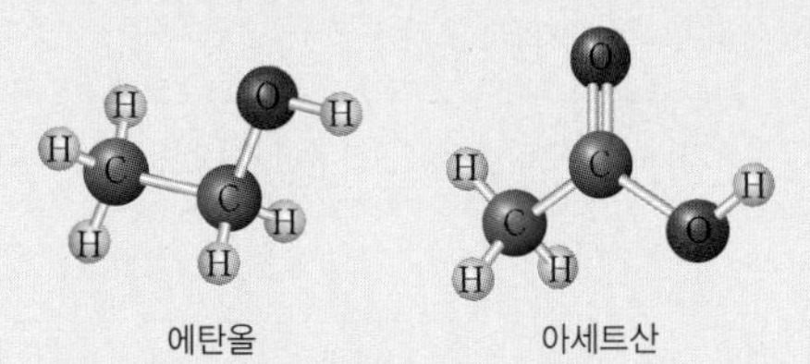

에탄올　　아세트산

4 탄소 화합물과 우리 생활

- ❸ ______ : 원유에서 분리되는 나프타를 원료로 하여 합성한 탄소 화합물로, 고분자 물질이다. ➡ 가볍고 외부의 힘과 충격에 강하며 녹이 슬지 않고 대량 생산이 가능하여 값이 싸다. (❸ ─ 가전제품, 생활용품 등에 폭넓게 이용된다.)
- **의약품**: 질병을 치료하거나 예방하는 데 사용된다.
  - **아스피린(아세틸살리실산)**: 해열 진통제
- **일상생활용품**: 섬유, 세제, 화장품 등의 성분은 대부분이 탄소 화합물이다.

아세틸살리실산

답 ❶ 에탄올 ❷ 산성 ❸ 플라스틱

개념 확인

정답과 해설 3쪽

3-1

다음은 탄소 화합물 (가)~(다)에 대한 설명이다.

(가) 탄소와 수소로만 이루어진 가장 간단한 분자이다.
(나) 술의 원료로, 과일이나 곡물을 발효시켜 얻을 수 있다.
(다) 식초의 성분으로, 일반적으로 (나)를 발효시켜 얻을 수 있다.

(1) (가)~(다)로 적절한 물질을 각각 쓰시오.

(2) (가)~(다) 각 분자를 구성하는 탄소(C) 원자 수를 등호 또는 부등호로 비교하시오.

(3) (가)~(다) 중 물에 녹아 산성을 나타내는 물질을 쓰시오.

3-2

그림은 2가지 화합물 (가), (나)를 분자 모형으로 나타낸 것이다.

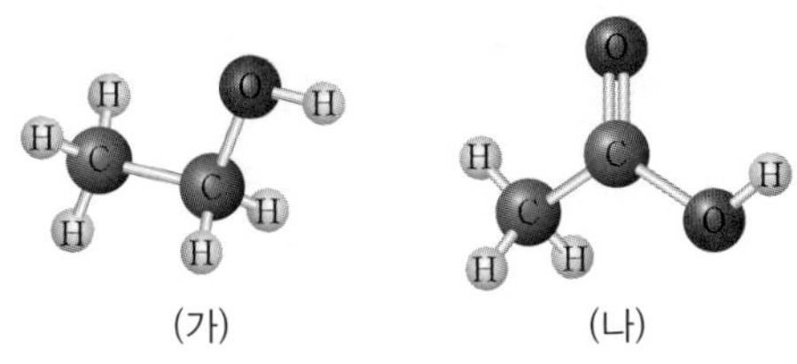

(가)와 (나)에 대한 설명으로 옳은 것은?

① (가)는 탄화수소이다.
② (가)는 식초의 성분이다.
③ (가)는 손 소독제의 원료로 사용된다.
④ (나)는 술의 성분이다.
⑤ (나)의 수용액은 염기성을 나타낸다.

Hint (가)는 에탄올, (나)는 아세트산의 분자 모형이다.

4-1

다음은 우리 생활에서 이용되고 있는 탄소 화합물에 대한 설명이다.

(가) 원유에서 분리되는 나프타를 원료로 하여 합성한 고분자 화합물로, 가볍고 녹이 슬지 않으며 대량 생산이 가능하여 값이 싸다.
(나) 질병을 치료하거나 예방하는 데 사용되는 물질이다.

(가), (나)로 적절한 물질을 쓰시오.

4-2

그림은 실생활에서 사용되는 2가지 물질의 사례를 나타낸 것이다.

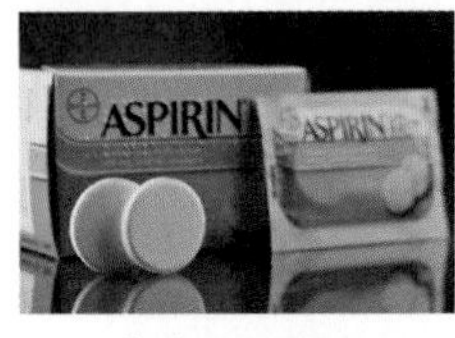

(가) 아스피린

(나) 페트병

이에 대한 설명으로 옳은 것만을 ⟨보기⟩에서 있는 대로 고르시오.

보기

ㄱ. (가)는 원유에서 분리되는 나프타로부터 합성한다.
ㄴ. (나)는 고분자 화합물이다.
ㄷ. (가)와 (나)는 모두 탄소 화합물이다.

1주 2일

2일 기초 유형 연습 | 탄소 화합물

대표 기출 유형

2020학년도 10월 학평 3번 변형

그림은 2가지 물질 (가), (나)의 분자 모형이다.

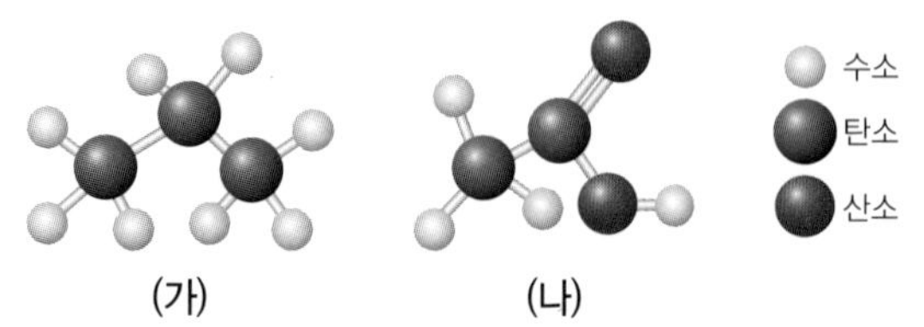

이에 대한 설명으로 옳은 것만을 〈보기〉에서 있는 대로 고른 것은?

보기

ㄱ. (가)는 주로 연료로 사용된다.

ㄴ. (나)의 수용액은 산성을 나타낸다.

ㄷ. (가)와 (나)는 모두 탄화수소이다.

① ㄱ ② ㄴ ③ ㄷ

④ ㄱ, ㄴ ⑤ ㄴ, ㄷ

개념 point

탄화수소: 탄소와 수소로만 이루어진 화합물로, 연소할 때 많은 에너지를 방출하므로 주로 연료로 사용된다.

아세트산(CH_3COOH): 탄화수소인 메테인(CH_4)의 수소(H) 원자 대신 카복실기(−COOH)가 결합한 분자로, 식초의 성분이며 물에 녹아 산성을 나타낸다.

|보기| 풀이

ㄱ (가)는 탄화수소로 주로 연료로 사용된다.

ㄴ (나)는 아세트산으로 물에 녹아 산성을 나타낸다.

ㄷ (가)는 탄소와 수소로만 이루어진 탄화수소이고, (나)는 탄소 화합물이다.

함정 탈출

탄화수소는 탄소(C)와 수소(H)만으로 이루어진 화합물만 해당된다. (나)는 산소(O)를 포함하고 있으므로 탄화수소가 아니다.

답 ④

2021학년도 6월 모평 2번 변형

1 다음은 3가지 탄소 화합물에 대한 설명이다.

- X: 탄소 원자 1개를 포함한 가장 간단한 탄소 화합물이다.
- Y: 술의 성분이며 손 소독제로 이용된다.
- Z: 식초의 성분이며 일반적으로 Y를 발효시켜 얻을 수 있다.

X~Z로 옳은 것은?

	X	Y	Z
①	메테인	메탄올	암모니아
②	메테인	에탄올	아세트산
③	에테인	메탄올	아세트산
④	메테인	아세트산	에탄올
⑤	에테인	에탄올	아세트산

2020학년도 3월 학평 2번 변형

2 그림은 2가지 물질을 분자 모형으로 나타낸 것이다.

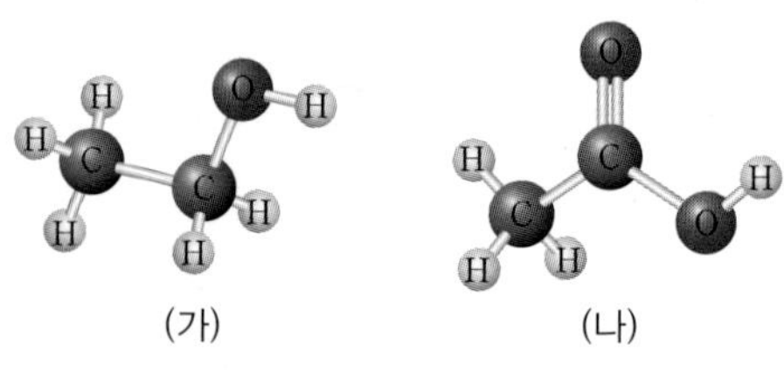

(가)와 (나)의 공통점과 차이점을 각각 1가지씩 서술하시오.

정답과 해설 3쪽

3 탄소 화합물에 대한 설명으로 옳은 것만을 〈보기〉에서 있는 대로 고른 것은?

보기
ㄱ. 탄소 화합물은 구성 원소의 종류에 비해 화합물의 가짓수가 작다.
ㄴ. 탄소 화합물은 모두 사슬 모양의 구조를 갖는다.
ㄷ. 탄소 화합물의 완전 연소 생성물에는 모두 이산화 탄소가 포함된다.

① ㄱ ② ㄷ ③ ㄱ, ㄴ
④ ㄴ, ㄷ ⑤ ㄱ, ㄴ, ㄷ

2020학년도 10월 학평 3번 변형

4 그림은 2가지 물질을 분자 모형으로 나타낸 것이다.

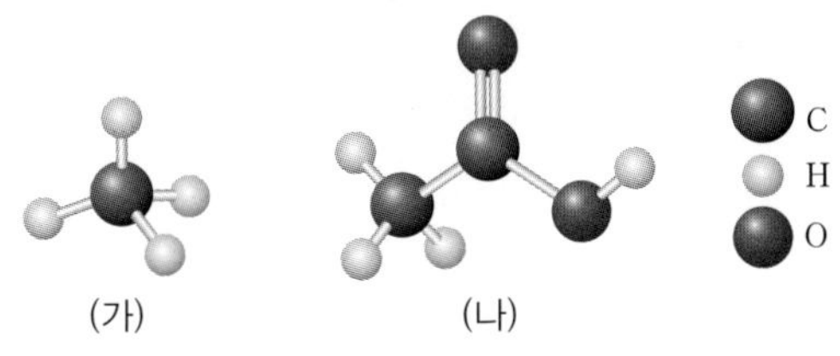
C
H
O
(가)
(나)

(가), (나)에 대한 설명으로 옳은 것만을 〈보기〉에서 있는 대로 고른 것은?

보기
ㄱ. (가)는 물에 잘 녹는다.
ㄴ. (나)는 술의 성분이다.
ㄷ. (나)의 수용액은 산성을 나타낸다.

① ㄱ ② ㄷ ③ ㄱ, ㄴ
④ ㄴ, ㄷ ⑤ ㄱ, ㄴ, ㄷ

5 그림은 물질 ㉠~㉢이 실생활에서 이용되는 사례를 나타낸 것이다.

㉠ 플라스틱을 이용하여 점화기 손잡이를 만든다.
㉡ 철이 포함된 스테인리스 스틸을 이용하여 냄비를 만든다.
㉢ 뷰테인의 연소로 발생한 열을 이용하여 찌개를 끓인다.

(1) ㉠~㉢ 중 탄소 화합물을 모두 골라 쓰시오.

(2) ㉠~㉢ 중 간단한 기본 단위가 반복적으로 결합하여 이루어진 물질을 모두 골라 쓰시오.

6 그림은 탄소 원자의 가능한 몇 가지 결합 방식을 모형으로 나타낸 것이다.

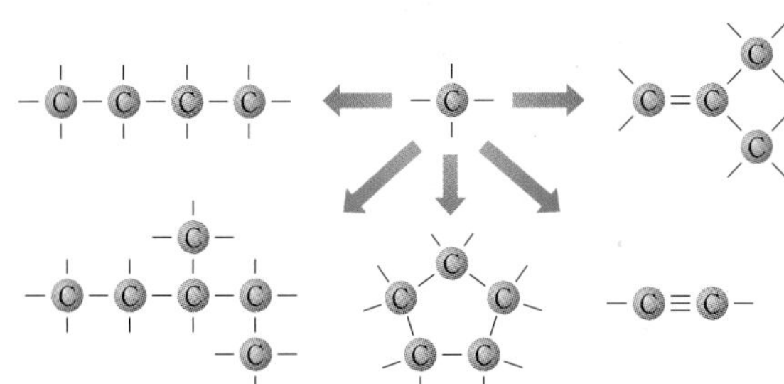

탄소 화합물은 구성 원소의 종류는 적으나 화합물의 종류가 매우 많다. 그 까닭을 위 모형을 근거로 아래 제시된 단어를 모두 사용하여 간단히 서술하시오.

원자가 전자 수, 사슬 모양, 고리 모양, 단일 결합, 2중 결합, 3중 결합

3일 몰과 화학식량

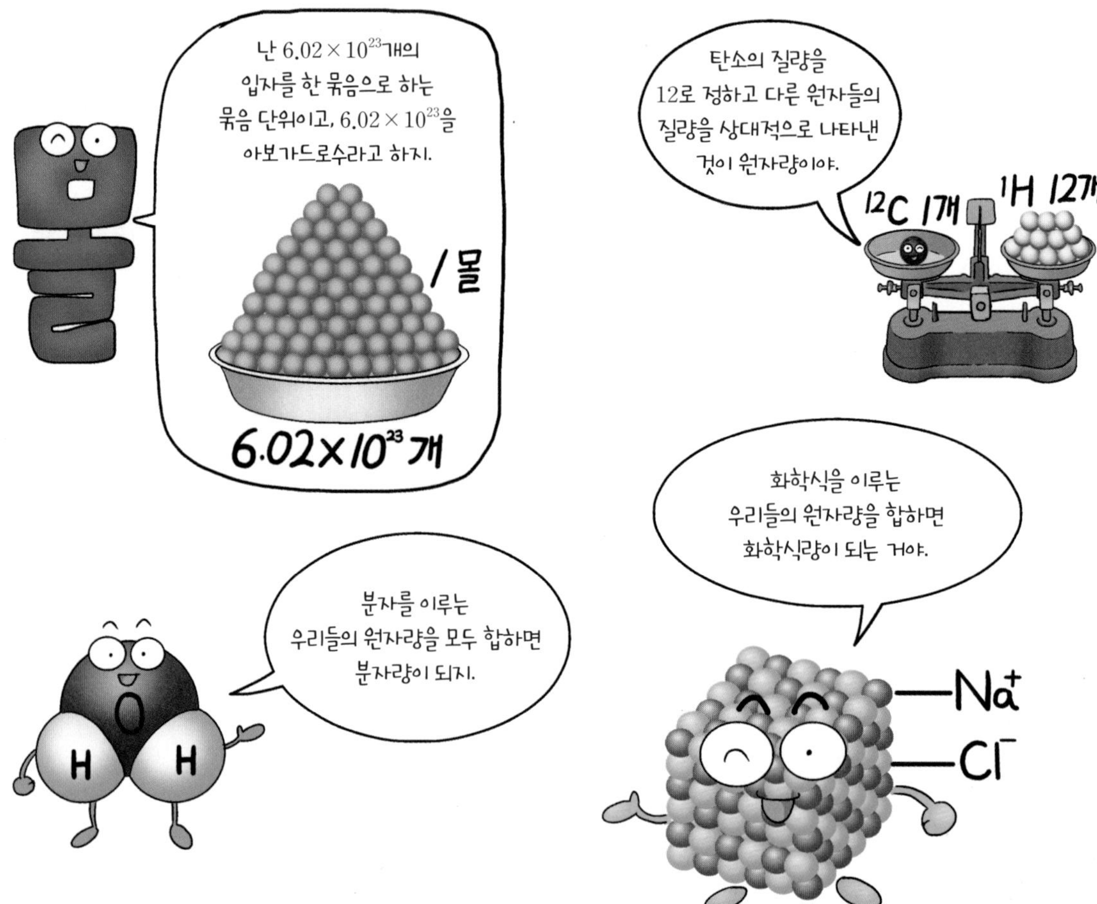

핵심 개념

1 몰과 아보가드로수

- **몰(mol)**: 원자나 분자, 이온 등의 수를 나타내기 위해 사용하는 묶음 단위이다.
  - 1몰(mol): 6.02×10^{23}개의 입자를 의미한다.
- ❶ [   ]: 탄소(^{12}C) 원자 12 g 속에 들어 있는 입자 수로, 6.02×10^{23}이다.

입자 수＝몰(mol)×(6.02×10^{23}/mol)

예 물 분자 1몰을 구성하는 입자의 양

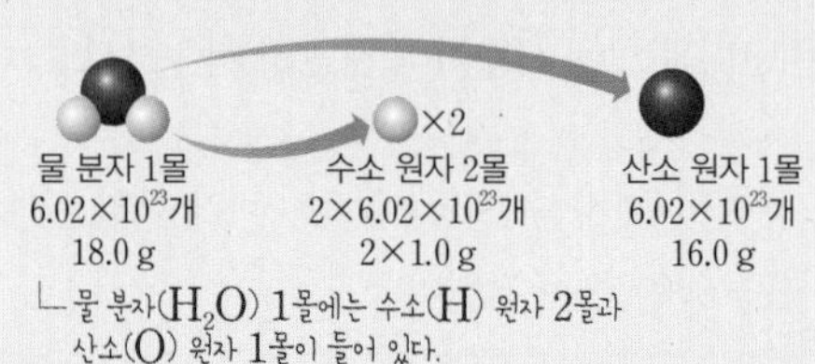

└ 물 분자(H_2O) 1몰에는 수소(H) 원자 2몰과 산소(O) 원자 1몰이 들어 있다.

2 원자량과 분자량

- **원자량**: 질량수(원자를 구성하는 양성자수와 중성자수를 합한 값)가 12인 ❷ [   ] 원자의 질량을 12로 정하고, 이것을 기준으로 하여 비교한 원자들의 상대적 질량이다.
  - 예 수소(H): 1, 탄소(C): 12, 질소(N): 14, 산소(O): 16
  - **평균 원자량**: 동위 원소(원자 번호가 같고 질량수가 다른 원소)의 존재비를 고려하여 평균값으로 나타낸 원자량
- **분자량**: 분자를 구성하는 모든 원자들의 원자량을 합한 값이다.
  - 예 물(H_2O): $2\times1+16=32$
  - 이산화 탄소(CO_2): ❸ [   ]
- ❹ [   ]: 어떤 물질의 화학식을 이루는 원자들의 원자량을 모두 합한 값이다.
  - 예 염화 나트륨(NaCl): $23+35.5=58.5$

답 ❶ 아보가드로수 ❷ 탄소 ❸ $12+2\times16=44$ ❹ 화학식량

개념 확인

정답과 해설 3쪽

1-1

다음은 몇 가지 물질의 양을 나타낸 것이다.

(가) 물(H_2O) 0.5 mol
(나) 메테인(CH_4) 1 mol
(다) 암모니아(NH_3) 1.5 mol

(1) 각 물질에 들어 있는 분자 수를 등호 또는 부등호로 비교하시오.

(2) 각 물질에 들어 있는 수소(H) 원자의 양(mol)을 각각 구하시오.

1-2

다음은 물질을 구성하는 원자, 분자, 이온 수에 대한 자료이다. (단, 아보가드로수는 6×10^{23}이다.)

- H_2O 1 mol에 들어 있는 분자 수(개): $a\times6\times10^{23}$
- CH_4 1.5 mol에 들어 있는 전체 원자 수(개): $b\times6\times10^{23}$
- NaCl 2 mol에 들어 있는 전체 이온 수(개): $c\times6\times10^{23}$

$a+b+c$를 구하시오.

Hint '전체 원자 수=분자 수×한 분자당 원자 수'이다.

1주 3일

2-1

그림은 탄소(C) 원자와 X, Y 원자의 질량 관계를 나타낸 것이다. (단, 탄소(C)의 원자량은 12이고, X, Y는 임의의 원소 기호이다.)

● C
● X
● Y

(1) X와 Y의 원자량을 각각 구하시오.

(2) C, X, Y 각 원자 1 g에 들어 있는 원자 수를 등호 또는 부등호로 비교하시오.

2-2

표는 원자 X~Z 1개의 질량을 나타낸 것이다. (단, 아보가드로수는 6×10^{23}이며, X~Z는 임의의 원소 기호이다.)

원자	X	Y	Z
원자 1개의 질량(g)	2×10^{-23}	$\frac{1}{6}\times10^{-23}$	$\frac{8}{3}\times10^{-23}$

(1) X의 원자량을 구하시오.

Hint 원자량은 원자 1 mol의 질량 값과 같다.

(2) Z_2의 분자량을 구하시오.

(3) Y_2Z 분자 6×10^{23}개의 질량(g)을 구하시오.

3일 몰과 화학식량

핵심 개념

3 몰과 질량

- **1몰의 질량**: 물질 1 mol을 구성하는 입자 6.02×10^{23}개의 질량으로, 화학식량에 g을 붙인 값과 같다.
- **몰 질량**: 물질 ❶ [ ] mol의 질량을 의미하며, 단위는 g/mol이다.
- 물질의 질량(g)을 몰 질량(또는 1몰의 질량)(g/mol)으로 나누면 물질의 양(mol)을 구할 수 있다.

$$\text{원자의 양(mol)} = \frac{\text{질량(g)}}{\text{원자량(g/mol)}}$$

$$\text{분자의 양(mol)} = \frac{\text{질량(g)}}{\text{분자량(g/mol)}}$$

4 몰과 부피

- ❷ [ ] **법칙**: 모든 기체는 온도와 압력이 같을 때, 같은 부피 속에 같은 수의 분자가 들어 있다.
  ➡ 일정한 온도와 압력에서 기체의 부피는 물질의 양(mol)에 비례한다.
- **기체 1 mol의 부피**: 0 ℃, 1 기압에서 모든 기체 1 mol의 부피는 ❸ [ ] L이다. ⌐ 22.4 L 속에 6.02×10^{23}개의 분자 포함
- **몰과 입자 수, 질량, 기체의 부피 사이의 관계**

$$\text{몰(mol)} = \frac{\text{입자 수(개)}}{6.02 \times 10^{23}\text{(개/mol)}} = \frac{\text{질량(g)}}{\text{몰 질량(g/mol)}} = \frac{\text{기체의 부피(L)}}{22.4\text{(L/mol)}} \text{(0 ℃, 1 기압)}$$

답 ❶ 1 ❷ 아보가드로 ❸ 22.4

정답과 해설 4쪽

3-1

표는 3가지 물질의 질량에 대한 자료이다. (단, N_A는 아보가드로수이고, X~Z는 임의의 원소 기호이다.)

물질	Y	X_2Z	YZ_2
N_A개의 질량(g)	12	18	44

(1) Z의 원자량을 구하시오.

(2) X_2 1 mol의 질량(g)을 구하시오.

(3) ZX_4 2 mol에 들어 있는 X의 질량(g)을 구하시오.

3-2

표는 A와 B로 이루어진 분자 (가)~(다)에 대한 자료이다. (단, A, B는 임의의 원소 기호이다.)

분자	(가)	(나)	(다)
분자식	AB_2	A_2B	A_2B_3
0.5 mol의 질량(g)	23	22	x

(1) A, B의 원자량을 각각 구하시오.

(2) x의 값을 구하시오.

Hint A_2B_3 0.5 mol의 질량은 분자량에 $\frac{1}{2}$배를 한 값이다.

4-1

그림은 3가지 물질 (가)~(다)를 모형으로 나타낸 것이다. (단, 기체의 온도와 압력은 같고, C, O, Ne의 원자량은 각각 12, 16, 20이다.)

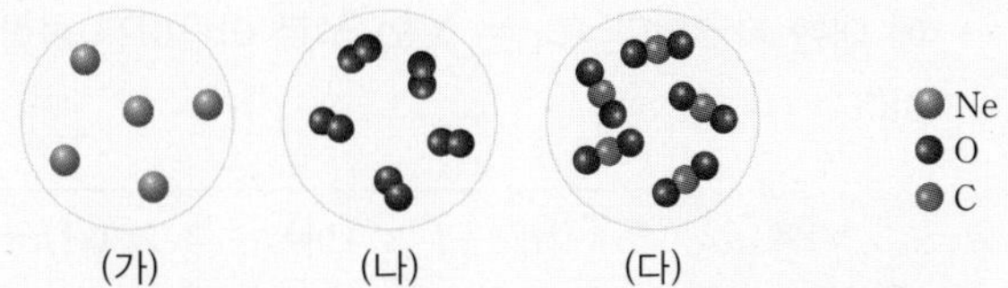

(1) (가)~(다)의 부피를 등호 또는 부등호로 비교하시오.

(2) (가)~(다)의 질량을 등호 또는 부등호로 비교하시오.

4-2

그림은 0 ℃, 1 기압에서 실린더에 3가지 기체가 각각 들어 있는 것을 나타낸 것이다. (단, H와 C의 원자량은 각각 1, 12이고, 피스톤의 질량과 마찰은 무시한다.)

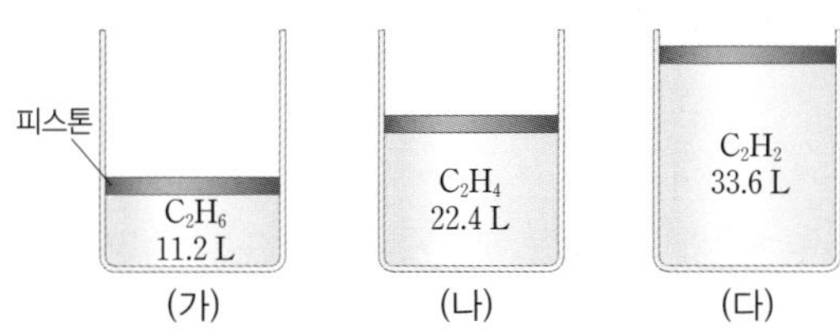

(1) (가)~(다)에 들어 있는 기체의 몰비를 구하시오.

Hint 기체의 몰비는 부피비와 같다.

(2) (가)~(다)에 들어 있는 기체의 밀도비를 구하시오.

일 기초 유형 연습 | 몰과 화학식량

대표 기출 유형

2019학년도 수능 9번 변형

표는 같은 온도와 압력에서 질량이 같은 기체 (가)~(다)에 대한 자료이다.

기체	분자식	부피(L)
(가)	XY_4	22
(나)	Z_2	11
(다)	XZ_2	8

이에 대한 설명으로 옳은 것만을 〈보기〉에서 있는 대로 고른 것은? (단, X~Z는 임의의 원소 기호이다.)

보기

ㄱ. 분자량은 XY_4가 Z_2의 2배이다.

ㄴ. 원자량은 X > Z이다.

ㄷ. 1 g에 들어 있는 원자 수는 (가)가 (나)의 5배이다.

① ㄱ ② ㄴ ③ ㄷ
④ ㄱ, ㄴ ⑤ ㄴ, ㄷ

개념 point

같은 온도와 압력에서 기체의 부피비는 기체의 분자 수비와 같다.
물질의 양(mol)은 물질의 질량(g)을 몰 질량(g/mol)으로 나누어서 구한다.

|보기| 풀이

ㄱ 부피비는 분자 수비와 같으므로 분자 수비는 (가) : (나)=2 : 1이다. 이때 기체의 질량이 같으므로 분자량비는 $XY_4 : Z_2 = 1 : 2$로 Z_2가 XY_4의 2배이다.

ㄴ 분자량비는 (가) : (나) : (다)$=\frac{1}{22} : \frac{1}{11} : \frac{1}{8} = 4 : 8 : 11$이다. 이로부터 원자량비는 X : Y : Z = 12 : 1 : 16이다.

ㄷ 1 g에 들어 있는 분자 수비는 (가) : (나)=2 : 1이고 분자의 구성 원자 수비는 (가) : (나) =5 : 2이므로 1 g에 들어 있는 원자 수는 (가)가 (나)의 5배이다.

함정 탈출

(가)와 (나)의 질량이 같고 부피비가 (가) : (나)=2 : 1이므로 분자량비는 부피비에 반비례하여 (가) : (나)=1 : 2가 된다.

답 ③

2016학년도 10월 학평 6번 변형

1 표는 0 ℃, 1 기압에서 기체 (가)~(다)에 대한 자료이다.

기체	분자량	질량(g)	부피(L)
(가)	28	x	22.4
(나)	y	8	5.6
(다)	44	4.4	z

x~z를 각각 구하되, 풀이 과정도 서술하시오. (단, 0 ℃, 1 기압에서 기체 1 mol의 부피는 22.4 L이다.)

2019학년도 10월 학평 10번 변형

2 표는 같은 온도와 압력에서 같은 부피의 기체 (가)~(다)에 대한 자료이다. (다)는 X와 Y로 이루어진 화합물이다.

기체	(가)	(나)	(다)
분자식	X_2	Y_2	
질량(g)	7	8	11

(다)의 분자식으로 적절한 것은? (단, X, Y는 임의의 원소 기호이다.)

① XY ② X_2Y ③ XY_2
④ X_3Y_2 ⑤ X_2Y_3

정답과 해설 4쪽

2020학년도 7월 학평 4번 변형

3 그림은 물병에 $H_2O(l)$이, 풍선에 $He(g)$이 들어 있는 모습을 나타낸 것이다.

이에 대한 설명으로 옳은 것만을 〈보기〉에서 있는 대로 고른 것은? (단, H, He, O의 원자량은 각각 1, 4, 16이고, 20 ℃, 1 기압에서 기체 1 mol의 부피는 24 L이다.)

보기

ㄱ. 물병 속 H_2O의 양은 25 mol이다.
ㄴ. 풍선 속 He의 양은 0.5 mol이다.
ㄷ. 물병 속 H 원자의 질량은 풍선 속 He 원자의 질량의 25배이다.

① ㄱ ② ㄷ ③ ㄱ, ㄴ
④ ㄴ, ㄷ ⑤ ㄱ, ㄴ, ㄷ

2017학년도 6월 모평 13번 변형

4 표는 4가지 분자에 대한 자료이다.

분자	H_2	CH_4	CO_2	HCHO
분자 1개의 질량(g)	㉠$\times 10^{-23}$			
분자량	2	16	44	㉡

㉠과 ㉡으로 옳은 것은? (단, 아보가드로수는 6×10^{23}이다.)

	㉠	㉡
①	$\frac{1}{3}$	30
②	$\frac{1}{3}$	32
③	$\frac{1}{2}$	30
④	$\frac{1}{2}$	40
⑤	1	40

2015학년도 4월 학평 8번 변형

5 다음은 일정한 온도와 압력에서 기체 A의 분자량을 구하는 실험이다.

[실험 과정]
동일한 2개의 실린더에 같은 질량의 $He(g)$과 $A(g)$를 넣고 피스톤까지의 높이를 측정한다.

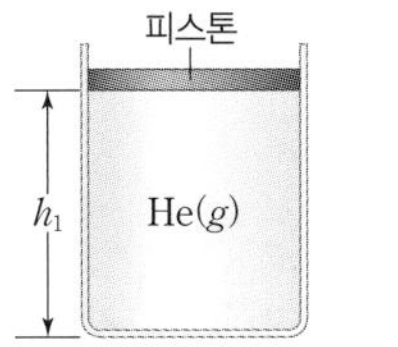

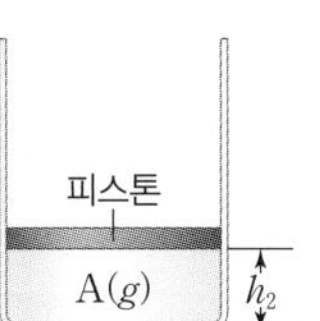

[실험 결과]
$h_1 : h_2 = 10 : 1$이었다.

A의 분자량을 구하되, 풀이 과정도 서술하시오. (단, He의 분자량은 4이다.)

2015학년도 7월 학평 3번 변형

6 다음은 0 ℃, 1 기압에서 3가지 기체의 양에 대한 자료이다. 아보가드로수는 6×10^{23}이고, 0 ℃, 1 기압에서 기체 1 mol의 부피는 22.4 L이다.

(가) 16.8 L의 $O_2(g)$ 분자
(나) 20 g의 $CH_2O(g)$ 분자
(다) 9×10^{23}개의 $CH_4(g)$ 분자

이에 대한 설명으로 옳은 것만을 〈보기〉에서 있는 대로 고른 것은? (단, H, C, O의 원자량은 각각 1, 12, 16이다.)

보기

ㄱ. O 원자의 질량은 (가)가 (나)의 1.5배이다.
ㄴ. 기체의 질량은 (가) > (다)이다.
ㄷ. 0 ℃, 1 기압에서 기체의 부피는 (나) < (다)이다.

① ㄱ ② ㄷ ③ ㄱ, ㄴ
④ ㄴ, ㄷ ⑤ ㄱ, ㄴ, ㄷ

4일 화학 반응식

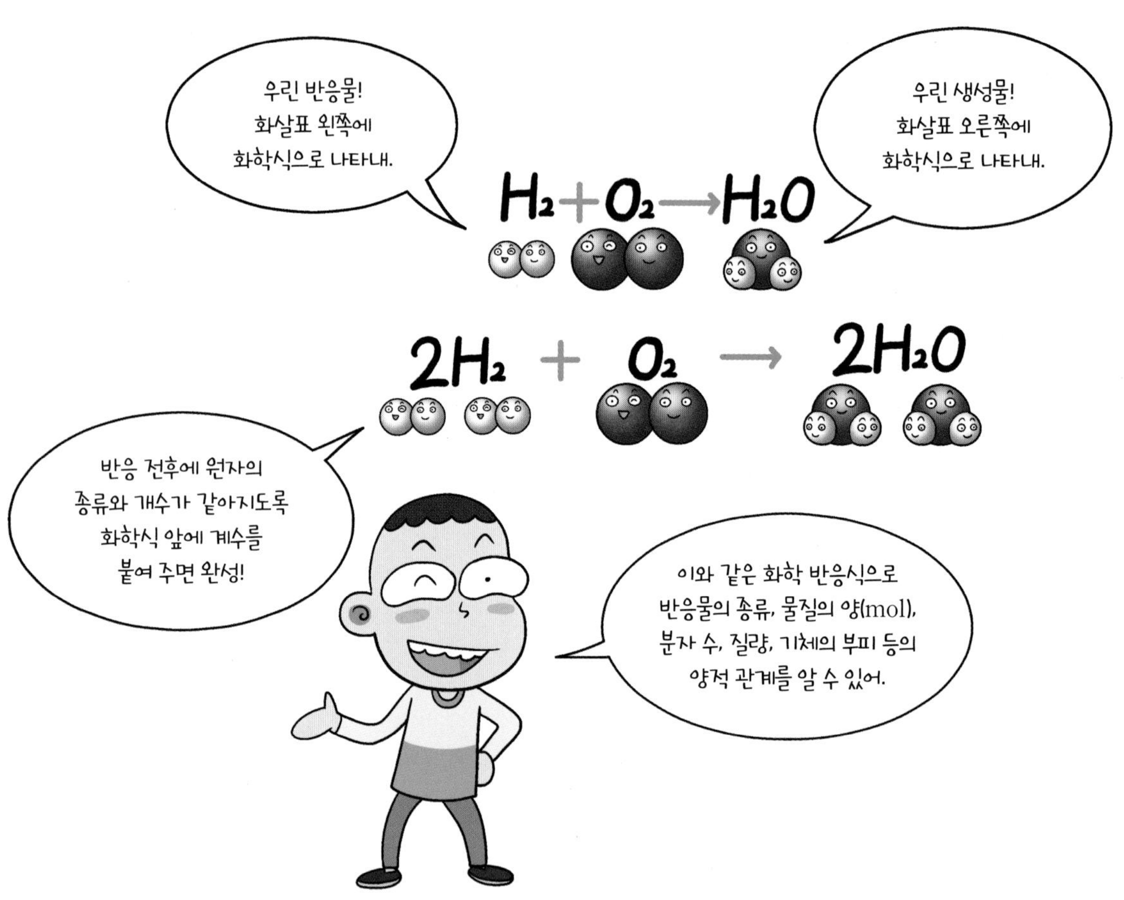

핵심 개념

1 화학 반응식 꾸미기

(화학 반응식: 화학 반응을 화학식과 기호를 사용하여 나타낸 식)

예 수소와 산소가 반응하여 물을 생성하는 반응

1단계	• 반응물과 생성물을 화학식으로 나타낸다. ➡ 반응물: 수소(H_2), 산소(O_2) 생성물: 물(H_2O)
2단계	• 반응물은 왼쪽에, 생성물은 오른쪽에 쓰고, 그 사이를 '→'로 연결한다. ➡ $H_2 + O_2 \rightarrow H_2O$
3단계	• 반응물과 생성물을 구성하는 원자의 종류와 수가 같도록 화학식의 계수를 맞춘다. 산소 원자 수 맞춤 ➡ $H_2 + O_2 \rightarrow 2H_2O$ 수소 원자 수 맞춤 ➡ ❶ (　　) $+ O_2 \rightarrow 2H_2O$
4단계	• 화학식 뒤에 고체는 (s), 액체는 (l), 기체는 (g), 수용액은 (aq)로 표시한다. ➡ ❷ (　　) $+ O_2(g) \rightarrow 2H_2O(l)$

2 화학 반응식의 의미

❸ (　　) = 몰비 = 분자 수비 = 부피비(기체인 경우) ≠ 질량비

(반응물: 메테인, 산소, 생성물: 이산화 탄소, 물)

화학 반응식	$CH_4(g)$	+ $2O_2(g)$	→ $CO_2(g)$	+ $2H_2O(l)$
분자 모형				
분자 수	1	2	1	2
몰(mol)	1	2	1	2
기체의 부피(L) (0 ℃, 1 기압)	22.4	2×22.4	22.4	
질량(g)	1×16	2×32	1×44	2×18

답 ❶ $2H_2$ ❷ $2H_2(g)$ ❸ 계수비

개념 확인

정답과 해설 4쪽

1-1

그림은 원소 A(●)와 B(■)로 이루어진 물질의 반응을 모형으로 나타낸 것이다. (단, A, B는 임의의 원소 기호이다.)

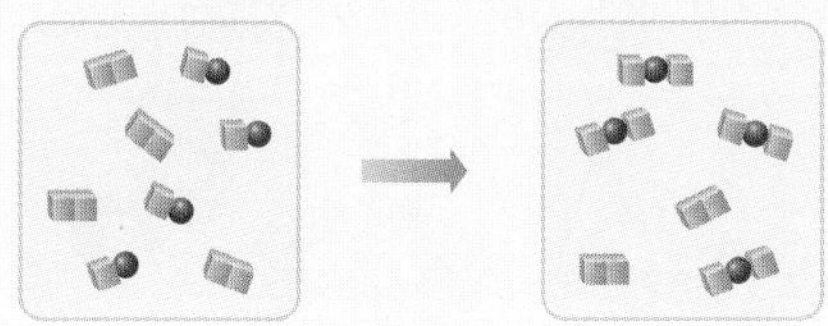

(1) 이 반응의 반응물과 생성물의 화학식을 쓰시오.

(2) 이 반응의 화학 반응식을 쓰시오.

1-2

다음은 메테인(CH_4) 연소 반응의 화학 반응식이다.

$$aCH_4(g)+bO_2(g) \longrightarrow cCO_2(g)+dH_2O(l)$$
(a~d는 반응 계수)

a~d를 각각 구하시오.

Hint 반응 전후 원자의 종류와 개수가 같아야 한다.

1주

4일

2-1

다음은 일정한 온도와 압력에서 수소 기체와 산소 기체가 반응하여 수증기가 생성될 때의 화학 반응식이다.

$$2H_2(g)+O_2(g) \longrightarrow 2H_2O(g)$$

(1) 일정한 온도와 압력에서 $H_2(g)$ 20 L를 모두 반응시키는 데 필요한 $O_2(g)$의 부피를 구하시오.

(2) O_2 1 mol이 모두 반응했을 때 생성되는 H_2O의 양(mol)을 구하시오.

(3) 밀폐된 용기에서 $H_2(g)$ 3 mol과 $O_2(g)$ 1 mol을 반응시킬 때 반응 후 전체 기체의 양(mol)을 구하시오.

2-2

그림은 A(g)와 B(g)가 반응하여 C(g)를 생성할 때 반응 전후 물질의 양을 나타낸 것이다.

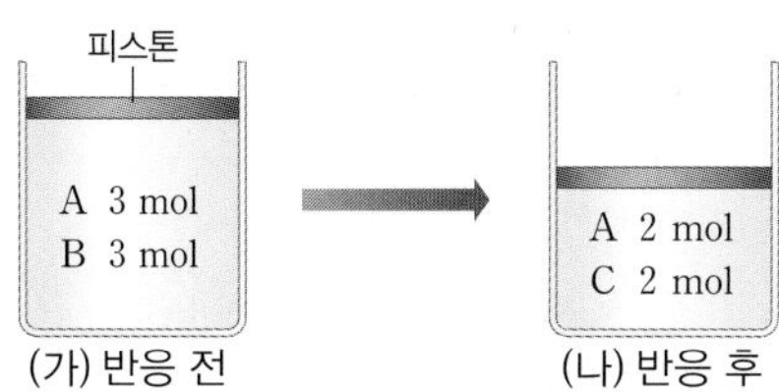

(1) A(g)와 B(g)가 반응하여 C(g)가 생성되는 반응의 화학 반응식을 쓰시오. (단, A, B, C는 각 기체의 화학식이다.)

Hint A는 3 mol 중 1 mol만 반응하고, 2 mol은 남는다.

(2) (나)의 A를 모두 반응시키기 위해 추가로 필요한 B의 양(mol)을 구하시오.

4일 화학 반응식

물질의 질량이나
물질의 양(mol)을 알면
몰 질량을 이용해
서로의 값을 구할 수 있어.
물질의 입자 수나
물질의 양(mol)을 알면
아보가드로수를 이용해
서로의 값을 구해!
질량
물질의 양(mol)×몰 질량(g/mol)
질량(g) / 몰 질량(g/mol)
몰
물질의 양(mol)×6.02×10²³/mol
입자 수 / 6.02×10²³/mol
입자 수
물질의 양(mol)×22.4 L/mol
부피(L) / 22.4 L/mol
(0℃, 1기압) 기체의 부피
물질의 부피나
물질의 양(mol)을 알면
22.4 L를 이용해 서로의
값을 구해.

핵심 개념

3 화학 반응식의 양적 관계

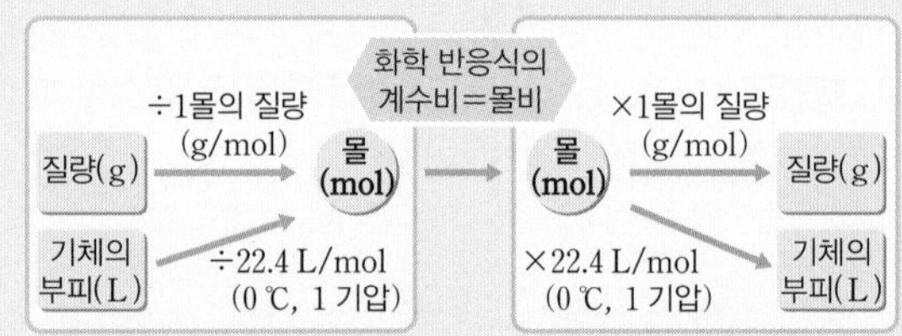

- 화학 반응에서 몰과 질량 관계

예 탄소 6 g이 완전 연소될 때 생성되는 이산화 탄소의 질량 구하기

화학 반응식 완성	$C(s)+O_2(g) \longrightarrow CO_2(g)$
C 6 g의 양(mol) 구하기	$\frac{6\ g}{12\ g/mol}=0.5\ mol$
계수비를 이용하여 CO_2의 양(mol) 구하기	C와 CO_2의 계수비=몰비 $C : CO_2=$ ❶ ☐ $=0.5 : x$, $x=0.5(mol)$
CO_2의 질량 구하기	$0.5\ mol \times 44\ g/mol=22\ g$

- 화학 반응에서 몰과 부피 관계

예 0 ℃, 1 기압에서 질소 5.6 L를 충분한 양의 수소와 모두 반응시켰을 때 생성되는 암모니아의 부피 구하기

화학 반응식 완성	$N_2(g)+3H_2(g) \longrightarrow 2NH_3(g)$
계수비를 이용하여 NH_3의 부피 구하기	N_2와 NH_3의 계수비= ❷ ☐ $N_2 : NH_3=1 : 2=5.6 : x$, $x=11.2(L)$

- 화학 반응에서 질량과 부피 관계

예 0 ℃, 1 기압에서 메테인 11.2 L를 완전 연소시킬 때 생성되는 물의 질량 구하기

화학 반응식 완성	$CH_4(g)+2O_2(g) \longrightarrow CO_2(g)+2H_2O(l)$
CH_4 11.2 L의 양(mol) 구하기	$\frac{11.2\ L}{22.4\ L/mol}=0.5\ mol$
계수비를 이용하여 H_2O의 양(mol) 구하기	CH_4과 H_2O의 계수비=몰비 $CH_4 : H_2O=1 : 2=0.5 : x$, $x=1(mol)$
H_2O의 질량 구하기	$1\ mol \times$ ❸ ☐ $=18\ g$

답 ❶ 1 : 1 ❷ 부피비 ❸ 18 g/mol

개념 확인

정답과 해설 5쪽

3-1

다음은 일산화 탄소(CO) 연소 반응의 화학 반응식이다. (단, C, O의 원자량은 각각 12, 16이고, 0 ℃, 1 기압에서 기체 1 mol의 부피는 22.4 L이다.)

$$aCO(g)+bO_2(g) \longrightarrow cCO_2(g)$$
(a~c는 반응 계수)

(1) CO와 O_2의 반응 몰비를 구하시오.

(2) CO_2 2 mol이 생성될 때 반응한 O_2의 질량(g)을 구하시오.

(3) 0 ℃, 1 기압에서 CO(g) 22.4 L가 모두 반응할 때 생성되는 CO_2의 질량(g)을 구하시오.

3-2

다음은 $A_2(g)$와 $B_2(g)$가 반응하여 $X(g)$가 생성되는 반응의 화학 반응식이다.

$$aA_2(g)+bB_2(g) \longrightarrow 2X(g)$$ (a, b는 반응 계수)

그림 (가)는 $A_2(g)$와 $B_2(g)$가 들어 있는 반응 전 상태를, (나)는 (가)에서 $B_2(g)$가 모두 반응하여 $X(g)$가 생성된 것을 나타낸 것이다. (나)에서 기체 분자는 나타내지 않았고, (가)와 (나)의 부피비는 (가) : (나)=5 : 3이다.

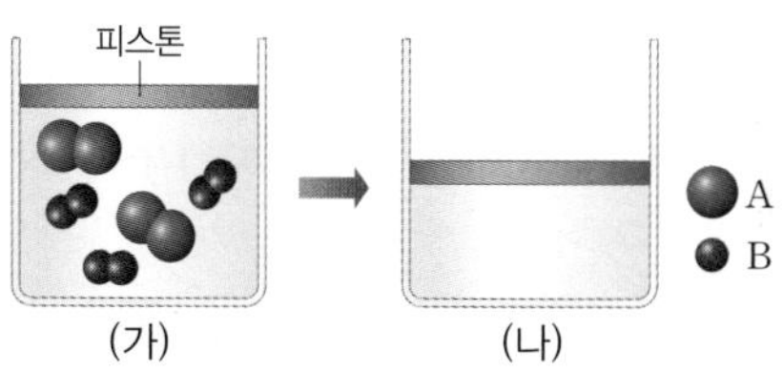

X의 분자식을 구하시오. (단, A, B는 임의의 원소 기호이다.)

Hint 기체의 부피비는 분자 수비와 같으므로 (나)에 들어 있는 분자 수는 3이다.

3-3

다음은 알루미늄과 묽은 염산의 반응의 화학 반응식이다.

$$aAl+bHCl \longrightarrow cAlCl_3+dH_2$$
(a~d는 반응 계수)

20 ℃, 1 기압에서 Al 2.7 g을 충분한 양의 묽은 염산과 반응시킬 때 생성되는 $H_2(g)$의 부피(L)를 구하시오. (단, Al의 원자량은 27이고, 20 ℃, 1 기압에서 기체 1 mol의 부피는 24 L이다.)

3-4

다음은 $A_2(g)$와 $B_2(g)$가 반응하여 $X(g)$가 생성되는 반응의 화학 반응식이다. A, B는 임의의 원소 기호이다.

$$aA_2(g)+bB_2(g) \longrightarrow cX(g)$$ (a~c는 반응 계수)

표는 $A_2(g)$와 $B_2(g)$의 부피를 달리하여 어느 한 기체가 모두 반응했을 때 반응 전후 기체의 부피를 나타낸 것이다. (가)에서 반응 후 기체의 종류는 1가지이다.

실험	반응 전 기체의 부피(L)		반응 후 전체 기체의 부피(L)
	$A_2(g)$	$B_2(g)$	
(가)	1		2
(나)	2	3	3
(다)	3	12	㉠

㉠을 구하시오.

Hint (가)에서는 A_2와 B_2가 모두 반응하였다.

기초 유형 연습 | 화학 반응식

대표 기출 유형

2021학년도 6월 학평 7번 변형

다음은 과산화 수소(H_2O_2) 분해 반응의 화학 반응식이다.

$a H_2O_2 \longrightarrow a H_2O +$ ㉠ (a는 반응 계수)

이에 대한 설명으로 옳은 것만을 〈보기〉에서 있는 대로 고른 것은? (단, H, O의 원자량은 각각 1, 16이고, ㉠의 계수는 1이다.)

보기

ㄱ. ㉠은 O_2이다.

ㄴ. 2 mol의 H_2O_2가 분해되면 1 mol의 H_2O이 생성된다.

ㄷ. 1 mol의 H_2O_2가 분해될 때 전체 생성물의 질량은 34 g이다.

① ㄱ ② ㄴ ③ ㄱ, ㄷ
④ ㄴ, ㄷ ⑤ ㄱ, ㄴ, ㄷ

개념 point

반응물과 생성물을 구성하는 원자의 종류와 수가 같도록 화학식 앞의 계수를 맞춘다.
화학 반응식의 계수비는 반응 몰비와 같다.

|보기| 풀이

ㄱ 반응물에서 수소 원자 수와 산소 원자 수는 모두 $2a$이고 생성물 중 H_2O에 들어 있는 수소 원자 수는 $2a$, 산소 원자 수는 a이므로 ㉠은 O(산소)로만 이루어진 물질이다. 또 ㉠의 반응 계수가 1이므로 ㉠은 O_2이고 a는 2이다.

ㄴ H_2O_2와 H_2O의 계수가 같으므로 2 mol의 H_2O_2가 분해되면 2 mol의 H_2O이 생성된다.

ㄷ 반응 전후 물질의 질량 총합이 같고, H_2O_2 1 mol의 질량이 34 g이므로 1 mol의 H_2O_2가 분해될 때 전체 생성물의 질량은 34 g이다.

함정 탈출

반응이 일어날 때 전체 질량은 보존되므로 생성된 H_2O과 ㉠의 질량을 계산하지 않아도 전체 생성물의 질량은 분해된 H_2O_2의 질량과 같음을 알 수 있다. 답 ③

2018학년도 수능 3번 변형

1 그림은 반응 용기에 $X_2(g)$와 $Y_2(g)$를 넣었을 때 일어나는 반응을 모형으로 나타낸 것이다.

용기에서 일어나는 반응의 화학 반응식을 쓰시오. (단, X, Y는 임의의 원소 기호이다.)

2021학년도 9월 모평 5번 변형

2 다음은 프로페인(C_3H_8) 연소 반응의 화학 반응식이다.

$C_3H_8(g) + aO_2(g) \longrightarrow bCO_2(g) + cH_2O(l)$ (a~c는 반응 계수)

그림 (가)는 강철 용기에 C_3H_8 4.4 g과 O_2 x g을 넣은 반응 초기를, (나)는 C_3H_8이 완전 연소된 후를 나타낸 것이다.

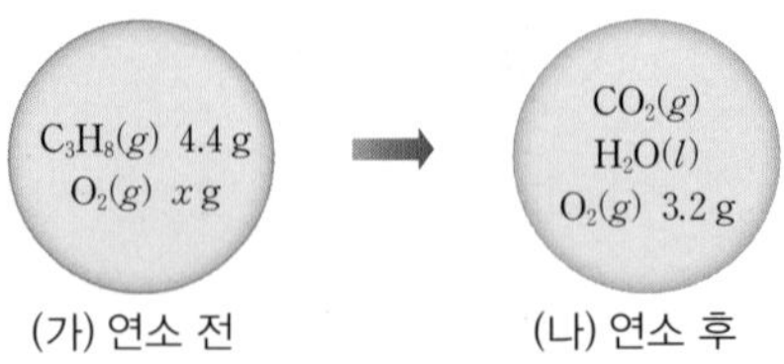

(가) 연소 전 (나) 연소 후

이에 대한 설명으로 옳은 것만을 〈보기〉에서 있는 대로 고른 것은? (단, H, C, O의 원자량은 각각 1, 12, 16이다.)

보기

ㄱ. 생성된 CO_2의 양은 0.3 mol이다.

ㄴ. x=19.2이다.

ㄷ. (나)에서 H_2O의 질량은 $\frac{2}{9}x$ g이다.

① ㄱ ② ㄷ ③ ㄱ, ㄴ
④ ㄴ, ㄷ ⑤ ㄱ, ㄴ, ㄷ

정답과 해설 5쪽

2020학년도 6월 학평(고2) 7번 변형

3 다음은 자동차 에어백과 관련된 2가지 반응의 화학 반응식이다. t ℃, 1 기압에서 기체 1몰의 부피는 V L이다.

- $2NaN_3(s) \longrightarrow 2$ ㉠ $(s)+3N_2(g)$
- $Fe_2O_3(s)+a$ ㉠ $(s) \longrightarrow bNa_2O(s)+2Fe(s)$

(a, b는 반응 계수)

이에 대한 설명으로 옳은 것만을 〈보기〉에서 있는 대로 고른 것은? (단, NaN_3의 화학식량은 65이고, 온도와 압력은 일정하다.)

보기

ㄱ. ㉠은 Na이다.
ㄴ. $a=2b$이다.
ㄷ. t ℃, 1 기압에서 $NaN_3(s)$ 6.5 g이 반응할 때 생성된 $N_2(g)$의 부피는 $0.3V$ L이다.

① ㄱ ② ㄷ ③ ㄱ, ㄴ
④ ㄴ, ㄷ ⑤ ㄱ, ㄴ, ㄷ

2017학년도 3월 학평 17번 변형

4 표는 $X_2(g)$와 $Y_2(g)$가 반응하여 $XY_2(g)$가 생성되는 반응에 대한 자료이다.

실험	반응 전 반응물의 부피(L)		반응 후 남은 반응물의 부피(L)
	X_2	Y_2	
I	$0.5a$	$3b$	㉠
II	a	$4b$	0

이에 대한 설명으로 옳은 것만을 〈보기〉에서 있는 대로 고른 것은? (단, 온도와 압력은 일정하다.)

보기

ㄱ. $a=2b$이다.
ㄴ. ㉠은 b이다.
ㄷ. 생성물의 양은 II에서가 I에서의 2배이다.

① ㄱ ② ㄷ ③ ㄱ, ㄴ
④ ㄴ, ㄷ ⑤ ㄱ, ㄴ, ㄷ

2015학년도 6월 모평 6번 변형

5 다음은 알루미늄(Al)을 이용하여 은(Ag)의 녹을 제거하는 반응의 화학 반응식이다.

$$aAg_2S+bAl \longrightarrow cAg+dAl_2S_3$$

(a~d는 반응 계수)

(1) a~d를 각각 구하시오.

(2) 0.6 mol의 Ag_2S과 반응하는 Al의 질량을 구하시오. (단, Al의 원자량은 27이다.)

2014학년도 7월 학평 6번 변형

6 다음은 탄산 칼슘($CaCO_3$)과 묽은 염산($HCl(aq)$)의 반응에서 양적 관계를 알아보기 위한 실험이다.

[화학 반응식]

$$CaCO_3(s)+2HCl(aq) \longrightarrow CaCl_2(aq)+H_2O(l)+CO_2(g)$$

[실험]

(가) 그림과 같이 묽은 염산 100 mL를 담은 삼각 플라스크의 질량을 측정하였더니 w_1 g이었다.

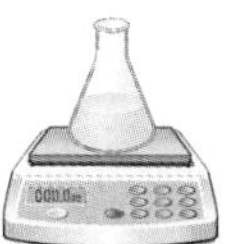

(나) 탄산 칼슘 1.0 g을 (가)의 삼각 플라스크에 넣었더니 탄산 칼슘이 모두 반응하였다.
(다) 반응이 끝난 후 용액이 담긴 삼각 플라스크의 질량을 측정하였더니 w_2 g이었다.

이에 대한 설명으로 옳은 것만을 〈보기〉에서 있는 대로 고른 것은? (단, $CaCO_3$의 화학식량은 100이다.)

보기

ㄱ. 반응한 $CaCO_3$의 양은 0.01 mol이다.
ㄴ. 생성된 H_2O의 양은 0.02 mol이다.
ㄷ. 이 실험으로부터 구한 CO_2의 분자량은 $100(w_1-w_2)$이다.

① ㄱ ② ㄷ ③ ㄱ, ㄴ
④ ㄴ, ㄷ ⑤ ㄱ, ㄴ, ㄷ

5일 용액의 농도

핵심 개념

1 퍼센트 농도

- 용해와 용액

① ❶ [ ]: 용매와 용질이 고르게 섞이는 현상

② **용액**: 두 종류 이상의 순물질이 균일하게 섞여 있는 혼합물
(균일하게 섞여 있는: 어느 부분에서나 용매와 용질이 같은 비율로 섞여 있다.)

③ **용매**: 다른 물질을 녹이는 물질

④ **용질**: 다른 물질에 녹는 물질

- **용액의 농도**: 용액의 진한 정도를 나타내는 값으로, 일정량의 용액 속에 녹아 있는 용질의 양으로 나타낸다.

➡ 용질의 양이 많아질수록 용액의 농도는 커지고, 용매의 양이 많아질수록 용액의 농도는 작아진다.

- **퍼센트 농도**: ❷ [ ] 100 g에 녹아 있는 용질의 질량을 나타내며, 단위는 %를 사용한다.

$$\text{퍼센트 농도(\%)} = \frac{\text{용질의 질량(g)}}{❸\ [\quad]} \times 100 = \frac{\text{용질의 질량(g)}}{\text{용질의 질량(g)} + \text{용매의 질량(g)}} \times 100$$

➡ 퍼센트 농도와 용액의 질량을 알면 용액에 녹아 있는 용질의 질량을 구할 수 있다.

$$\text{용질의 질량(g)} = \text{용액의 질량(g)} \times \frac{\text{퍼센트 농도(\%)}}{100}$$

예 10 % 설탕 수용액 150 g에 들어 있는 물과 설탕의 질량

➡ 설탕: $150\ g \times \frac{10}{100} = 15\ g$

물: $150\ g - 15\ g = 135\ g$

답 ❶ 용해 ❷ 용액 ❸ 용액의 질량(g)

개념 확인

정답과 해설 6쪽

1-1

그림은 퍼센트 농도가 같은 두 가지 수용액 (가), (나)를 나타낸 것이다. 설탕과 포도당의 분자량은 각각 342, 180이다.

(가)

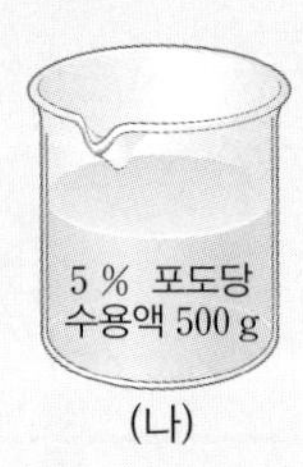

(나)

(1) 용액에 녹아 있는 용질의 질량을 등호 또는 부등호로 비교하시오.

(2) 용액에 녹아 있는 용질의 양(mol)을 등호 또는 부등호로 비교하시오.

1-2

그림과 같이 물 200 g에 요소 40 g을 녹여 요소 수용액 (가)를 만들었다. 요소의 분자량은 60이다.

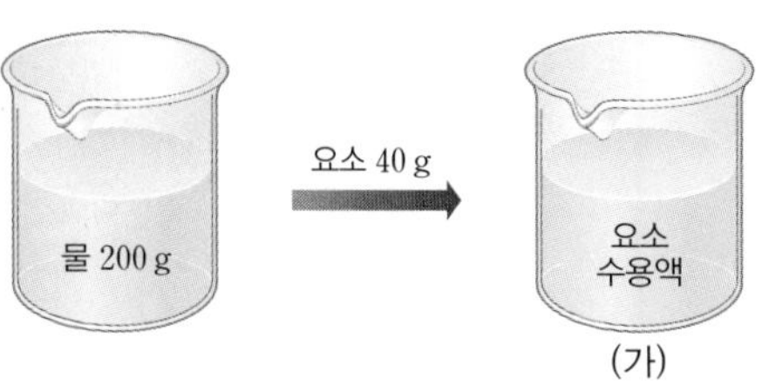

(1) (가)의 퍼센트 농도(%)를 구하시오.

(2) (가)에 물 60 g을 추가한 용액의 퍼센트 농도(%)를 구하시오.

Hint 물만 추가했으므로 용질의 질량은 같고 용액의 질량은 증가한다.

1-3

그림은 설탕 수용액 (가)와 (나)를 나타낸 것이다.

(가)

(나)

(1) (가)와 (나)의 퍼센트 농도를 등호 또는 부등호로 비교하시오.

(2) (가)와 (나)에 각각 물 50 g을 추가한 후 용액의 퍼센트 농도(%)를 등호 또는 부등호로 비교하시오.

1-4

다음은 수산화 나트륨(NaOH) 수용액을 만드는 실험 과정과 자료이다.

> [실험 과정]
> (가) NaOH 4 g을 측정하여 96 g의 물에 녹인다.
> (나) (가)의 수용액 10 g을 취하여 100 mL 부피 플라스크에 넣고 표시선까지 증류수를 넣어 잘 섞어 준다.
>
> [자료]
> (나)에서 만든 수용액의 밀도: 1 g/mL

(1) (가)에서 만든 수용액의 퍼센트 농도(%)를 구하시오.

(2) (나)에서 만든 수용액의 퍼센트 농도(%)를 구하시오.

Hint (가)의 수용액 10 g에는 NaOH 0.4 g이 들어 있다.

1주 5일

5일 용액의 농도

핵심 개념

2 몰 농도

온도에 따라 용액의 부피가 달라지므로 몰 농도도 달라진다.

- **몰 농도**: 용액 ❶ ______ 속에 녹아 있는 용질의 양(mol)을 나타내며, 단위는 M 또는 mol/L를 사용한다.

$$\text{몰 농도(M)} = \frac{\text{용질의 양(mol)}}{\text{용액의 부피(L)}}$$

$$\text{용질의 양(mol)} = \text{몰 농도(mol/L)} \times \text{용액의 부피(L)}$$

- **용액의 희석**: 몰 농도가 M mol/L인 용액 V L에 증류수를 첨가하여 몰 농도가 M' mol/L인 용액 V' L가 되었을 때, 두 용액에서 ❷ ______ 의 양(mol)은 같다.

$$\underline{MV} = \underline{M'V'} \Rightarrow M' = \frac{MV}{V'}$$

각 용액 속 용질의 양(mol)

- **용액의 혼합**: 몰 농도가 M mol/L인 용액 V L에 몰 농도가 M' mol/L인 용액 V' L를 혼합하여 몰 농도가 M'' mol/L이고 부피가 V'' L인 용액이 되었을 때, 다음 관계가 성립한다.

혼합 용액 속 용질의 양(mol)

$$\underline{MV + M'V'} = \overline{M''V''} \Rightarrow M'' = \frac{MV + M'V'}{V''}$$

혼합한 각 용액 속 용질의 양(mol)

3 일정한 몰 농도의 용액 만들기

예 0.1 M NaOH 수용액 1 L 만들기 – 부피 플라스크, 전자저울, 비커, 씻기병 등이 필요하다.

➡ 0.1 M NaOH 수용액 1 L에는 NaOH 0.1몰(4.0 g)이 들어 있다.

❶ NaOH 4.0 g을 전자저울로 측정하여 증류수가 들어 있는 비커에 넣어 모두 녹인다.

❷ 1 L ❸ ______ 에 ❶의 용액을 넣고, 증류수로 비커를 씻어 벽에 묻어 있는 용액까지 넣는다.

❸ ❸ ______ 의 표시선까지 증류수를 넣고 용액을 잘 흔들어 준다.

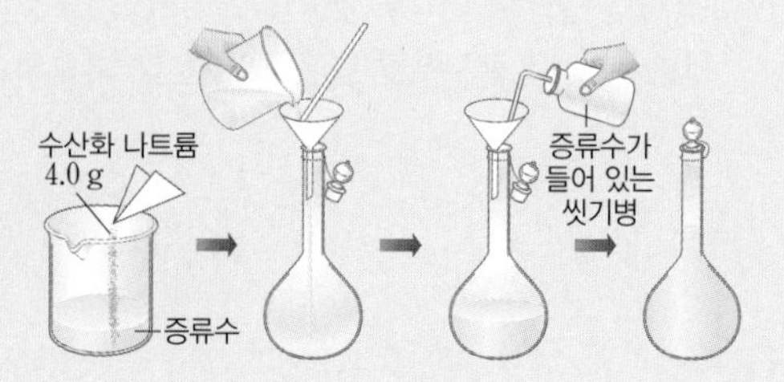

답 ❶ 1 L ❷ 용질 ❸ 부피 플라스크

개념 확인

정답과 해설 6쪽

2-1

그림은 수용액 (가)~(다)에 녹아 있는 용질을 입자 모형으로 나타낸 것이다.

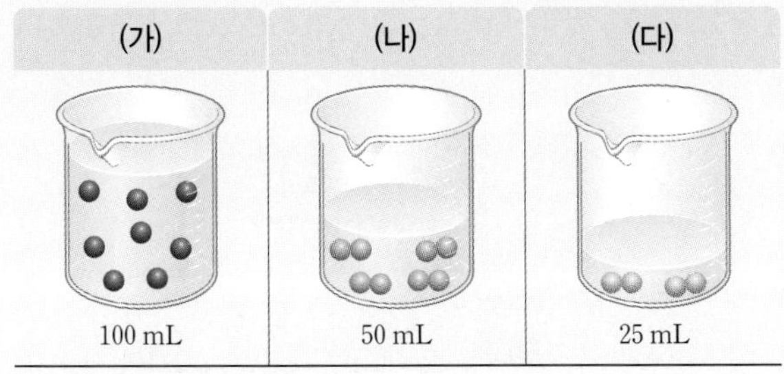

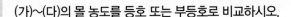

(가)~(다)의 몰 농도를 등호 또는 부등호로 비교하시오.

2-2

그림은 2가지 X 수용액 (가)와 (나)를 나타낸 것이다. (나)의 밀도는 1.06 g/mL이고, X의 화학식량은 40이다.

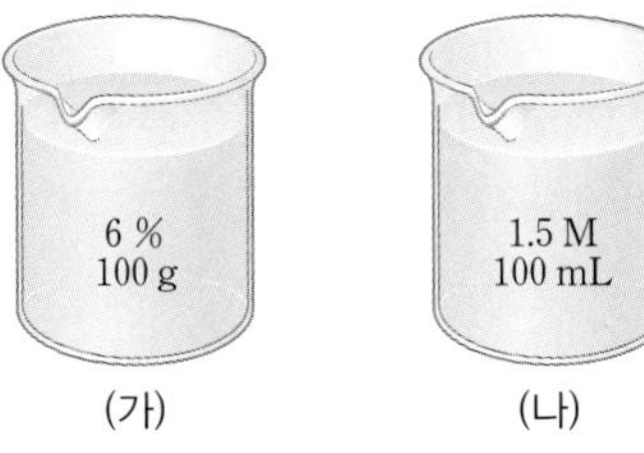

(1) (가)와 (나)에 녹아 있는 용질의 질량을 각각 구하시오.

(2) (나)의 퍼센트 농도(%)를 구하시오.

Hint '용액의 질량(g)=용액의 부피(mL)×밀도(g/mL)'로 구한다.

3-1

다음은 0.1 M 수산화 나트륨(NaOH) 수용액 500 mL를 만드는 과정이다.

[실험 과정]
(가) NaOH x g을 측정하여 소량의 물이 들어 있는 비커에 넣어 모두 녹인다.
(나) 500 mL [㉠]에 (가)의 용액을 모두 넣는다.
(다) 증류수를 [㉠]의 표시선까지 채운 후 잘 섞는다.

(1) x를 구하시오. (단, NaOH의 화학식량은 40이다.)

(2) ㉠에 들어갈 알맞은 실험 기구를 쓰시오.

3-2

다음은 A 수용액을 만드는 과정이다. A의 화학식량은 40이다.

(가) 물 100 g에 A 40 g을 넣어 모두 녹인다.
(나) (가)의 수용액 70 g을 취해 500 mL 부피 플라스크에 넣고 표시선까지 증류수를 넣는다.

(1) (가)에서 만든 A 수용액의 퍼센트 농도(%)를 구하시오.

(2) (나)에서 만든 A 수용액의 몰 농도(M)를 구하시오.

Hint (가)의 수용액 140 g 중 70 g을 취했으므로 (나)의 수용액에는 용질 A가 20 g 들어 있다.

1주 5일

기초 유형 연습 | 용액의 농도

대표 기출 유형 2021학년도 6월 모평 8번 변형

다음은 0.1 M 포도당 수용액을 만드는 실험 과정이다.

[실험 과정]

(가) 포도당 x g을 적당량의 증류수가 들어 있는 비커에 넣어 녹인다.

(나) (가)의 용액을 1 L [㉠]에 모두 넣는다.

(다) (나)의 [㉠] 표시선까지 증류수를 채운 후 마개를 막고 흔들어 용액을 잘 섞는다.

이에 대한 설명으로 옳은 것만을 〈보기〉에서 있는 대로 고른 것은? (단, 포도당의 분자량은 180이다.)

보기

ㄱ. $x=9$이다.

ㄴ. '부피 플라스크'는 ㉠으로 적절하다.

ㄷ. (다)에서 만든 수용액 100 mL에 녹아 있는 포도당의 양은 0.1 mol이다.

① ㄱ ② ㄴ ③ ㄱ, ㄷ
④ ㄴ, ㄷ ⑤ ㄱ, ㄴ, ㄷ

개념 point

용질의 양(mol)=몰 농도(mol/L)×용액의 부피(L)
용질의 질량(g)=용질의 양(mol)×용질의 몰 질량(g/mol)

|보기| 풀이

ㄱ 0.1 M 포도당 수용액 1 L를 만드는 데 필요한 포도당의 양은 0.1 mol이다. 포도당 0.1 mol의 질량 =0.1 mol×180 g/mol=18 g이다.

ㄴ 정확한 몰 농도의 용액을 만드는 데 필요한 실험 도구 ㉠은 부피 플라스크이다.

ㄷ (다)에서 만든 수용액 1 L에 녹아 있는 포도당의 양은 0.1 mol이므로 100 mL에 녹아 있는 포도당의 양은 0.01 mol이다.

함정 탈출

용액은 균일 혼합물이므로 1 L 용액에서 100 mL를 취하면 용질도 0.1 mol의 $\frac{1}{10}$배인 0.01 mol이 된다. 답 ②

2020학년도 10월 학평 16번 변형

1 그림은 수산화 나트륨(NaOH) 수용액 (가)와 이를 묽혀 만든 수용액 (나)를 나타낸 것이다. (나)의 밀도는 1 g/mL이다.

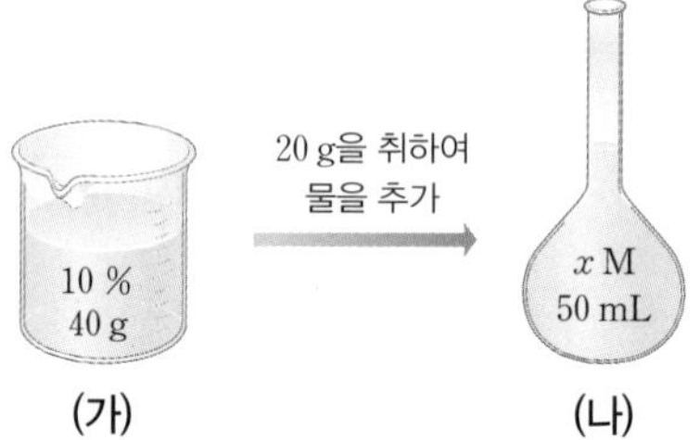

이에 대한 설명으로 옳은 것만을 〈보기〉에서 있는 대로 고른 것은? (단, NaOH의 화학식량은 40이다.)

보기

ㄱ. (가)에 녹아 있는 NaOH의 양은 0.1 mol이다.

ㄴ. (나)의 퍼센트 농도는 4 %이다.

ㄷ. $x=0.05$이다.

① ㄱ ② ㄷ ③ ㄱ, ㄴ
④ ㄴ, ㄷ ⑤ ㄱ, ㄴ, ㄷ

2 다음은 20 ℃에서 서로 다른 농도의 염산(HCl(aq))을 이용한 실험이다.

(가) 1.0 M HCl(aq) 40 mL와 2.0 M HCl(aq) 10 mL를 100 mL 부피 플라스크에 넣는다.

(나) (가)의 용액에 증류수를 표시선까지 가한 후 잘 섞어 준다.

(나)에서 만든 용액의 몰 농도(M)를 구하되, 풀이 과정도 서술하시오. (단, HCl의 분자량은 36.5이다.)

정답과 해설 6쪽

3 그림은 같은 질량의 황산 구리($CuSO_4$)와 A가 각각 녹아 있는 수용액 (가)와 (나)를 나타낸 것이다. (가)와 (나)에 녹아 있는 용질의 질량은 같다.

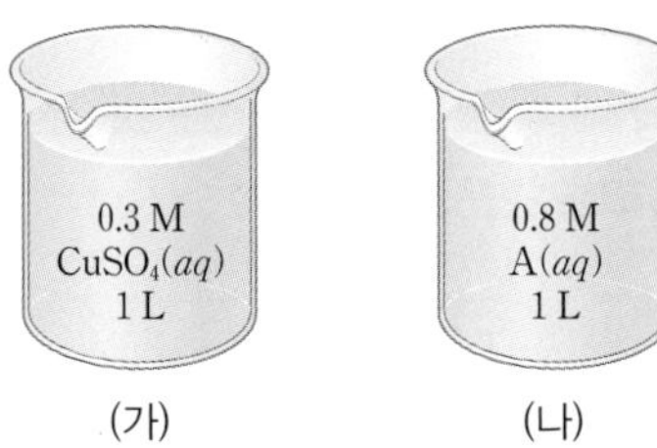

이에 대한 설명으로 옳은 것만을 〈보기〉에서 있는 대로 고른 것은? (단, A의 화학식량은 60이다.)

보기
ㄱ. (나)에 녹아 있는 A의 양은 0.8 mol이다.
ㄴ. (가)에 녹아 있는 $CuSO_4$의 질량은 48 g이다.
ㄷ. $CuSO_4$의 화학식량은 160이다.

① ㄱ ② ㄷ ③ ㄱ, ㄴ
④ ㄴ, ㄷ ⑤ ㄱ, ㄴ, ㄷ

4 다음은 용질 A와 B의 수용액 (가)와 (나)를 나타낸 것이다.

(가) 0.1 M A 수용액 1000 mL
(나) 0.2 M B 수용액 500 mL

이에 대한 설명으로 옳은 것만을 〈보기〉에서 있는 대로 고른 것은? (단, A와 B의 화학식량은 각각 $2M$, M이며, 두 수용액의 밀도는 같다.)

보기
ㄱ. 용액 속 용질의 양(mol)은 (가) > (나)이다.
ㄴ. 용액 속 용질의 질량은 (가) = (나)이다.
ㄷ. 퍼센트 농도는 (가) = (나)이다.

① ㄱ ② ㄷ ③ ㄱ, ㄴ
④ ㄴ, ㄷ ⑤ ㄱ, ㄴ, ㄷ

5 그림 (가)는 a % X 수용액을, (나)는 (가) 용액 10 mL를 취하여 부피 플라스크에 넣고 증류수를 가하여 전체 부피를 100 mL로 만든 것을 나타낸 것이다. (가)에서 X(aq)의 밀도는 1 g/mL이다.

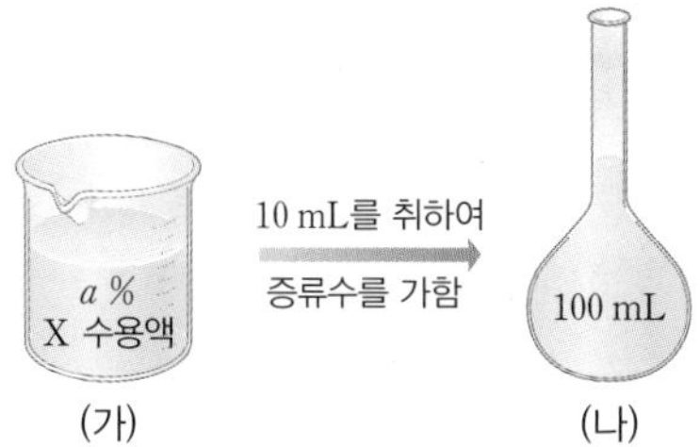

(나)에서 만든 X(aq)의 몰 농도(M)를 구하시오. (단, X의 화학식량은 40이다.)

6 그림은 포도당 수용액 (가)~(다)를 나타낸 것이다.

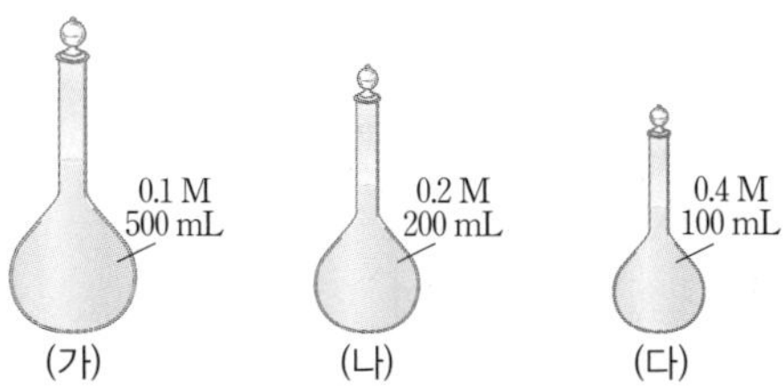

이에 대한 설명으로 옳은 것만을 〈보기〉에서 있는 대로 고른 것은?

보기
ㄱ. (가)에 녹아 있는 포도당의 양은 0.05 mol이다.
ㄴ. 수용액에 녹아 있는 포도당의 질량은 (나)와 (다)가 같다.
ㄷ. (가)와 (나)를 혼합한 후 증류수를 가해 전체 부피를 1000 mL로 만든 수용액의 몰 농도는 0.09 M이다.

① ㄱ ② ㄷ ③ ㄱ, ㄴ
④ ㄴ, ㄷ ⑤ ㄱ, ㄴ, ㄷ

1주 누구나 100점 테스트

1 화학이 우리 생활 문제 해결에 기여한 설명으로 옳은 것은?

① 하버는 공기 중의 질소와 산소를 반응시켜 암모니아를 대량 생산하는 방법을 개발하였다.
② 철광석은 실온에서 제련하여 순수한 철을 얻는다.
③ 철은 강도가 커서 창틀이나 건물 외벽에 사용된다.
④ 나일론은 최초의 합성 섬유로 대량 생산이 가능하다.
⑤ 아스피린은 최초의 항생제이다.

2 그림은 탄소 화합물 (가), (나)를 분자 모형으로 나타낸 것이다.

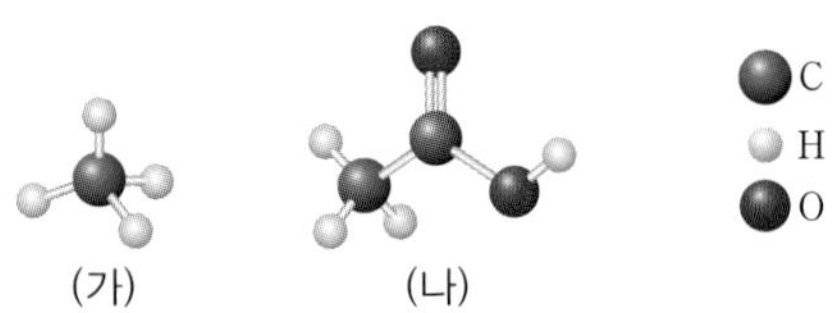

(가), (나)에 대한 설명으로 옳은 것은?

① (가)는 탄화수소이다.
② (가)는 물에 잘 녹는다.
③ (나)의 수용액은 염기성을 나타낸다.
④ (나)는 손 소독제의 성분으로 사용된다.
⑤ 완전 연소 생성물의 가짓수는 (가) < (나)이다.

3 다음은 3가지 분자의 화학식이다.

H_2 N_2 NH_3

각 기체 1 g에 들어 있는 분자 수를 부등호로 비교하시오. (단, H, N의 원자량은 각각 1, 14이다.)

2020학년도 3월 학평 2번 변형

4 그림은 탄소 화합물 (가)~(다)의 구조식을 나타낸 것이다.

```
  H          H  H           H  O
  |          |  |           |  ||
H-C-H      H-C-C-O-H      H-C-C-O-H
  |          |  |           |
  H          H  H           H
 (가)         (나)           (다)
```

(가)~(다)에 대한 설명으로 옳은 것만을 〈보기〉에서 있는 대로 고른 것은?

보기
ㄱ. (가)는 액화 천연가스(LNG)의 주성분이다.
ㄴ. (다)의 수용액은 산성이다.
ㄷ. $\frac{\text{H 원자 수}}{\text{C 원자 수}}$는 (나)가 가장 크다.

① ㄱ ② ㄷ ③ ㄱ, ㄴ
④ ㄴ, ㄷ ⑤ ㄱ, ㄴ, ㄷ

2021학년도 6월 모평 18번 변형

5 표는 t ℃, 1 기압에서 기체 (가)~(다)에 대한 자료이다.

기체	분자식	질량(g)	분자량	부피(L)	전체 원자 수 (상댓값)
(가)	XY_2	18		8	1
(나)	ZX_2	23		a	1.5
(다)	Z_2Y_4	26	104		b

이에 대한 설명으로 옳은 것만을 〈보기〉에서 있는 대로 고른 것은? (단, X~Z는 임의의 원소 기호이고 t ℃, 1 기압에서 기체 1 mol의 부피는 24 L이다.)

보기
ㄱ. $a \times b = 18$이다.
ㄴ. 1 g에 들어 있는 전체 원자 수는 (나) > (다)이다.
ㄷ. t ℃, 1 기압에서 $X_2(g)$ 6 L의질량은 8 g이다.

① ㄱ ② ㄷ ③ ㄱ, ㄴ
④ ㄴ, ㄷ ⑤ ㄱ, ㄴ, ㄷ

정답과 해설 7쪽

2020학년도 7월 학평 4번 변형

6 다음은 t ℃, 1 기압에서 3가지 물질 A~C에 대한 자료이다. t ℃, 1 기압에서 기체 1 mol의 부피는 25 L이다.

- A의 화학식량: 64, B의 화학식량: 18
- B(l)의 밀도: 1 g/mL

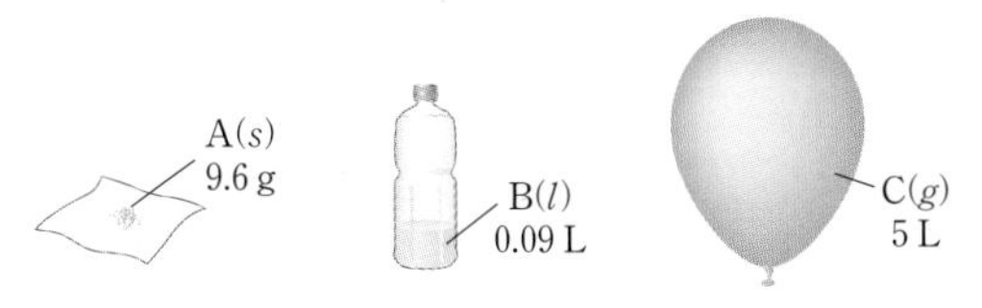

A~C의 양(mol)을 등호 또는 부등호로 비교하시오. (단, 풍선 내부의 압력은 1 기압이다.)

7 그림은 메테인(CH_4)의 연소 반응을 분자 모형으로 나타낸 것이다.

이에 대한 설명으로 옳지 않은 것은?

① 메테인과 산소는 반응물이다.
② CH_4 1 mol이 반응할 때 필요한 O_2의 양은 2 mol이다.
③ 0 ℃, 1 기압에서 $O_2(g)$ 20 L가 모두 반응할 때 생성되는 $CO_2(g)$의 부피는 10 L이다.
④ H_2O 1 mol이 생성될 때 반응한 CH_4의 양은 0.5 mol이다.
⑤ CH_4 8 g이 모두 반응할 때 생성되는 CO_2의 질량은 8 g이다.

2020학년도 수능 3번 변형

8 다음은 이산화 질소(NO_2)와 관련된 반응의 화학 반응식이다.

$$aNO_2 + bH_2O \longrightarrow cHNO_3 + NO$$

(a~c는 반응 계수)

$a+b+c$를 구하시오.

9 그림은 용기에 XY, Y_2를 넣고 반응시켰을 때, 반응 전과 후 용기에 존재하는 물질을 모형으로 나타낸 것이다.

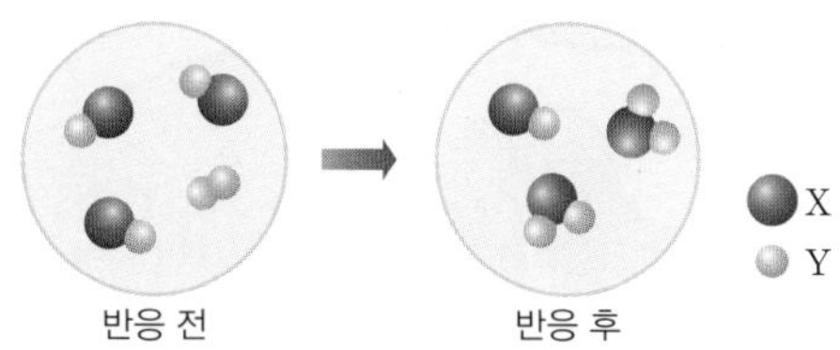

이 반응에 대한 설명으로 옳은 것만을 〈보기〉에서 있는 대로 고른 것은? (단, X, Y는 임의의 원소 기호이다.)

보기
ㄱ. 생성물의 종류는 2가지이다.
ㄴ. 반응하는 XY와 Y_2의 몰비는 3 : 1이다.
ㄷ. 용기에 존재하는 물질의 총 질량은 반응 전과 후가 같다.

① ㄱ ② ㄷ ③ ㄱ, ㄴ
④ ㄴ, ㄷ ⑤ ㄱ, ㄴ, ㄷ

2020학년도 4월 학평 12번 변형

10 다음은 A(aq)에 대한 실험이다. A의 화학식량은 100이다.

[실험 과정 및 결과]
250 mL 부피 플라스크에 x M A(aq) 100 mL와 A(s) 4 g을 넣어 녹인 후, 표시선까지 물을 추가하여 0.2 M A(aq)을 만들었다.

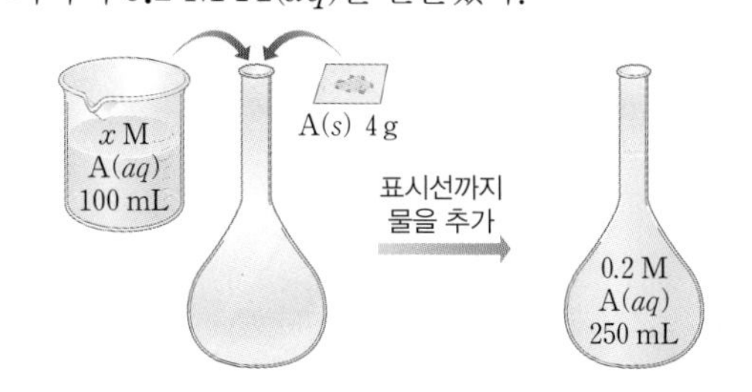

x는?

① 0.1 ② 0.2 ③ 0.3
④ 0.4 ⑤ 0.5

여러 가지 물질 1몰이 질량과 부피로는 얼마인지 알아볼까요?

| 2014학년도 수능 15번 변형 |

그림은 실린더 (가)~(다)에 들어 있는 3가지 기체의 부피와 질량을 나타낸 것이다. 기체의 온도와 압력은 같고, X~Z는 임의의 원소 기호이다.

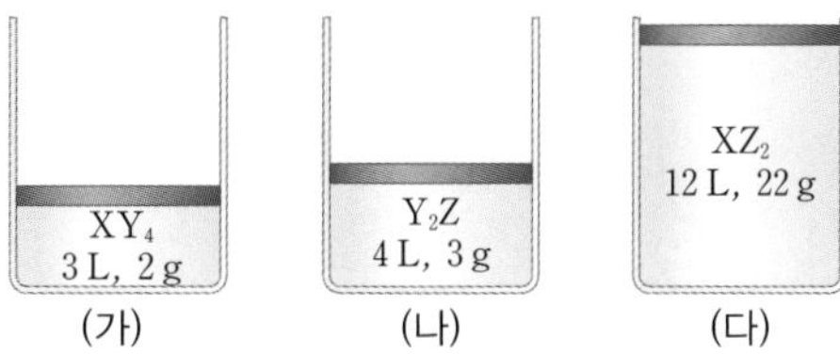

다음은 이 자료에 대한 학생들의 대화이다.

제시한 의견이 옳은 학생만을 있는 대로 고른 것은?

① A ② B ③ A, B ④ B, C ⑤ A, B, C

특강 몰(mol), 질량, 부피

- **아보가드로 법칙**: 온도와 압력이 같을 때 모든 기체는 종류에 관계없이 같은 부피 속에 같은 수의 분자를 포함한다.
- **몰과 부피, 입자 수**: 같은 온도와 압력에서 기체의 부피비는 분자 수비 및 몰비와 같다.
- **기체의 부피와 분자량**: 같은 온도와 압력에서 같은 부피에 해당하는 기체의 질량비는 분자량비와 같다.

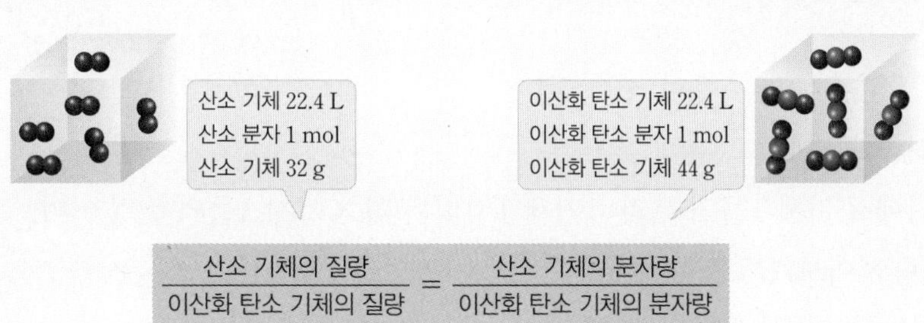

$$\frac{\text{산소 기체의 질량}}{\text{이산화 탄소 기체의 질량}} = \frac{\text{산소 기체의 분자량}}{\text{이산화 탄소 기체의 분자량}}$$

1

2020학년도 3월 학평 17번

몰과 질량, 부피 관계

표는 t ℃, 1 기압에서 원소 A와 B로 이루어진 기체 (가)와 (나)에 대한 자료이다.

기체	분자식	$\frac{\text{B의 질량}}{\text{A의 질량}}$	분자 1개의 질량(g)	기체 1 g의 부피(L)
(가)	AB	x	w_1	V_1
(나)	AB_2	$\frac{8}{3}$	w_2	V_2

이에 대한 설명으로 옳은 것만을 〈보기〉에서 있는 대로 고른 것은? (단, A와 B는 임의의 원소 기호이고, 아보가드로수는 N_A이다.)

보기

ㄱ. $x=\frac{4}{3}$이다.

ㄴ. $\frac{V_2}{V_1}=\frac{w_2}{w_1}$이다.

ㄷ. t ℃, 1 기압에서 기체 1몰의 부피(L)는 $w_1N_AV_1$이다.

① ㄱ ② ㄴ ③ ㄱ, ㄷ ④ ㄴ, ㄷ ⑤ ㄱ, ㄴ, ㄷ

❶ (가)의 x 구하기

(나)의 구성 원자 수비는 A : B=1 : 2이고, A의 질량 : B의 질량=3 : 8이다.

➡ (가)의 구성 원자 수비는 A : B=1 : 1이므로 A의 질량 : B의 질량=3 : 4이고 $x=\frac{4}{3}$이다.

❷ $\frac{w_2}{w_1}$와 $\frac{V_2}{V_1}$의 관계

'분자량=분자 1개의 질량×아보가드로수'이므로 (가)와 (나)의 분자 1개의 질량비(w_1 : w_2)는 분자량비와 같다.

'기체 1 g의 부피×기체 1몰의 질량(분자량 g)=기체 1몰의 부피'이므로 기체 1 g의 부피비(V_1 : V_2)는 분자량비에 반비례한다.

➡ $\frac{V_2}{V_1}=\frac{w_1}{w_2}$이다.

❸ t ℃, 1 기압에서 기체 1몰의 부피(L)

't ℃, 1 기압에서 기체 1몰의 부피=기체 1 g의 부피×기체 1몰의 질량'이며, '기체 1몰의 질량=분자 1개의 질량×아보가드로수'이다.

➡ t ℃, 1 기압에서 기체 1몰의 부피(L)=$w_1N_AV_1$(L)이다.

답 ③

정답과 해설 8쪽

2

화학의 유용성

그림은 세 가지 물질의 정보를 카드에 나타낸 것이다.

(가)	(나)	합성 의약품
ㅇ 특징 - 석유나 천연가스를 원료로 하여 대량 생산이 가능함 ㅇ 예시: 나일론, 폴리에스터	ㅇ 특징 - 고분자 화합물로 단단하고 질겨 다양한 생활용품에 이용됨 ㅇ 예시: 폴리에틸렌	ㅇ 특징 - 질병 치료나 예방을 위해 사용됨 ㅇ 예시: ㉠

이에 대한 설명으로 옳은 것만을 〈보기〉에서 있는 대로 고른 것은?

보기

ㄱ. (가)로 '합성 섬유'가 적절하다.

ㄴ. (나)로 '탄화수소'가 적절하다.

ㄷ. ㉠으로 '아스피린'이 적절하다.

① ㄱ ② ㄴ ③ ㄱ, ㄷ ④ ㄴ, ㄷ ⑤ ㄱ, ㄴ, ㄷ

>> 자료 분석 Tip

- 합성 섬유는 석유 등에서 얻은 원료로부터 대량 생산이 가능하며 나일론, 폴리에스터 등이 있다.
- 플라스틱은 작은 분자가 반복적으로 결합하여 생성된 고분자 화합물로 단단하고 질겨 다양한 생활용품에 이용된다.

>> 문제 해결 Tip

(가)는 합성 섬유에 대한 설명이고, (나)는 플라스틱에 대한 설명이다. 아스피린은 최초의 합성 의약품이다.

1 주 특강

3

2021학년도 6월 모평 2번 변형

탄소 화합물

그림은 3가지 탄소 화합물 (가)~(다)의 분자 모형과 (가)~(다)를 A~C로 분류한 도표이다.

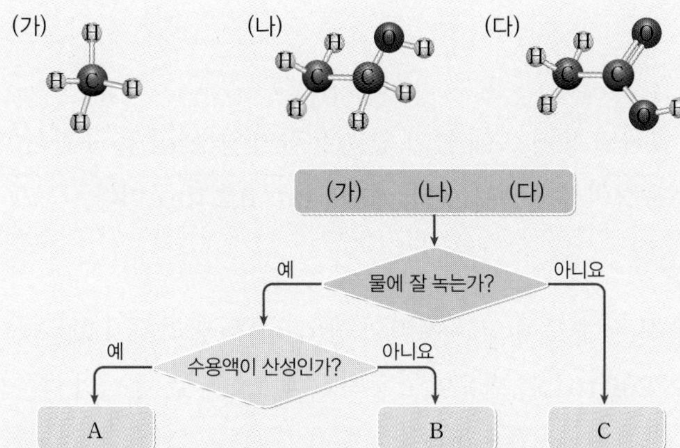

이에 대한 설명으로 옳은 것만을 〈보기〉에서 있는 대로 고르시오.

보기

ㄱ. A는 (나)이다.

ㄴ. B는 손 소독제로 사용된다.

ㄷ. C는 천연가스의 주성분이다.

>> 자료 분석 Tip

- (가) 메테인: 탄화수소로 물에 잘 녹지 않고 천연가스의 주성분이다.
- (나) 에탄올: 술의 성분이며 물에 잘 녹지만 수용액은 중성이고, 살균 작용을 한다.
- (다) 아세트산: 식초의 성분이며 물에 녹아 산성을 나타낸다.

>> 문제 해결 Tip

분자 모형으로부터 (가)~(다)가 어떤 탄소 화합물인지 알아낸 후, 도표의 분류 조건을 이용하여 A, B, C로 분류한다.

4 2021학년도 6월 모평 8번 변형

몰 농도 구하기

다음은 학생 A가 몰 농도에 대하여 학습한 내용을 적용한 것이다.

[학습 내용]

• 몰 농도는 용액 1 L 속에 녹아 있는 용질의 양(mol)을 나타낸 것으로, 용액의 몰 농도와 부피를 알면 용액 속 용질의 양(mol)과 질량을 알 수 있다.

• 용액에 물을 가해 희석하거나 혼합하더라도 용액 속 용질의 양(mol)은 변하지 않는다.

[적용]

(가) 2 M의 X(aq) 100 mL에 물을 가하여 X(aq) 200 mL를 만들 때 용액의 몰 농도는 a M이다.

(나) (가)에서 희석하여 만든 수용액에 X(s) 0.3 mol을 추가한 다음 물을 가해 X(aq) 500 mL를 만들 때 용액의 몰 농도는 b M이다.

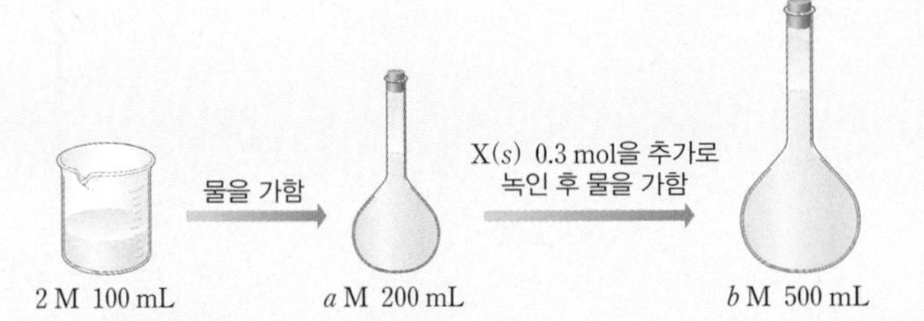

$\frac{b}{a}$는?

① $\frac{1}{2}$　② 1　③ $\frac{3}{2}$　④ 2　⑤ 4

❶ 용질의 양 구하기

몰 농도(mol/L)에 용액의 부피(L)를 곱하면 용액 속에 들어 있는 용질의 양(mol)을 구할 수 있다.

➡ 2 M X(aq) 100 mL에 들어 있는 용질의 양은 2 mol/L × 0.1 L = 0.2 mol이다.

❷ 용액 희석하기

용액에 물을 첨가하여 희석하더라도 용액 속에 들어 있는 용질의 양(mol)은 달라지지 않는다.

➡ 2 M X(aq) 100 mL에 물을 가하여 200 mL를 만들어도 용액 속에 들어 있는 용질의 양은 0.2 mol 그대로이다. 따라서 희석한 용액의 몰 농도 $a=\frac{0.2\ \text{mol}}{0.2\ \text{L}}=1$ M이다.

❸ 용액 혼합하기

두 용액을 혼합할 때 용질의 양(mol)은 혼합 전 두 용액에 녹아 있는 용질의 양(mol)의 합과 같다.

➡ (나)에서 희석한 용액 속에 들어 있는 용질의 양은 0.2 mol이고 여기에 0.3 mol을 혼합하였으므로 0.5 mol이 된다. 따라서 혼합 용액의 몰 농도 $b=\frac{0.5\ \text{mol}}{0.5\ \text{L}}=1$ M이다.

답 ②

정답과 해설 8쪽

5 2019학년도 수능 6번 변형 — 화학 반응식의 의미

다음은 탄산수소 나트륨($NaHCO_3$)의 분해 반응에 대한 세 학생의 대화이다.

$$2NaHCO_3 \longrightarrow Na_2CO_3 + H_2O + \boxed{㉠}$$

- 학생 A: 반응 전후 원자의 종류와 수가 같다는 것을 이용하면 ㉠의 화학식을 알 수 있어.
- 학생 B: $NaHCO_3$ 1 mol이 반응하면 H_2O 1 mol이 생성되지.
- 학생 C: $NaHCO_3$과 Na_2CO_3의 반응 질량비는 2 : 1이야.

제시한 의견이 옳은 학생만을 있는 대로 고른 것은?

① A ② B ③ A, B ④ B, C ⑤ A, B, C

» 자료 분석 Tip
화학 반응식에서 물질의 계수비
=반응 몰비
=반응 분자 수비
≠질량비

» 문제 해결 Tip
탄산수소 나트륨 분해 반응의 화학 반응식은 이미 알고 있을 것이다. A의 내용은 화학 반응식을 완성하는 원리를 알고 있는지를 묻는 내용이고, B와 C의 내용은 화학 반응식에서의 양적 관계를 파악하는지를 묻는 내용이다.

6 2019학년도 수능 12번 변형 — 화학 반응식과 양적 관계

다음은 반응 전 실린더 속에 들어 있는 분자 모형과 반응 전후 실린더 속 기체에 대한 자료를 해석하여 ㉠, ㉡을 구하는 과정에 대한 학생들의 대화이다.

- ㉠은 반응하지 않고 남은 반응물 중 하나이고, ㉡은 X를 포함하는 원자 3개로 구성된 분자이다.

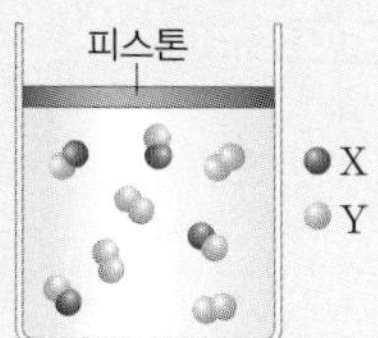

	반응 전	반응 후
기체의 종류	XY, Y_2	㉠, ㉡
전체 기체의 부피(L)	$4V$	$3V$

- 학생 A: 생성물은 XY_2이거나 X_2Y 중 하나이지.
- 학생 B: 반응 후 실린더 속에 들어 있는 분자 수는 6이야.
- 학생 C: 조건에 맞는 화학 반응식은 $2XY + Y_2 \longrightarrow 2XY_2$야.
- 학생 D: 그러면 ㉠은 XY이고, ㉡은 XY_2가 되겠군.

제시한 의견이 옳은 학생만을 있는 대로 고른 것은?

① A, B ② B, C ③ C, D ④ A, B, C ⑤ B, C, D

» 자료 분석 Tip
- 같은 온도와 압력에서 기체의 부피비는 분자 수비와 같다.
- 반응 전 분자 8개의 부피가 $4V$라면 반응 후 $3V$ 속에 들어 있는 분자 수는 6이다.

» 문제 해결 Tip
X를 포함하는 3원자 분자가 XY_2일 경우와 X_2Y일 경우를 가정하여 화학 반응식을 완성해 보고 성립하는 분자식을 찾는다. 화학 반응식을 완성해 가는 과정에서 A~D 학생의 옳고 그름을 판단할 수 있다.

Week 2

이번 주에는 무엇을 공부할까? ①

II. 원자의 세계

배울 내용

Week 2

이번 주에는 무엇을 공부할까? ❷

중학 기초 개념

1 원소

- 물을 분해하면 수소와 산소로 나뉘는데, 수소와 산소는 더 이상 분해되지 않는다.
- 수소, 산소와 같이 물질을 구성하는 기본 성분을 원소라고 한다.

Quiz 물을 구성하는 수소와 산소는 더 이상 분해되지 않는 ❶ [ ]이다.

2 원자

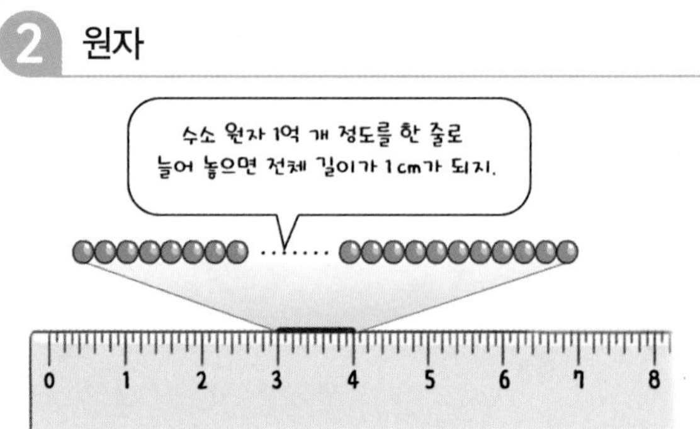

- 일정한 질량과 크기를 가지며, 물질을 구성하는 기본 입자를 원자라고 한다.
- 수소 원자는 가장 크기가 작은 원자로, 그 지름은 약 $\frac{1}{1억}$ cm이다.

Quiz 물질을 구성하는 가장 작은 입자를 ❷ [ ]라고 한다.

3 원자의 구성 입자

난 원자핵! (+)전하를 띠고 있지. 내가 원자의 중심이야!

난 전자! (-)전하를 띠고 있어. 난 원자핵의 주위를 돌고 있지.

원자핵

전자

원자는 (+)전하를 띠는 원자핵과 (−)전하를 띠는 전자로 구성되어 있다.

Quiz ❸ [ ]은 원자의 중심에 위치하고 ❹ [ ]는 원자핵 주위를 빠르게 움직이고 있다.

4 원자 모형

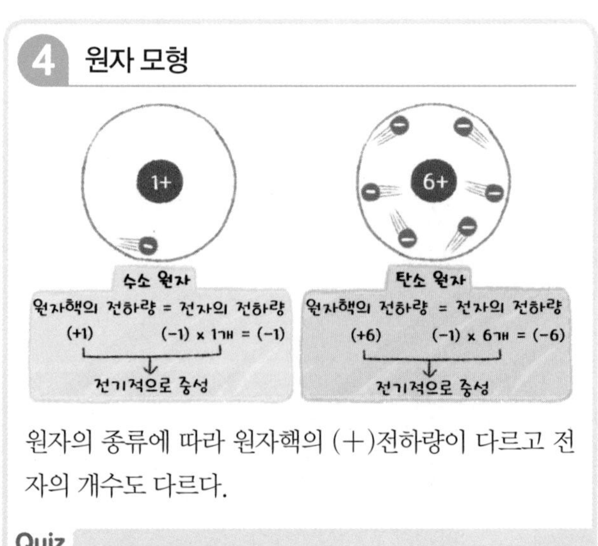

원자의 종류에 따라 원자핵의 (+)전하량이 다르고 전자의 개수도 다르다.

Quiz 원자핵의 전하량이 +6인 탄소 원자에는 전자가 ❺ [ ]개 있어 탄소 원자는 전기적으로 중성이다.

답 ❶ 원소 ❷ 원자 ❸ 원자핵 ❹ 전자 ❺ 6

5 분자

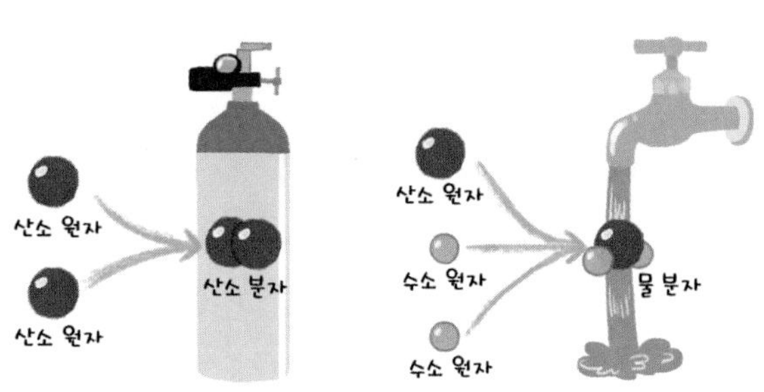

- 분자는 독립된 입자로 존재하여 물질의 성질을 나타내는 가장 작은 입자이다.
- 분자는 몇 개의 원자가 결합하여 이루어진 입자로, 분자가 쪼개져 원자가 되면 물질의 성질을 잃는다.

Quiz 산소 원자 2개가 결합하여 산소 ❶ ☐ 를 형성하면 산소 기체의 성질을 지닌다.

6 원소 기호

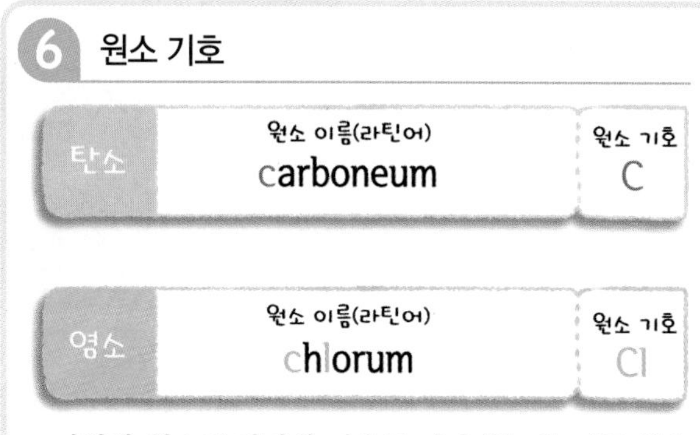

- 다양한 원소를 간단한 기호로 나타내는데, 이를 원소 기호라고 한다.
- 원소 이름의 첫 글자를 알파벳의 대문자로 나타내고, 첫 글자가 같을 때는 중간 글자를 택하여 첫 글자 다음에 소문자로 나타낸다.

Quiz 플루오린(fluorine)의 원소 기호는 ❷ ☐ 이고, 철(ferrum)의 원소 기호는 ❸ ☐ 이다.

7 이온

- 원자는 원자핵의 (+)전하량과 전자의 총 (−)전하량이 같아서 전기적으로 중성이다.
- 중성인 원자가 전자를 잃거나 얻으면 이온이 된다.

Quiz 원자가 전자를 잃으면 ❹ ☐ 이온이 되고, 전자를 얻으면 ❺ ☐ 이온이 된다.

8 이온식

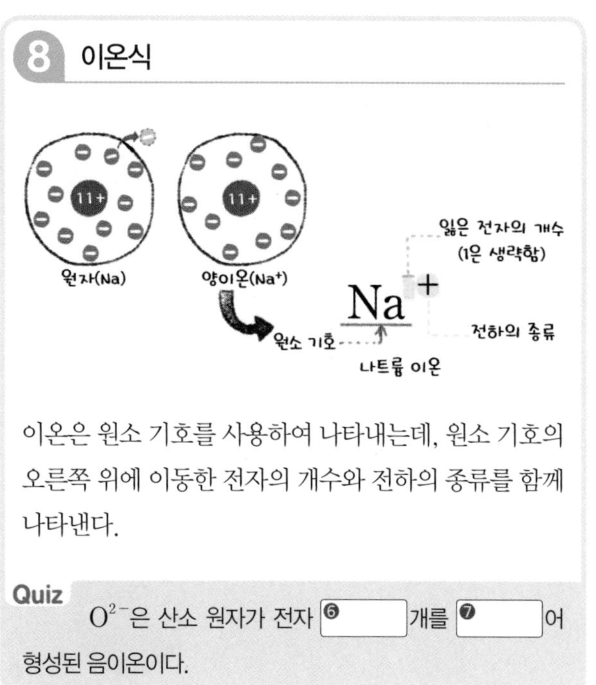

이온은 원소 기호를 사용하여 나타내는데, 원소 기호의 오른쪽 위에 이동한 전자의 개수와 전하의 종류를 함께 나타낸다.

Quiz O^{2-}은 산소 원자가 전자 ❻ ☐ 개를 ❼ ☐ 어 형성된 음이온이다.

답 ❶ 분자 ❷ F ❸ Fe ❹ 양 ❺ 음 ❻ 2 ❼ 얻

2
주

1 일

원자의 구조

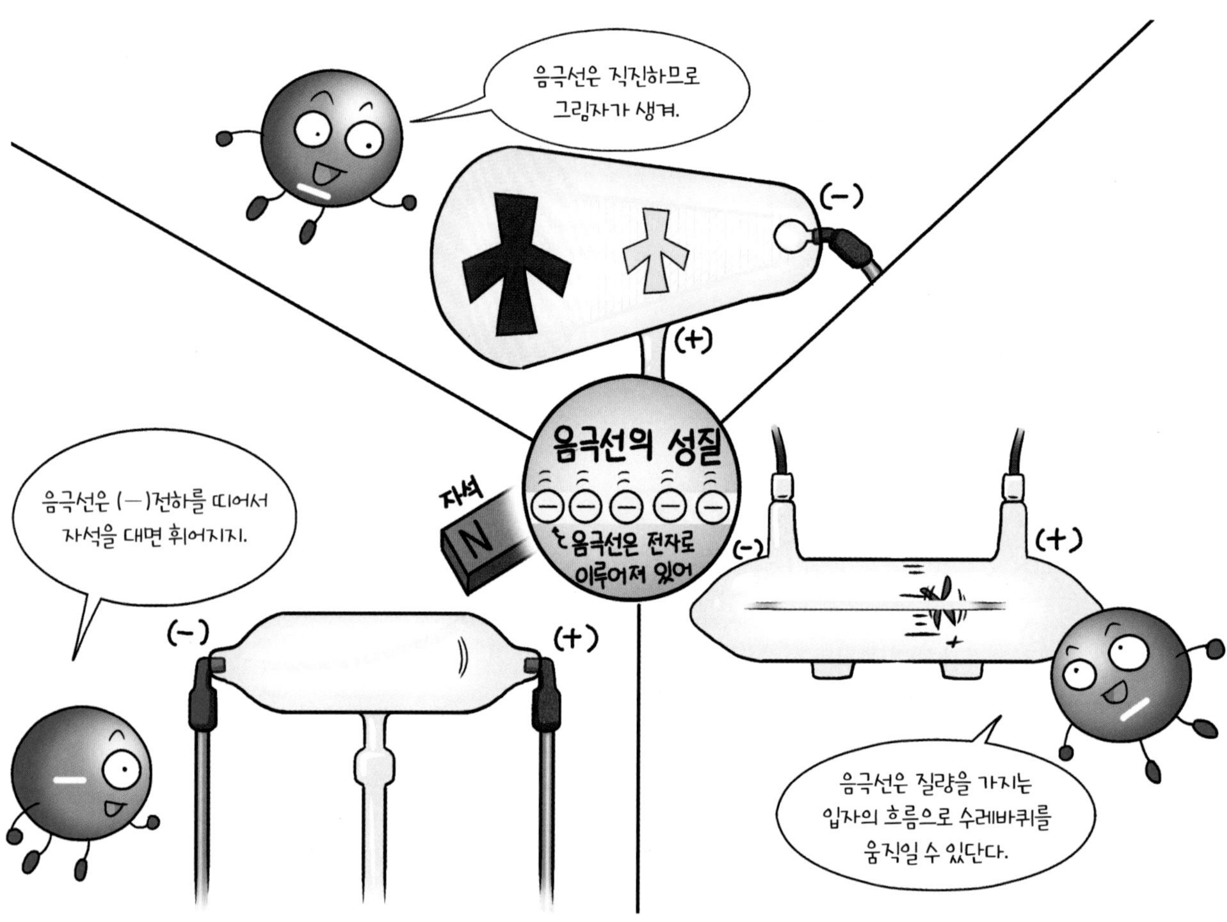

음극선은 직진하므로 그림자가 생겨.
(−)
(+)
음극선의 성질
음극선은 전자로 이루어져 있어
자석
N
음극선은 (−)전하를 띠어서 자석을 대면 휘어지지.
(−)
(+)
(−)
(+)
음극선은 질량을 가지는 입자의 흐름으로 수레바퀴를 움직일 수 있단다.

핵심 개념

1 전자의 발견(톰슨의 음극선 실험)

- 톰슨은 음극선이 (−)전하를 띠고 질량을 가진 입자의 흐름임을 밝혀냈고, 이후 과학자들은 이 입자를 ❶ [ ] 라고 하였다.
- **음극선의 성질**

① 진행 경로에 물체를 놓아두면 그림자가 생긴다.
➡ 음극선은 직진한다.

② 진행 경로에 자석을 대면 (+)극 쪽으로 휘어진다.
➡ 음극선은 (−)전하를 띤다.

③ 진행 경로에 수레바퀴를 놓아두면 수레바퀴가 움직인다.
➡ 음극선은 ❷ [ ] 을 가지는 입자의 흐름이다.

- **톰슨의 원자 모형**: (+)전하를 띤 공에 (−)전하를 띤 전자가 듬성듬성 박혀 있는 원자 모형을 제안하였다.

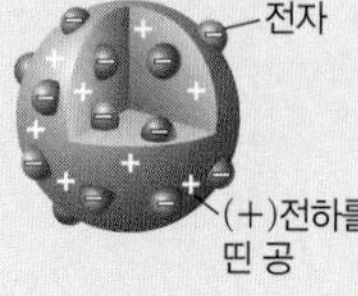

2 원자핵의 발견(러더퍼드의 알파 입자 산란 실험)

- 러더퍼드는 금박에 알파(α) 입자를 쏘아 주고 알파(α) 입자의 경로를 관찰하는 실험을 통해 원자핵을 발견하였다.
- **실험 결과**

원자의 대부분은 빈 공간이다.

- 대부분의 알파(α) 입자는 금박을 통과해 직진한다.
- 극소수의 알파(α) 입자는 크게 휘어지거나 튕겨져 나온다.

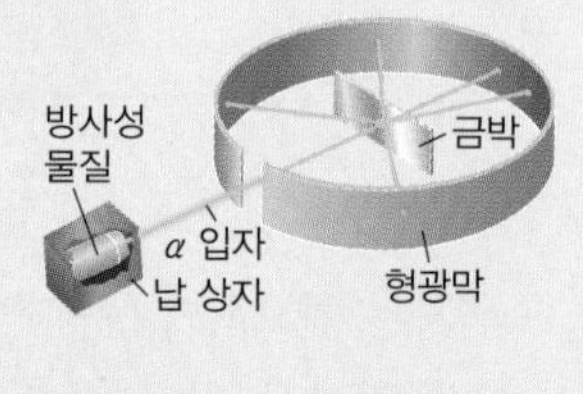

원자의 중심에 (+)전하를 띠며 질량이 큰 부분이 존재한다.

- ❸ [ ] **의 원자 모형**: 원자의 중심에는 (+)전하를 띠는 ❹ [ ] 이 있고, (−)전하를 띠는 전자가 원자핵 주위를 움직이고 있는 원자 모형을 제안하였다.

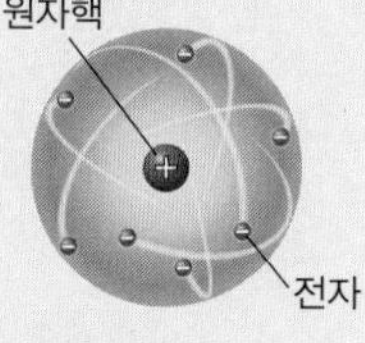

답 ❶ 전자 ❷ 질량 ❸ 러더퍼드 ❹ 원자핵

개념 확인

정답과 해설 9쪽

1-1

그림은 음극선 실험 장치를 나타낸 것이다.

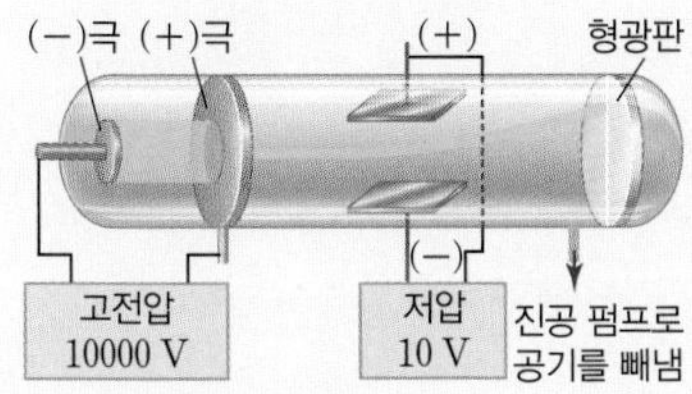

다음은 음극선 실험의 결과이다.

(가) 음극선의 진행 경로에 전기장을 걸어 주면 (+)극 쪽으로 휘어진다.
(나) 음극선의 진행 경로에 물체를 놓아두면 그림자가 생긴다.
(다) 음극선의 진행 경로에 바람개비를 놓아두면 바람개비가 회전한다.

(가)~(다)의 실험 결과로 알 수 있는 음극선의 성질을 각각 쓰시오.

1-2

그림은 원자를 구성하는 입자 X를 발견하게 된 실험 장치를 나타낸 것이다.

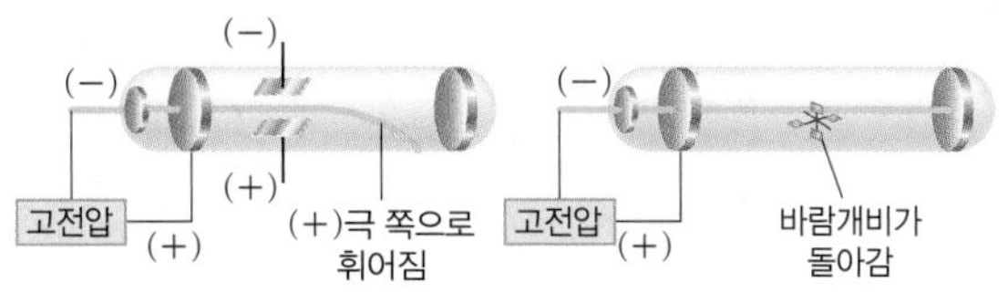

이에 대한 설명으로 옳은 것만을 〈보기〉에서 있는 대로 고르시오.

보기
ㄱ. X는 (−)전하를 띤다.
ㄴ. X는 질량을 가진 입자이다.
ㄷ. 이 실험 결과로 톰슨 원자 모형이 제안되었다.

2주 1일

2-1

그림은 알파(α) 입자 산란 실험을 나타낸 것이다.

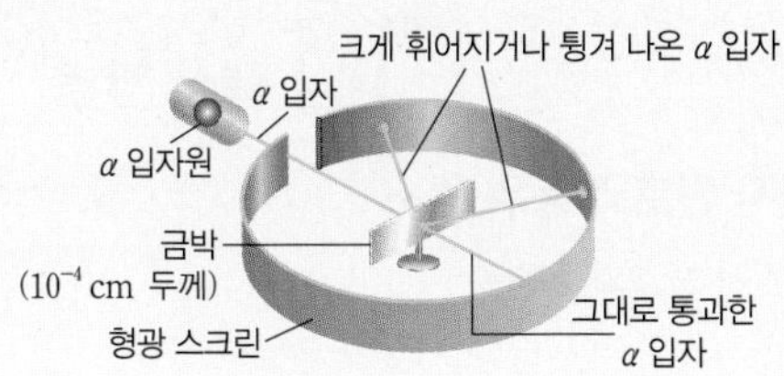

(1) 이 실험으로 발견한 입자를 쓰시오.

(2) 이 실험으로 발견한 입자에 대한 설명으로 옳은 것만을 〈보기〉에서 있는 대로 고르시오.

보기
ㄱ. (+)전하를 띤다.
ㄴ. 부피가 매우 작다.
ㄷ. 원자 질량의 대부분을 차지한다.

2-2

그림은 2가지 원자 모형을 나타낸 것이다.

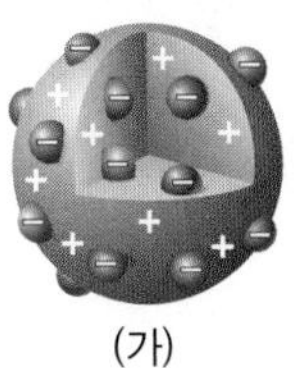
(가)

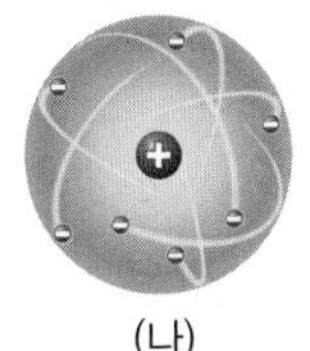
(나)

이에 대한 설명으로 옳은 것만을 〈보기〉에서 있는 대로 고르시오.

보기
ㄱ. (가)는 전자의 발견으로 톰슨이 제안한 모형이다.
ㄴ. (나)는 양성자의 발견으로 러더퍼드가 제안한 모형이다.
ㄷ. (가)와 (나)에는 모두 원자핵이 존재한다.

Hint 톰슨은 전자를, 러더퍼드는 원자핵을 발견하였다.

1일 원자의 구조

수소는 양성자수는 같지만 중성자수가
다른 세 종류의 동위 원소가 있어.

난 원자핵에
양성자만 1개 있는 수소야.

난 원자핵에 양성자와 중성자가
1개씩 있는 중수소야.

난 원자핵에 양성자 1개와
중성자 2개가 있는 3중 수소지.

핵심 개념

3 원자의 구조

● 원자의 구조

(+)전하를 띠는 원자핵이 중심에 있고, 그 주위를 (−)전하를 띠는 전자가 돌고 있다.

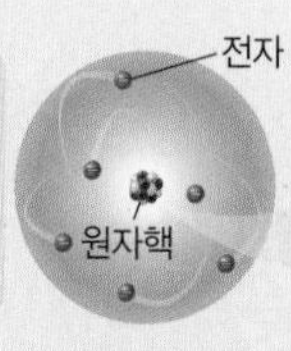

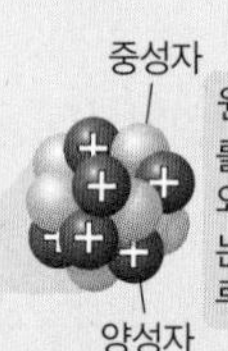

원자핵은 (+)전하를 띠는 (❶) 와 전하를 띠지 않는 (❷)로 이루어져 있다.

● 양성자와 중성자의 질량은 비슷하고, 전자의 질량은 이들에 비해 무시할 수 있을 정도로 작다.

➡ 원자 대부분의 질량은 원자핵이 차지한다.

● 양성자와 전자의 전하량의 크기는 같고 전하의 부호는 반대이다.

➡ 원자를 구성하는 양성자와 전자의 개수가 같아 원자는 전기적으로 중성이다.

4 원자 번호와 동위 원소

● 원자 번호와 질량수

원자 번호=❸ =원자의 전자 수

질량수=양성자수+중성자수

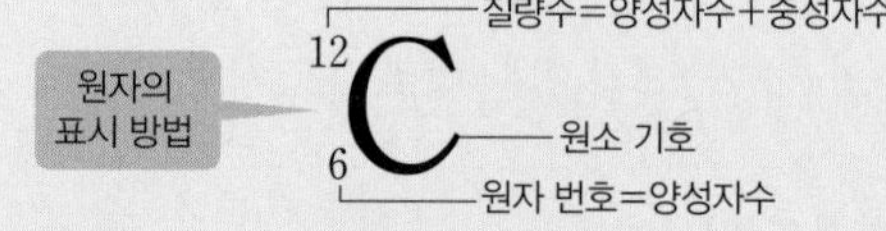

● **동위 원소**: 양성자수(원자 번호)는 같지만 중성자수가 달라 ❹ 가 다른 원소 - 화학적 성질은 같지만 물리적 성질이 다르다.

➡ **평균 원자량**: 각 동위 원소의 원자량과 존재 비율을 곱한 값을 더하여 구한다.

답 ❶ 양성자 ❷ 중성자 ❸ 양성자수 ❹ 질량수

정답과 해설 9쪽

3-1

표는 원자의 구성 입자에 대한 자료이다.

입자		질량(상댓값)	전하(상댓값)
원자핵	㉠	1	x
	㉡	1	0
㉢		$\frac{1}{1837}$	y

(1) ㉠~㉢에 들어갈 알맞은 말을 쓰시오.

(2) $x+y$를 구하시오.

3-2

표는 원자 X~Z를 구성하는 입자 수에 대한 자료이다. X~Z는 임의의 원소 기호이다.

원자	양성자수	중성자수	전자 수
X	㉠	6	6
Y	6	7	㉡
Z	7	7	㉢

(1) ㉠~㉢에 들어갈 알맞은 말을 쓰시오.

Hint 원자에서는 양성자수와 전자 수가 같다.

(2) X의 동위 원소를 찾아 쓰시오.

(3) X~Z의 질량수를 등호 또는 부등호로 비교하시오.

4-1

표는 2가지 원자에 대한 자료이다. 원자의 원자량은 질량수와 같다. X는 임의의 원소 기호이다.

원자	양성자수	중성자수	존재 비율(%)
^{35}X	17	㉡	75
^{37}X	㉠		25

(1) ㉠, ㉡에 들어갈 알맞은 수를 쓰시오.

(2) X의 평균 원자량을 구하시오.

4-2

표는 2가지 이온에 대한 자료이다.

이온	A^+	B^{2-}
전자 수	10	10
질량수	23	18

원자 A, B에 대한 설명으로 옳은 것만을 〈보기〉에서 있는 대로 고르시오. (단, A, B는 임의의 원소 기호이다.)

보기

ㄱ. 양성자수는 A > B이다.

ㄴ. B의 전자 수는 12이다.

ㄷ. 중성자수는 A가 B보다 2만큼 크다.

Hint A의 전자 수 = A^+의 전자 수 + 1

B의 전자 수 = B^{2-}의 전자 수 − 2

2주 1일

기초 유형 연습 | 원자의 구조

대표 기출 유형

2020학년도 9월 모평 4번 변형

표는 원자 X~Z에 대한 자료이다.

원자	중성자수	질량수	전자 수
X	6	㉠	6
Y	7	13	
Z	9	17	

이에 대한 설명으로 옳은 것만을 〈보기〉에서 있는 대로 고른 것은? (단, X~Z는 임의의 원소 기호이다.)

보기
ㄱ. ㉠은 12이다.
ㄴ. X는 Y의 동위 원소이다.
ㄷ. 원자 번호는 Z > Y이다.

① ㄱ ② ㄴ ③ ㄷ
④ ㄱ, ㄴ ⑤ ㄱ, ㄴ, ㄷ

개념 point

원자의 양성자수와 전자 수: 원자는 전기적으로 중성이므로 원자의 양성자수와 전자 수는 같다.
동위 원소: 양성자수가 같고 중성자수가 다른 원소는 서로 동위 원소이다.

|보기| 풀이

ㄱ X에서 양성자수는 전자 수와 같은 6이고, 질량수는 양성자수와 중성자수의 합과 같으므로 ㉠은 12이다.
ㄴ Y에서 질량수가 13이고 중성자수가 7이므로 양성자수는 6이다. X와 Y는 양성자수가 같고 중성자수가 다르므로 X는 Y의 동위 원소이다.
ㄷ Z의 질량수는 17이고 중성자수가 9이므로 양성자수는 8이다. 이로부터 원자 번호(=양성자수)는 Z > Y이다.

함정 탈출

원자는 전기적으로 중성이므로 원자를 구성하는 양성자수는 전자 수와 같다. 따라서 위의 표에서 중성자수와 전자 수의 합이 질량수와 같다.

답 ⑤

2016학년도 9월 모평 2번 변형

1 그림은 음극선 실험을 나타낸 것이다.

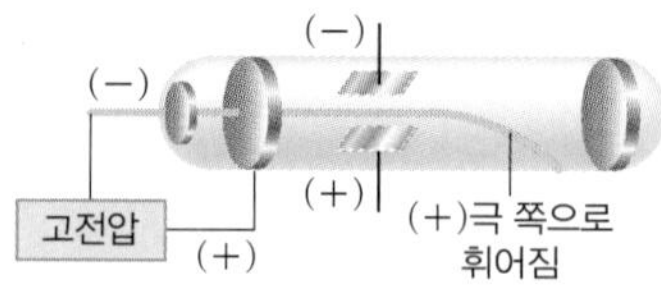

이 실험을 통해 발견된 입자에 대한 설명으로 옳은 것만을 〈보기〉에서 있는 대로 고른 것은?

보기
ㄱ. (−)전하를 띤다.
ㄴ. 원자핵을 구성한다.
ㄷ. 원자 질량의 대부분을 차지한다.

① ㄱ ② ㄷ ③ ㄱ, ㄴ
④ ㄴ, ㄷ ⑤ ㄱ, ㄴ, ㄷ

2 그림은 원자를 구성하는 입자를 2가지 기준에 따라 분류한 것이다.

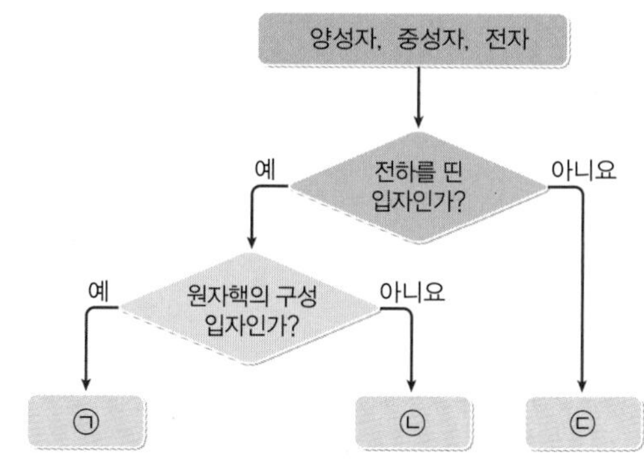

㉠~㉢에 해당하는 입자를 각각 쓰시오.

정답과 해설 10쪽

3 다음은 X의 이온을 표시한 것이다.

$$^{25}_{12}\mathrm{X}^{2+}$$

(1) 이 이온의 전자 수를 구하시오.

(2) 이 이온의 중성자수를 구하시오.

2016학년도 6월 모평 6번 변형

4 표는 C, N, O의 동위 원소에 대한 자료이다.

원자 번호	6	7	8
동위 원소	^{12}C, ^{13}C	^{14}N, ^{15}N	^{16}O, ^{17}O, ^{18}O

이에 대한 설명으로 옳은 것만을 〈보기〉에서 있는 대로 고른 것은? (단, 원자의 원자량은 질량수와 같다.)

보기

ㄱ. 전자 수는 ^{12}C가 ^{13}C보다 작다.
ㄴ. 중성자수는 ^{15}N와 ^{16}O가 같다.
ㄷ. 분자량은 $^{13}C^{18}O_2$가 $^{12}C^{16}O_2$보다 크다.

① ㄱ ② ㄴ ③ ㄱ, ㄷ
④ ㄴ, ㄷ ⑤ ㄱ, ㄴ, ㄷ

2018학년도 6월 모평 12번 변형

5 표는 원자 X~Z에 대한 자료이다.

원자	X	Y	Z
중성자수	6	7	8
$\frac{\text{질량수}}{\text{전자 수}}$	2	2	$\frac{7}{3}$

이에 대한 설명으로 옳은 것만을 〈보기〉에서 있는 대로 고른 것은? (단, X~Z는 임의의 원소 기호이다.)

보기

ㄱ. 원자 번호는 X<Y이다.
ㄴ. Y는 Z의 동위 원소이다.
ㄷ. Z의 질량수는 14이다.

① ㄱ ② ㄴ ③ ㄱ, ㄷ
④ ㄴ, ㄷ ⑤ ㄱ, ㄴ, ㄷ

2017학년도 9월 모평 7번 변형

6 그림은 원자의 구성 입자인 양성자, 중성자, 전자를 A~C로 분류한 것이고, 표는 원자 ^{15}X와 이온 $^{18}Y^-$에 대한 자료이다.

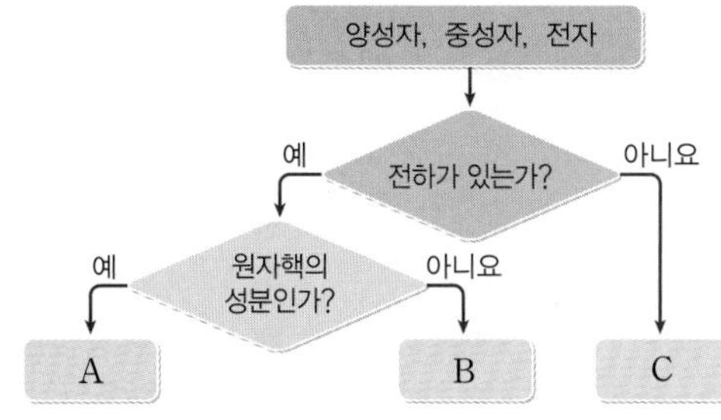

구분	A수	B수	C수
^{15}X	a	7	b
$^{18}Y^-$	c	d	10

$a+b+c+d$를 구하시오. (단, X, Y는 임의의 원소 기호이다.)

2주 1일

2일 현대 원자 모형과 오비탈

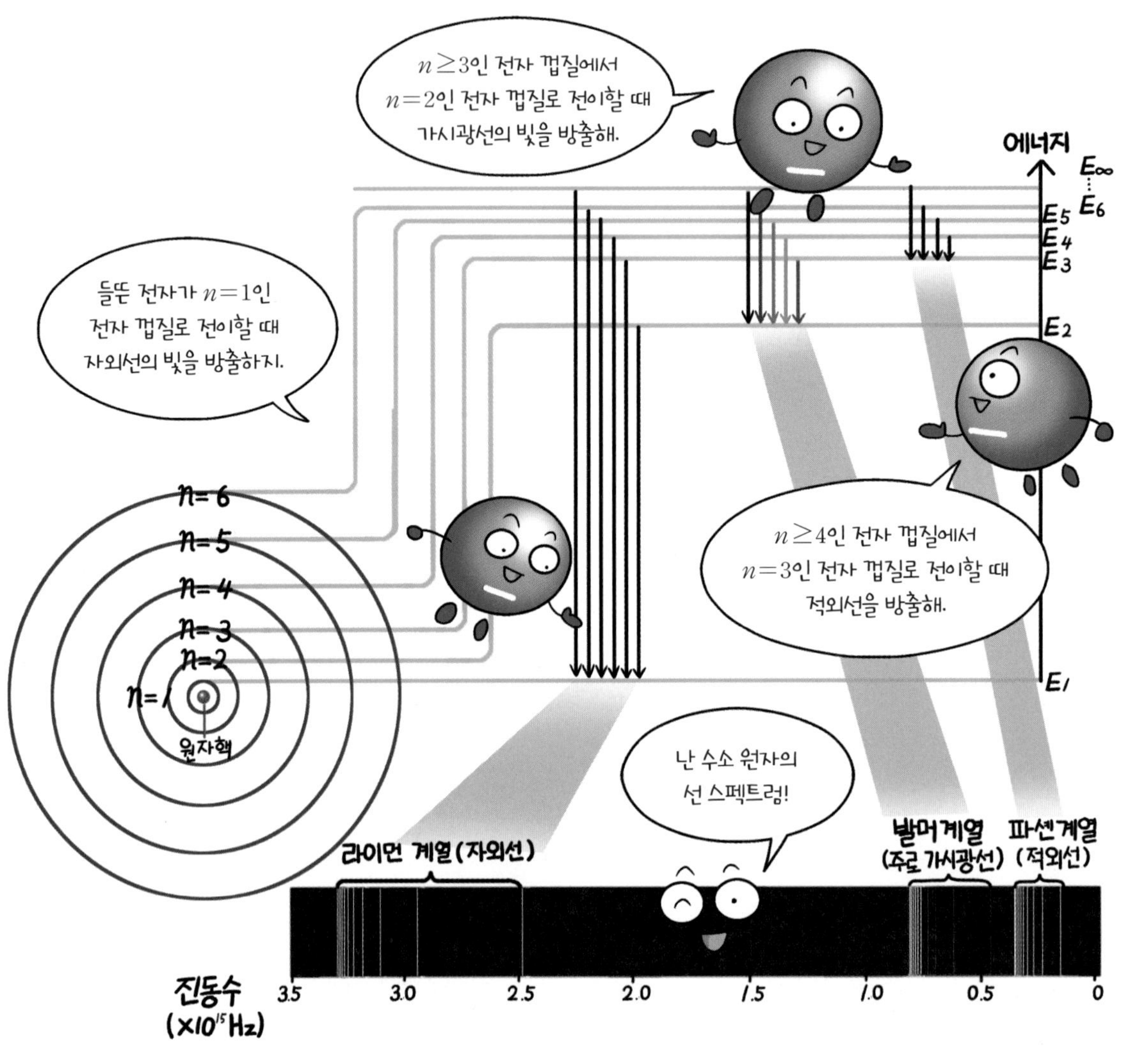

핵심 개념

1 보어 원자 모형

- **수소 원자의 선 스펙트럼**: 수소 방전관에서 나오는 빛을 프리즘에 통과시키면 불연속적인 선 스펙트럼이 나타난다.
- **보어 원자 모형** ─ 수소 원자의 선 스펙트럼을 설명하기 위해 제안하였다.

① **❶ ______**: 전자가 특정한 에너지 준위의 원형 궤도를 따라 원자핵 주위를 원운동할 때 이 궤도를 말한다.

② **주 양자수**: 원자핵에서 가까운 전자 껍질부터 K($n=1$), L($n=2$), M($n=3$), N($n=4$), … 등의 기호로 표시한다.

③ 원자핵에서 가까울수록 전자 껍질의 에너지 준위가 낮다. ─ 에너지 준위: K<L<M<N …

- **전자 전이와 에너지 출입**

① **에너지 준위가 낮은 전자 껍질에서 높은 전자 껍질로 전이할 때**: 에너지를 흡수한다.

② **에너지 준위가 높은 전자 껍질에서 낮은 전자 껍질로 전이할 때**: 에너지를 방출한다.

- **전자 전이와 선 스펙트럼**

① 수소 원자에서 전자가 $n=3, 4, 5, 6$ …인 전자 껍질에서 $n=2$인 전자 껍질로 전이할 때 ❷ ______의 빛을 방출한다.

② 전자가 전이할 때 방출하는 에너지가 ❸ ______수록 빛의 파장은 짧고, 에너지가 ❹ ______수록 빛의 파장은 길다. ─ 빛 에너지와 파장은 반비례한다.

답 ❶ 전자 껍질 ❷ 가시광선 ❸ 클 ❹ 작을

개념 확인

정답과 해설 10쪽

1-1

그림은 수소 원자의 가시광선 영역의 방출 스펙트럼을 나타낸 것이다.

(1) a~d 중 $n=3$에서 $n=2$로 전이할 때 방출되는 빛에 해당하는 선을 쓰시오.

(2) 수소 원자의 선 스펙트럼을 설명할 수 있는 원자 모형을 〈보기〉에서 있는 대로 고르시오.

보기

ㄱ. ㄴ. ㄷ.

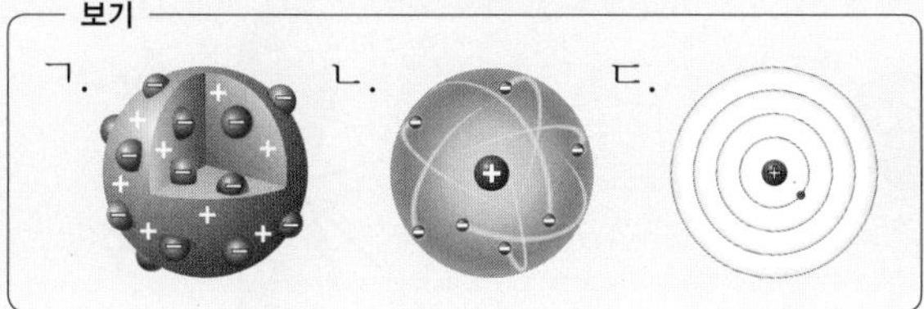

1-2

그림은 수소 원자의 주 양자수(n)에 따른 에너지 준위와 전자 전이 a~c를 나타낸 것이다.

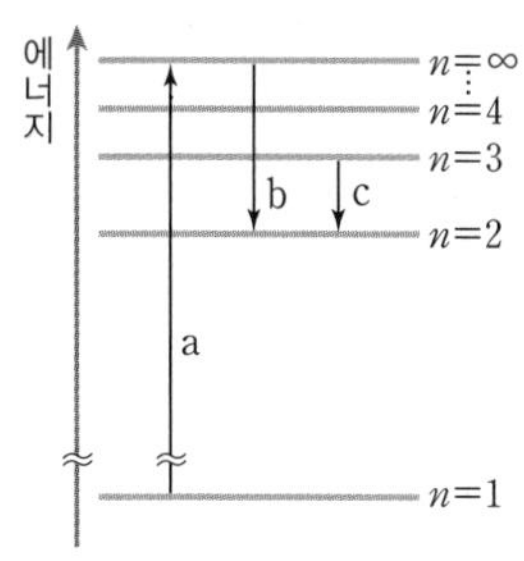

(1) 빛이 방출되는 전자 전이를 모두 쓰시오.

Hint a는 $n=1 \to n=\infty$, b는 $n=\infty \to n=2$, c는 $n=3 \to n=2$로의 전자 전이이다.

(2) 출입하는 에너지가 가장 큰 전자 전이를 쓰시오.

1-3

그림은 수소 원자의 전자 배치를 보어 원자 모형으로 나타낸 것이다.

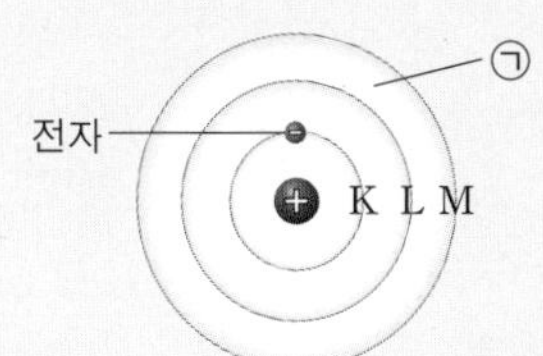

이 상태에 대한 설명으로 옳은 것만을 〈보기〉에서 있는 대로 고르시오.

보기

ㄱ. 바닥상태이다.

ㄴ. 전자가 에너지를 흡수하면 ㉠ 영역으로 전이할 수 있다.

ㄷ. 전자 껍질의 에너지 준위는 K<L<M이다.

1-4

그림 (가)와 (나)는 보어의 수소 원자 모형을 각각 나타낸 것이다.

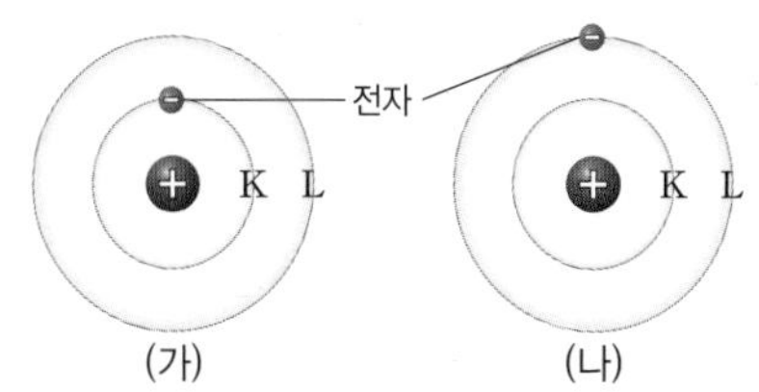

이에 대한 설명으로 옳은 것만을 〈보기〉에서 있는 대로 고르시오.

보기

ㄱ. 전자의 에너지 준위는 (가)<(나)이다.

ㄴ. (나)에서 (가)로 될 때 가시광선에 해당하는 빛을 방출한다.

ㄷ. (가)는 전자 전이할 때 에너지를 방출할 수 있는 상태이다.

2 주 2일

2일 현대 원자 모형과 오비탈

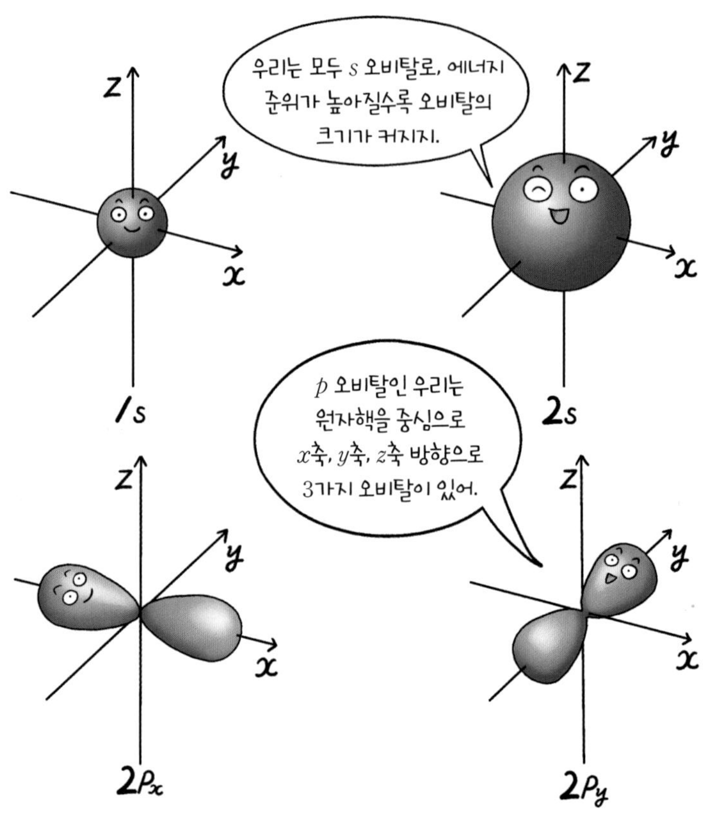

우리는 모두 s 오비탈로, 에너지 준위가 높아질수록 오비탈의 크기가 커지지.
p 오비탈인 우리는 원자핵을 중심으로 x축, y축, z축 방향으로 3가지 오비탈이 있어.
z
y
x
1s
2s
2px
2py

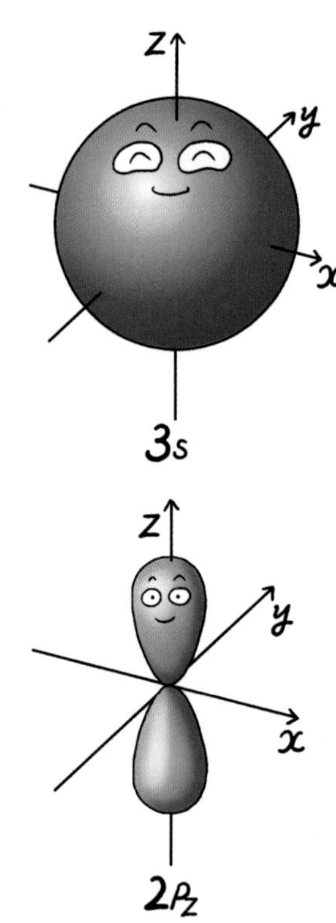

핵심 개념

2 현대 원자 모형과 오비탈

- **현대 원자 모형**: 전자를 원자핵 주위에 존재할 수 있는 확률로 나타낸다.
- **오비탈**: 일정한 에너지를 가진 전자가 원자핵 주위에서 발견될 확률을 나타낸 것 — 오비탈의 경계면 바깥 영역에서도 전자가 발견될 수 있다.
- **오비탈의 종류**
  └ 1개의 오비탈에는 전자가 2개까지 채워진다.

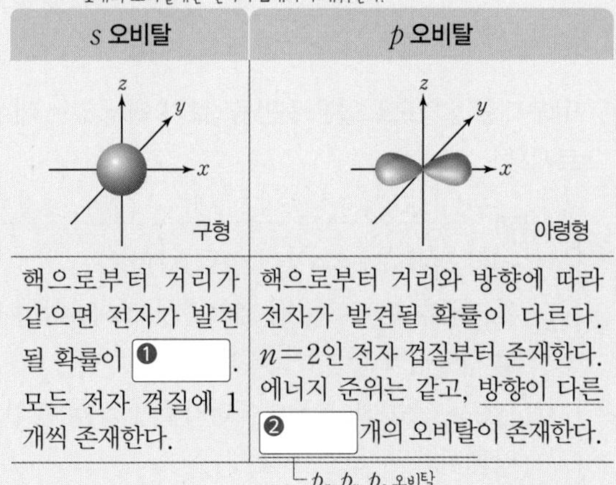

s 오비탈	p 오비탈
구형	아령형
핵으로부터 거리가 같으면 전자가 발견될 확률이 ❶ ☐. 모든 전자 껍질에 1개씩 존재한다.	핵으로부터 거리와 방향에 따라 전자가 발견될 확률이 다르다. $n=2$인 전자 껍질부터 존재한다. 에너지 준위는 같고, 방향이 다른 ❷ ☐개의 오비탈이 존재한다.

└ p_x, p_y, p_z 오비탈

3 양자수

- **양자수** — 오비탈의 크기, 종류(모양) 등을 나타내기 위해 사용하는 수

주 양자수 (n)	오비탈의 크기와 에너지를 결정하며, $n=1, 2, 3, \cdots$ 등의 정숫값을 가진다. ➡ 주 양자수가 클수록 오비탈의 크기와 에너지가 ❸ ☐.
방위(부) 양자수 (l)	오비탈의 ❹ ☐를 결정하며, 0부터 $n-1$의 정숫값을 가진다. — 0: s, 1: p, 2: d
자기 양자수 (m_l)	오비탈의 방향을 결정하며, $-l \cdots, 0, \cdots +l$의 정숫값을 가진다.
스핀 자기 양자수 (m_s)	전자의 스핀 방향을 결정한다. 스핀 방향은 2가지(↑, ↓)이며, m_s 값은 $+\frac{1}{2}$, $-\frac{1}{2}$이다.

- **오비탈의 표시**

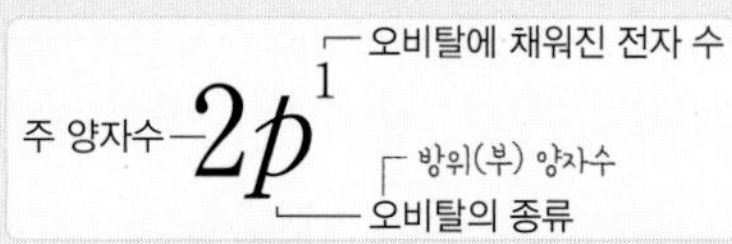

답 ❶ 같다 ❷ 3 ❸ 커진다 ❹ 종류

개념 확인

정답과 해설 10쪽

2-1

그림은 어떤 오비탈을 모형으로 나타낸 것이다.

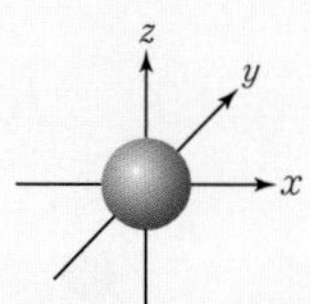

이 오비탈에 대한 설명으로 옳지 않은 것은?

① 모든 전자 껍질에 존재한다.

② 원자핵으로부터 거리가 같으면 전자가 발견될 확률이 같다.

③ 경계면 바깥 영역에서 전자를 발견할 수 없다.

④ 방위(부) 양자수는 0이다.

⑤ 전자가 최대 2개까지 채워진다.

2-2

그림 (가), (나)는 주 양자수(n)가 a로 같은 2가지 오비탈을 모형으로 나타낸 것이다.

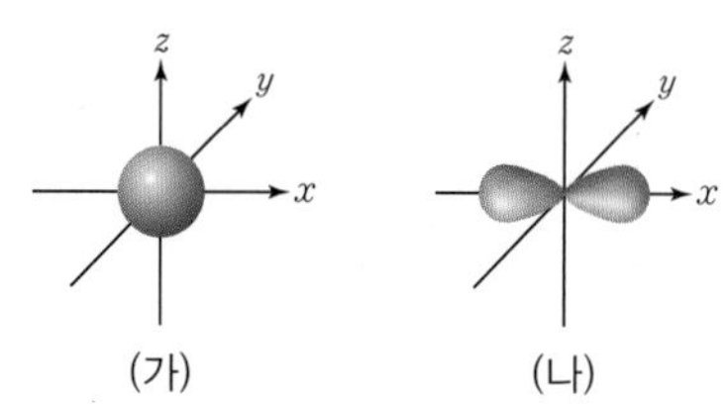

이에 대한 설명으로 옳은 것은?

① $a=1$이다.

② 방위(부) 양자수는 (가)=(나)이다.

③ 최대 수용 전자 수는 (나)>(가)이다.

④ (가)와 (나)는 모두 원자핵으로부터 거리가 같으면 전자가 발견될 확률이 같다.

⑤ 주 양자수(n)가 a이며 (나)와 에너지 준위가 같은 다른 오비탈이 존재한다.

Hint p 오비탈은 $n=1$인 전자 껍질에는 존재하지 않는다.

3-1

다음은 바닥상태인 원자 X의 전자 배치이다.

$$1s^2\,2s^2\,2p_x^{\,2}\,2p_y^{\,1}\,2p_z^{\,1}$$

이에 대한 설명으로 옳은 것은?

① 전자가 들어 있는 전자 껍질 수는 5이다.

② 전자가 들어 있는 오비탈 수는 2이다.

③ 들어 있는 전자 수는 $2p_x$ 오비탈이 $2s$ 오비탈보다 크다.

④ 원자가 전자가 들어 있는 오비탈의 주 양자수(n)는 1이다.

⑤ $2p_y$와 $2p_z$ 오비탈에 들어 있는 스핀 자기 양자수(m_s)는 서로 같다.

3-2

다음은 어떤 다전자 원자에서 전자 (가)~(다)의 양자수 조합을 나타낸 것이다. n은 주 양자수, l은 방위(부) 양자수, m_l은 자기 양자수, m_s는 스핀 자기 양자수이다.

(가) $(n, l, m_l, m_s)=(2, 0, 0, -\frac{1}{2})$

(나) $(n, l, m_l, m_s)=(2, 1, -1, +\frac{1}{2})$

(다) $(n, l, m_l, m_s)=(3, 1, 0, -\frac{1}{2})$

(가)~(다)에 대한 설명으로 옳은 것만을 〈보기〉에서 있는 대로 고르시오.

보기

ㄱ. (가)는 $2s$ 오비탈에 들어 있는 전자이다.

ㄴ. (나)와 (다)가 들어 있는 오비탈의 모양은 같다.

ㄷ. (가)와 (다)는 스핀 방향이 같다.

2 주 2일

2일 기초 유형 연습 | 현대 원자 모형과 오비탈

대표 기출 유형

2020학년도 4월 학평 7번 변형

그림은 다전자 원자에서 전자가 들어 있는 오비탈 $1s$, $2s$, $2p_x$를 주어진 기준에 따라 분류한 것이다.

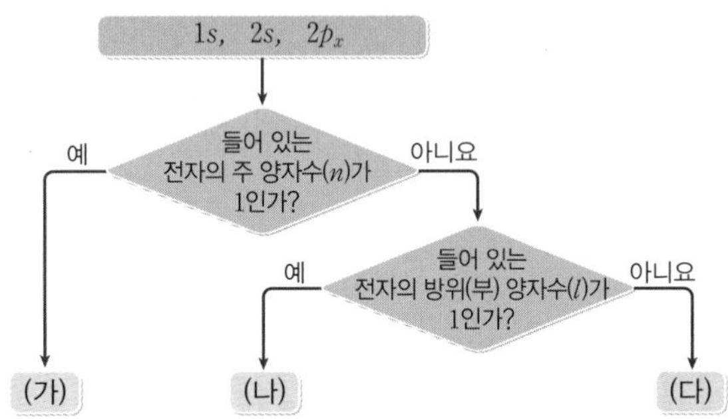

이에 대한 설명으로 옳은 것만을 〈보기〉에서 있는 대로 고른 것은?

보기

ㄱ. (가)는 $1s$이다.
ㄴ. (나)는 원자핵으로부터 거리가 같으면 전자가 발견될 확률이 같다.
ㄷ. (가)와 (다)의 방위(부) 양자수는 같다.

① ㄱ　② ㄴ　③ ㄱ, ㄷ　④ ㄴ, ㄷ　⑤ ㄱ, ㄴ, ㄷ

개념 point

주 양자수(n): 전자가 들어 있는 전자 껍질에 해당한다.
방위(부) 양자수(l): 오비탈의 모양을 나타내며 $s(l=0)$, $p(l=1)$는 모양이 각각 구형, 아령형이다.

|보기| 풀이

ㄱ (가)는 주 양자수가 1이므로 $1s$ 오비탈이다.
ㄴ (나)는 주 양자수가 2, 방위(부) 양자수가 1이므로 $2p_x$이다. $2p_x$의 모양은 아령형이므로 원자핵으로부터 거리뿐 아니라 방향에 따라 전자가 발견될 확률이 다르다.
ㄷ (가)와 (다)는 모두 s 오비탈이므로 방위(부) 양자수가 0으로 같다.

함정 탈출

오비탈의 종류를 나타내는 양자수가 방위(부) 양자수(l)이며, s 오비탈은 $l=0$, p 오비탈은 $l=1$, d 오비탈은 $l=2$이다.

답 ③

1 그림은 보어의 수소 원자 모형에서 3가지 전자 전이 A~C를 나타낸 것이다. n은 주 양자수이다.

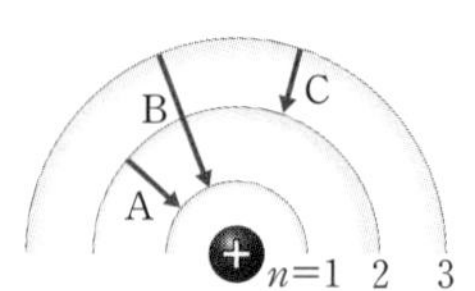

이에 대한 설명으로 옳은 것만을 〈보기〉에서 있는 대로 고르시오.

보기

ㄱ. $n=2$인 전자 껍질에 있던 전자가 전자 전이 A에 의해 바닥상태가 된다.
ㄴ. 방출하는 빛의 에너지는 B>C이다.
ㄷ. C에서 방출되는 빛은 가시광선에 해당한다.

2 그림은 수소 원자의 선 스펙트럼에서 가시광선 영역을 나타낸 것이다.

수소 원자의 스펙트럼이 몇 개의 선으로 이루어진 까닭을 간단히 서술하시오.

정답과 해설 11쪽

2016학년도 6월 모평 4번 변형

3 그림은 3가지 원자 모형 A~C를 주어진 기준에 따라 분류한 것이다. A~C는 각각 톰슨, 보어, 현대 원자 모형 중 하나이다.

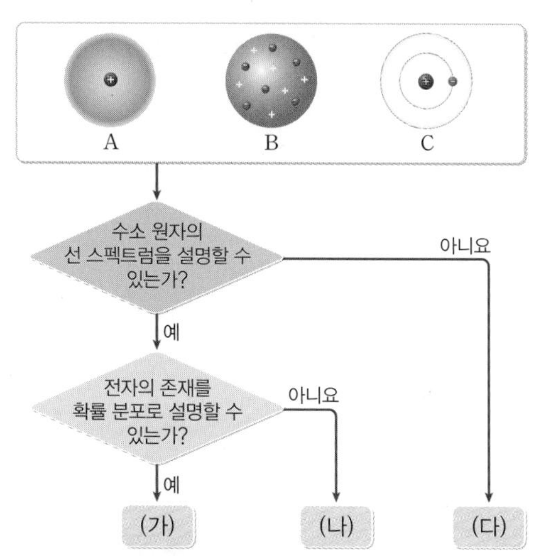

(가)~(다)에 해당하는 원자 모형을 각각 쓰시오.

2020학년도 10월 학평 10번 변형

4 그림은 바닥상태 원자 A에서 전자가 들어 있는 모든 오비탈을 모형으로 나타낸 것이다. 오비탈의 크기는 (가)<(나)이다.

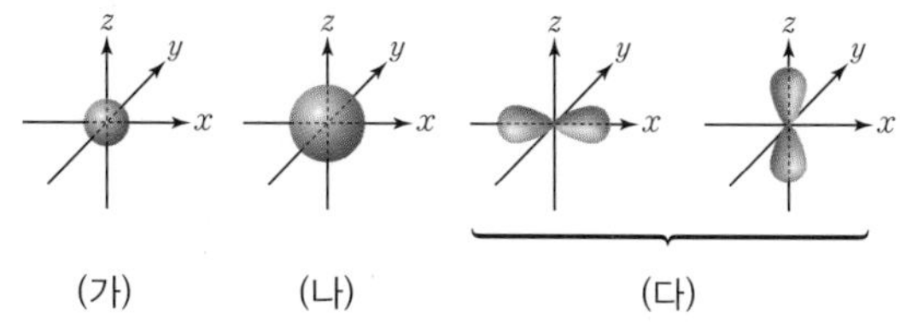

이에 대한 설명으로 옳은 것만을 〈보기〉에서 있는 대로 고른 것은?

보기
ㄱ. (가)와 (나)의 방위(부) 양자수(l)는 같다.
ㄴ. (나)와 (다)의 주 양자수(n)는 같다.
ㄷ. 방위(부) 양자수(l)는 (다)>(나)이다.

① ㄱ　② ㄷ　③ ㄱ, ㄴ
④ ㄴ, ㄷ　⑤ ㄱ, ㄴ, ㄷ

2020학년도 3월 학평 8번 변형

5 그림은 수소 원자에서 2가지 오비탈을 모형으로 나타낸 것이다.

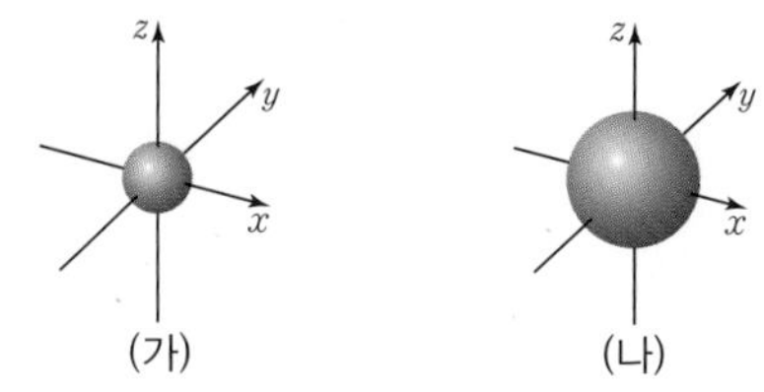

이에 대한 설명으로 옳은 것만을 〈보기〉에서 있는 대로 고른 것은?

보기
ㄱ. 주 양자수(n)는 (가)<(나)이다.
ㄴ. 방위(부) 양자수(l)는 (가)>(나)이다.
ㄷ. (나)에 전자가 존재하는 수소 원자는 바닥상태이다.

① ㄱ　② ㄷ　③ ㄱ, ㄴ
④ ㄴ, ㄷ　⑤ ㄱ, ㄴ, ㄷ

6 그림은 바닥상태 원자 X의 전자 배치를 나타낸 것이다.

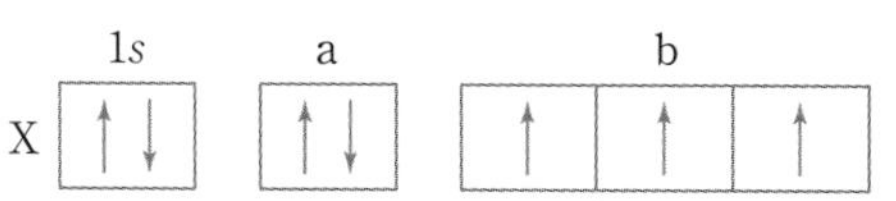

이에 대한 설명으로 옳은 것만을 〈보기〉에서 있는 대로 고른 것은?

보기
ㄱ. 주 양자수(n)는 a=b이다.
ㄴ. 방위(부) 양자수(l)는 a<b이다.
ㄷ. b에 들어 있는 전자들의 스핀 자기 양자수(m_s)는 모두 같다.

① ㄱ　② ㄷ　③ ㄱ, ㄴ
④ ㄴ, ㄷ　⑤ ㄱ, ㄴ, ㄷ

3일 오비탈의 전자 배치

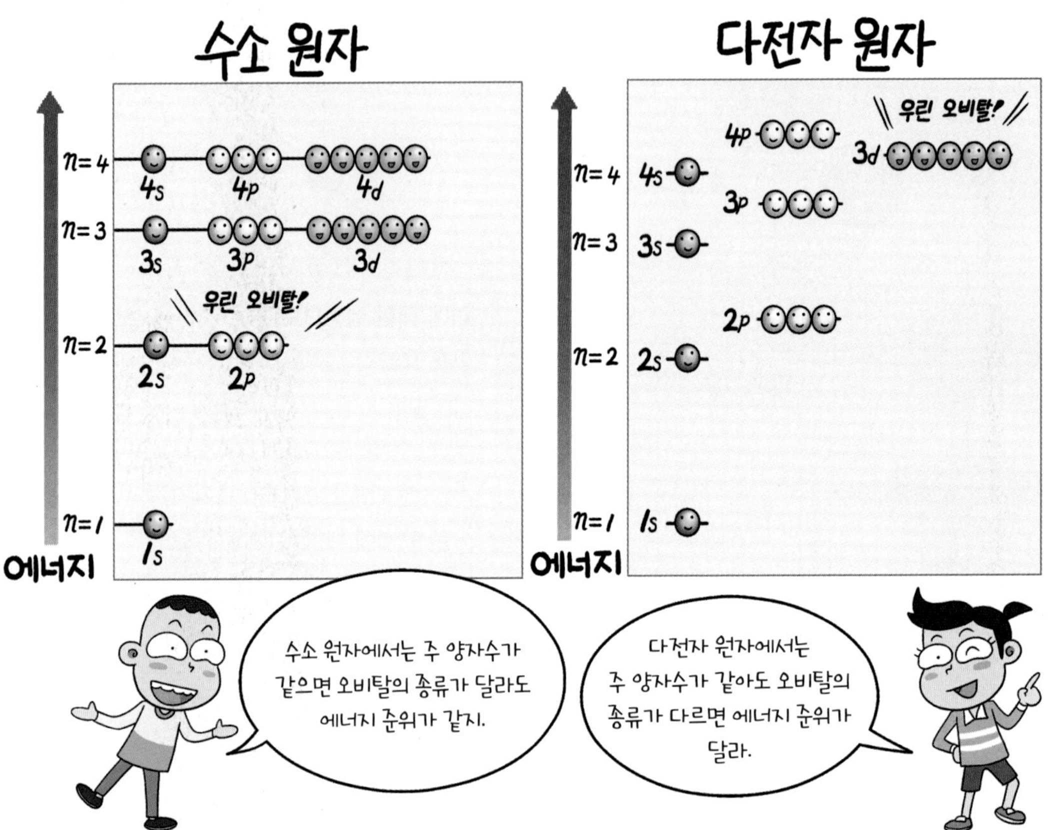

핵심 개념

1 오비탈의 에너지 준위

- **수소 원자의 에너지 준위**: 주 양자수(n)가 같으면 오비탈의 종류에 관계없이 에너지 준위는 같다.

$$1s<2s=2p<3s=3p=3d<4s=4p=4d=4f<5s\ \cdots$$

- **다전자 원자의 에너지 준위**: 주 양자수(n)뿐 아니라 방위(부) 양자수(l)에 따라서도 달라진다.

① 같은 종류의 오비탈에서 ❶ (　　　) 가 클수록 에너지가 높다.

② 주 양자수가 같을 때 방위(부) 양자수에 따라 오비탈의 에너지 준위가 달라진다.

➡ 같은 전자 껍질에서 $s<p<d<f$ 순서로 에너지가 높아진다.

③ $3d$ 오비탈이 $4s$ 오비탈보다 에너지 준위가 높다.

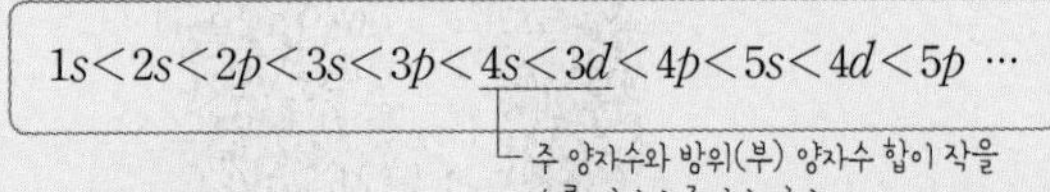

$$1s<2s<2p<3s<3p<4s<3d<4p<5s<4d<5p\ \cdots$$

주 양자수와 방위(부) 양자수 합이 작을수록 에너지 준위가 낮다.

2 전자 배치 규칙 — 아래의 세 규칙을 모두 만족하는 전자 배치가 바닥상태 전자 배치이다.

- **쌓음 원리**: 전자는 에너지 준위가 가장 낮은 오비탈부터 차례대로 채워진다.

$$1s\rightarrow 2s\rightarrow 2p\rightarrow 3s\rightarrow 3p\rightarrow 4s\rightarrow 3d\rightarrow 4p\rightarrow 5s\ \cdots$$

- **파울리 배타 원리**: 1개의 오비탈에 최대 ❷ (　　　) 개까지 전자가 채워지며, 두 전자의 스핀 방향은 반대이다.

예 1s [↑↓] 2s [↑] (가능)　　1s [↑↑] 2s [↑] (불가능)

- ❸ (　　　) **규칙**: 에너지 준위가 같은 오비탈에 전자가 채워질 때 가능한 한 홀전자 수가 많은 배치를 한다.

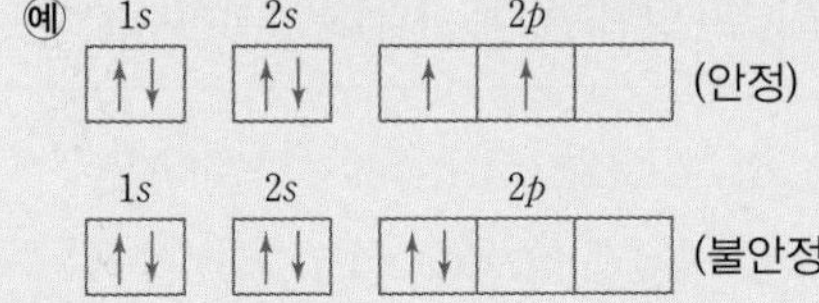

답 ❶ 주 양자수 ❷ 2 ❸ 훈트

개념 확인

정답과 해설 11쪽

1-1

그림은 원자 A에서 오비탈의 에너지 준위를 나타낸 것이다.

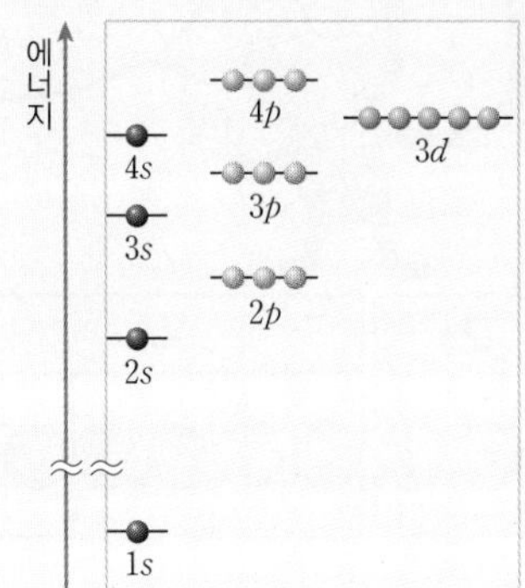

이에 대한 설명으로 옳은 것은 ○, 옳지 않은 것은 ×표 하시오.

(1) A에는 전자가 1개 있다. (　　　)

(2) 주 양자수가 클수록 에너지 준위가 크다. (　　　)

(3) 주 양자수가 같더라도 오비탈의 종류가 다르면 에너지 준위가 다르다. (　　　)

1-2

오비탈의 에너지 준위에 대한 설명으로 옳은 것만을 〈보기〉에서 있는 대로 고르시오.

보기

ㄱ. 수소 원자에서 오비탈의 에너지 준위는 $2s < 3s$이다.

ㄴ. 수소 원자에서 오비탈의 에너지 준위는 $3d < 4s$이다.

ㄷ. 질소 원자에서 오비탈의 에너지 준위는 $2s = 2p$이다.

ㄹ. 산소 원자에서 오비탈의 에너지 준위는 $3d < 4s$이다.

Hint 수소 원자에서는 주 양자수가 같으면 오비탈의 에너지 준위가 같다.

2-1

그림은 질소($_7N$) 원자의 두 가지 전자 배치를 나타낸 것이다.

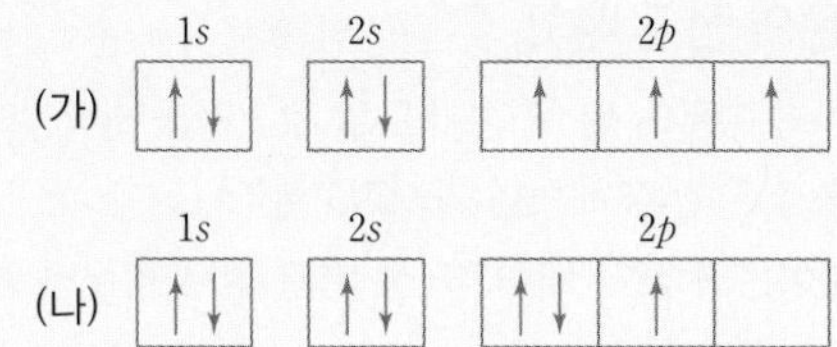

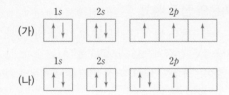

다음 설명에 해당하는 전자 배치의 기호를 있는 대로 쓰시오.

(1) 파울리 배타 원리를 만족한다.

(2) 훈트 규칙을 만족한다.

2-2

그림은 학생 A가 칼륨($_{19}K$) 원자에서 전자가 채워지는 오비탈만을 에너지 준위에 따라 나타낸 것이다.

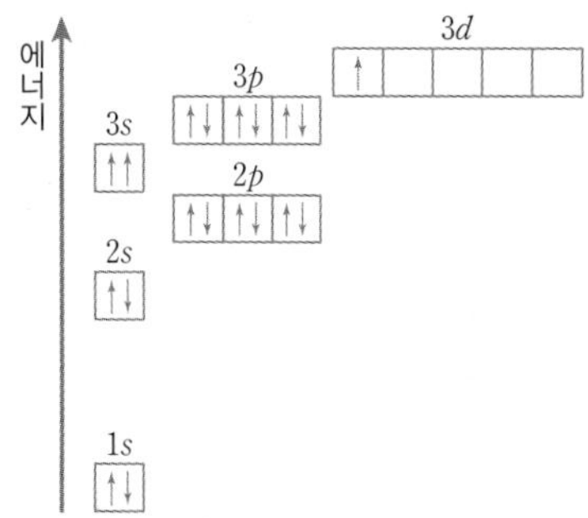

이에 대한 설명으로 옳은 것만을 〈보기〉에서 있는 대로 고르시오.

보기

ㄱ. 파울리 배타 원리에 어긋난다.

ㄴ. 쌓음 원리를 만족한다.

ㄷ. 바닥상태 전자 배치이다.

2주 3일

3일 오비탈의 전자 배치

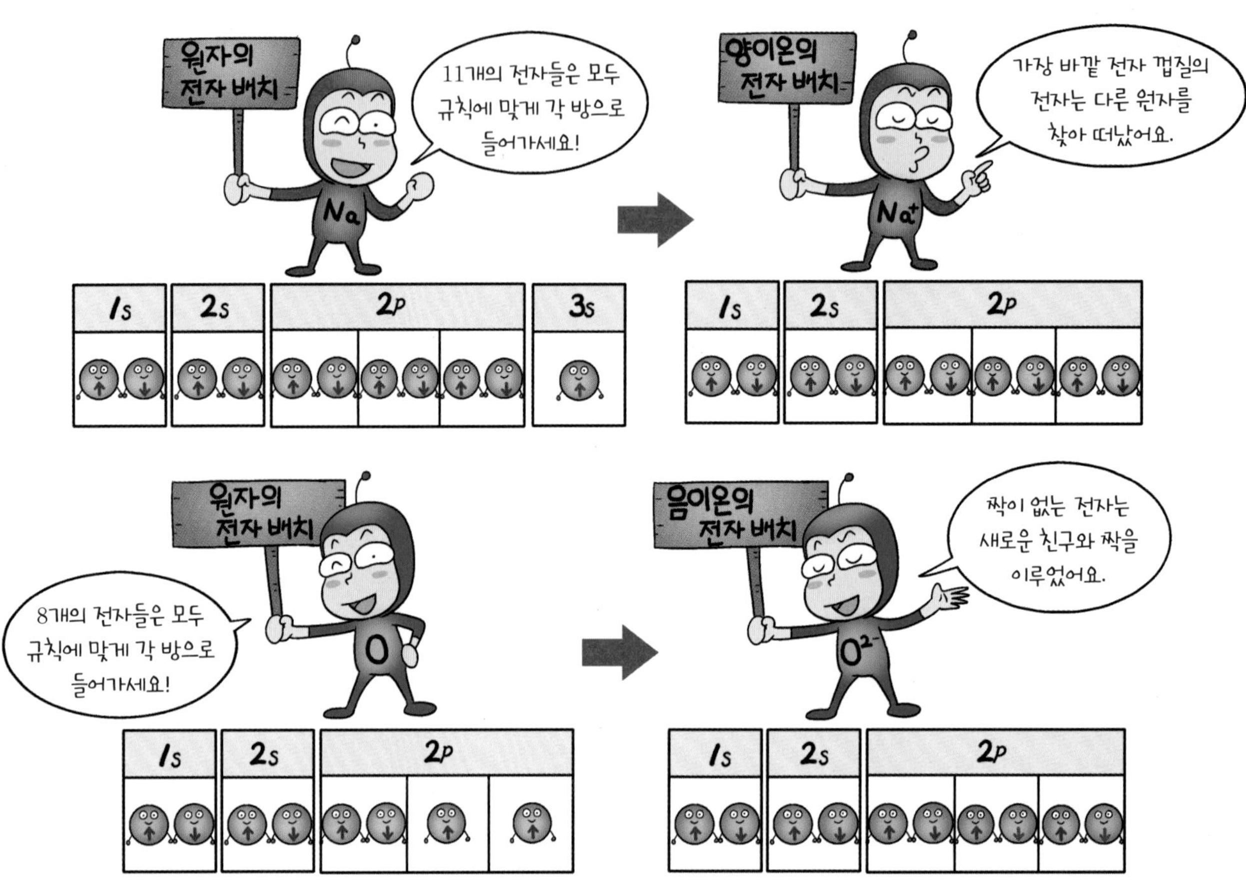

핵심 개념

3 바닥상태와 들뜬상태의 전자 배치

- **바닥상태 전자 배치**: 에너지가 가장 낮은 안정한 상태의 전자 배치 ➡ 파울리 배타 원리를 따르면서 쌓음 원리와 훈트 규칙을 만족하는 전자 배치

  예 $_6C$의 바닥상태 전자 배치

  $1s^2 2s^2 2p_x^1 2p_y^1$

1s	2s	2p		
↑↓	↑↓	↑	↑	

- **들뜬상태 전자 배치**: 전자가 높은 에너지 준위의 오비탈로 전이된 상태의 전자 배치 ➡ 파울리 배타 원리를 따르지만, 쌓음 원리나 훈트 규칙에 어긋나는 전자 배치

  예 $_6C$의 들뜬상태 전자 배치

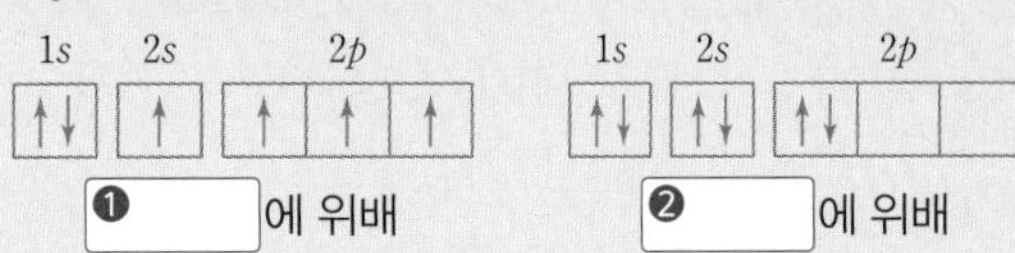

- **불가능한 전자 배치**: ❸ ______ 에 위배되는 전자 배치

4 이온의 전자 배치

원자가 이온이 될 때 전자를 잃거나 얻어 바닥상태 18족 원자와 같은 전자 배치를 가지려고 한다.

- **양이온의 전자 배치**: 가장 바깥 전자 껍질의 전자, 즉 원자가 전자를 잃는다.

  예

	1s	2s	2p			3s
$_{11}Na$:	↑↓	↑↓	↑↓	↑↓	↑↓	↑
$_{11}Na^+$:	↑↓	↑↓	↑↓	↑↓	↑↓	

  ↓ 전자를 1개 잃는다. (3s의 ↑: 에너지가 가장 높은 오비탈의 전자)

- **음이온의 전자 배치**: 전자가 완전히 채워지지 않은 오비탈 중 에너지 준위가 가장 낮은 오비탈에 전자가 배치된다.

  예

	1s	2s	2p		
$_8O$:	↑↓	↑↓	↑↓	↑	↑
$_8O^{2-}$:	↑↓	↑↓	↑↓	↑↓	↑↓

  ↓ 전자를 2개 얻는다.

답 ❶ 쌓음 원리 ❷ 훈트 규칙 ❸ 파울리 배타 원리

개념 확인

정답과 해설 11쪽

3-1

그림은 질소($_7N$) 원자의 전자 배치를 나타낸 것이다.

	1s	2s	2p		
$_7N$	↑↓	↑↓	↑	↑	↑

이 전자 배치에 대한 설명으로 옳은 것만을 〈보기〉에서 있는 대로 고르시오.

보기

ㄱ. 파울리 배타 원리를 만족한다.

ㄴ. 훈트 규칙을 만족한다.

ㄷ. 바닥상태 전자 배치이다.

3-2

그림은 학생들이 그린 붕소(B), 탄소(C), 질소(N), 산소(O) 원자의 전자 배치 (가)~(라)를 각각 나타낸 것이다.

	1s	2s	2p		
(가)	↑↓	↑↓	↑		
(나)	↑↓	↑	↑	↑	↑
(다)	↑↓	↑↓	↑↓	↑	
(라)	↑↓	↑↓	↑↑	↑	↑

(1) 파울리 배타 원리에 어긋나는 전자 배치를 있는 대로 쓰시오.

(2) 쌓음 원리에 어긋나는 전자 배치를 있는 대로 쓰시오.

(3) 바닥상태의 전자 배치를 있는 대로 쓰시오.

2 주

3일

4-1

다음은 원자의 바닥상태 전자 배치를 오비탈 기호로 나타낸 것이다. 이 원자가 안정한 이온이 될 때의 전자 배치를 오비탈 기호를 사용하여 나타내시오.

(1) 리튬 원자(Li): $1s^22s^1$
리튬 이온(Li^+): ______

(2) 산소 원자(O): $1s^22s^22p^4$
산화 이온(O^{2-}): ______

(3) 마그네슘 원자(Mg): $1s^22s^22p^63s^2$
마그네슘 이온(Mg^{2+}): ______

4-2

이온 A^+과 B^-은 그림과 같이 동일한 전자 배치를 갖는다.

1s	2s	$2p_x$	$2p_y$	$2p_z$
↑↓	↑↓	↑↓	↑↓	↑↓

(1) 바닥상태 A 원자의 전자 배치를 그리시오.

Hint A 원자의 전자 수는 10+1=11이다.

(2) 바닥상태 B 원자의 전자 배치를 그리시오.

Hint B 원자의 전자 수는 10−1=9이다.

3일 기초 유형 연습 | 오비탈의 전자 배치

대표 기출 유형

그림은 학생 A가 그린 3가지 원자의 전자 배치 (가)~(다)를 나타낸 것이다.

	1s	2s	2p			3s	3p			4s
(가) $_{14}Si$	↑↓	↑↓	↑↓	↑↓	↑↓	↑↓	↑		↑	
(나) $_{16}S$	↑↓	↑↓	↑↓	↑↓	↑↓	↑↓	↑↑	↑	↑	
(다) $_{17}Cl$	↑↓	↑↓	↑↓	↑↓	↑↓	↑↓	↑↓	↑	↑	↑

(가)~(다)에 대한 설명으로 옳은 것만을 〈보기〉에서 있는 대로 고른 것은?

보기

ㄱ. (가)는 들뜬상태 전자 배치이다.

ㄴ. (나)는 파울리 배타 원리에 어긋난다.

ㄷ. (다)는 쌓음 원리를 만족한다.

① ㄱ ② ㄴ ③ ㄱ, ㄷ
④ ㄴ, ㄷ ⑤ ㄱ, ㄴ, ㄷ

개념 point

파울리 배타 원리: 1개의 오비탈에 최대로 채워질 수 있는 전자 수는 2이고, 이때 두 전자의 스핀 방향은 서로 반대이다.

쌓음 원리: 에너지 준위가 낮은 오비탈부터 차례대로 전자가 채워진다.

|보기| 풀이

ㄱ (가)에서 3개의 $3p$ 오비탈의 에너지 준위는 같으므로 (가)는 바닥상태 전자 배치이다.

ㄴ (나)에서 $3p$ 오비탈 중 1개의 오비탈에 채워진 전자 2개의 스핀 방향이 같으므로 (나)는 파울리 배타 원리에 어긋난다.

ㄷ (다)에서 오비탈의 에너지는 준위는 $3p < 4s$이고, $3p$ 오비탈에 전자가 모두 채워지기 전에 $4s$ 오비탈에 전자가 채워졌으므로 (다)는 쌓음 원리에 위배된다.

함정 탈출

3개의 $3p$ 오비탈은 에너지 준위가 같으므로 3개 중 어떤 오비탈에 먼저 전자가 1개씩 들어가도 쌓음 원리를 만족한다.

답 ②

2014학년도 3월 학평 6번 변형

1 그림은 원자 A, B의 전자 배치를 나타낸 것이다.

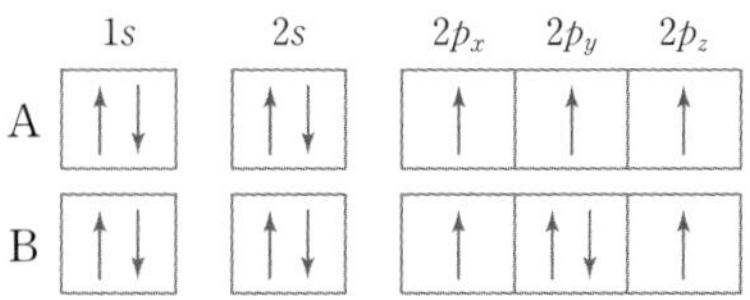

이에 대한 설명으로 옳은 것만을 〈보기〉에서 있는 대로 고른 것은? (단, A, B는 임의의 원소 기호이다.)

보기

ㄱ. A에서 $2p$ 오비탈에 들어 있는 전자들의 스핀 자기 양자수는 모두 같다.

ㄴ. B는 바닥상태 전자 배치이다.

ㄷ. 바닥상태 Ne의 전자 배치를 갖는 B 이온은 B^{2+}이다.

① ㄱ ② ㄷ ③ ㄱ, ㄴ
④ ㄴ, ㄷ ⑤ ㄱ, ㄴ, ㄷ

2016학년도 4월 학평 7번 변형

2 그림은 $1s$, $2s$, $2p$ 오비탈에만 전자가 들어 있는 탄소($_6C$)의 전자 배치 (가)~(다)를 나타낸 것이다. (가)~(다)는 모두 파울리 배타 원리를 만족하며, 바닥상태 또는 들뜬상태의 전자 배치이다.

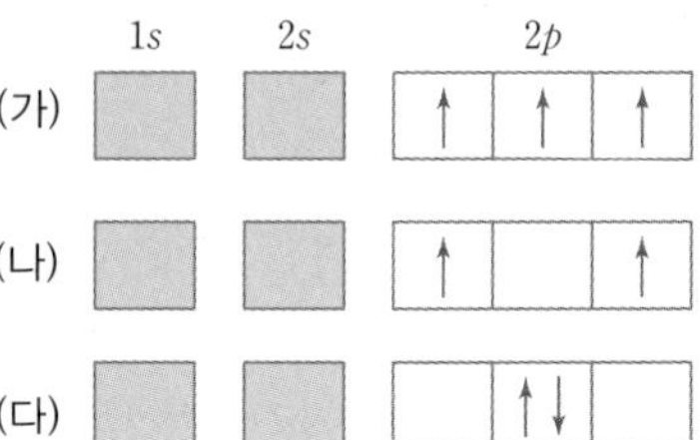

(가)~(다)에서 음영 부분의 전자 배치를 완성하시오.

정답과 해설 12쪽

2020학년도 10월 학평 2번 변형

3 그림은 원자 X~Z의 전자 배치를 나타낸 것이다.

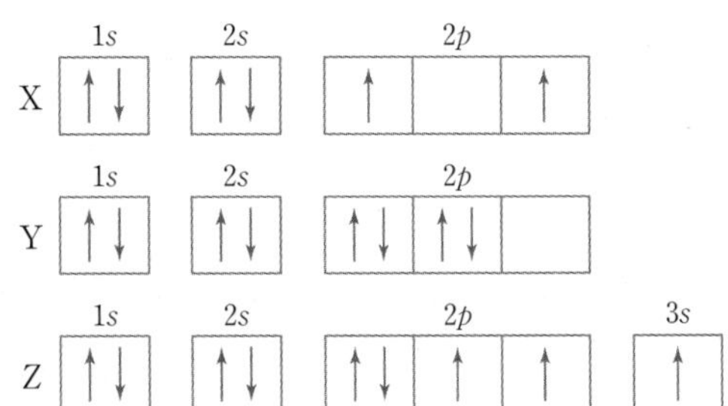

이에 대한 설명으로 옳은 것만을 〈보기〉에서 있는 대로 고른 것은? (단, X~Z는 임의의 원소 기호이다.)

보기
ㄱ. X의 전자 배치는 쌓음 원리에 어긋난다.
ㄴ. Y의 전자 배치는 훈트 규칙에 어긋난다.
ㄷ. Z는 들뜬상태이다.

① ㄱ　② ㄴ　③ ㄱ, ㄷ
④ ㄴ, ㄷ　⑤ ㄱ, ㄴ, ㄷ

4 다음은 현대 원자 모형에서 전자가 배치되는 원리이다.

- 파울리 배타 원리
- 쌓음 원리
- 훈트 규칙

위의 원리를 적용한 바닥상태 $_{6}C$의 원자가 전자의 전자 배치로 옳은 것은?

① 2s [↑↓] 2p [↑↓][ ][ ]
② 2s [↑↓] 2p [↑][↑][ ]
③ 2s [↑↓] 2p [ ][↑↓][ ]
④ 2s [↑] 2p [↑↓][↑][ ]
⑤ 2s [ ] 2p [↑↓][↑][↑]

2020학년도 3월 학평 4번 변형

5 표는 2주기 바닥상태 원자 X, Y의 전자 배치에 대한 자료이다. X, Y는 임의의 원소 기호이다.

원자	X	Y
전자가 들어 있는 오비탈 수	n	$n+1$
홀전자 수	2	2

바닥상태 원자 Y의 전자 배치를 그리시오.

2019학년도 6월 모평 14번 변형

6 표는 바닥상태인 원자 (가)~(다)에 대한 자료이다.

원자	s 오비탈에 있는 전자 수	p 오비탈에 있는 전자 수	홀전자 수
(가)	a	6	1
(나)	4	3	b
(다)	3	c	d

$a+b+c+d$를 구하시오.

2주 3일

4일 원소의 분류와 주기율

핵심 개념

1 주기율표 ─ 비슷한 성질의 원소들이 주기적으로 나타나는 것

● 주기율표가 만들어지기까지의 과정

(현대 주기율표에서 같은 족)

세 쌍 원소설 (되베라이너)	화학적 성질이 비슷한 세 쌍 원소를 원자량 순서로 배열했을 때 중간 원소의 원자량은 두 원소 원자량의 평균값과 비슷하다.
옥타브설 (뉴랜즈)	원소들을 원자량 순서로 배열했을 때 8번째마다 화학적 성질이 비슷한 원소가 나타난다.
최초의 주기율표 (멘델레예프)	• 당시까지 발견된 63종의 원소들을 ❶ ____ 순서로 배열하여 성질이 비슷한 원소들이 주기적으로 나타나도록 만들었다. ─ 주기성에 벗어나는 부분이 있었다. • 당시 발견되지 않은 원소는 자리를 비워두고, 그 성질을 예측하였다.
현대 주기율표 (모즐리)	원소들을 ❷ ____ 순서로 배열하여 현재의 주기율표를 완성하였다.

● **현대의 주기율표**: 원소들을 원자 번호 순서로 나열하여 화학적 성질이 비슷한 원소가 같은 세로줄에 오도록 배열한 표이다.

① **주기**: 주기율표의 가로줄로, 1~7주기가 있다.

➡ 주기는 전자들이 들어 있는 전자 껍질 수와 같다.

② **족**: 주기율표의 세로줄로, 1~18족이 있다.

• 1족 원소(H 제외)는 알칼리 금속, 17족 원소는 할로젠 원소, 18족 원소는 비활성 기체라고 한다.

• 같은 ❸ ____ 원소는 원자가 전자 수가 같아서 화학적 성질이 비슷하다.

➡ 수소(H)는 1족에 속하지만 비금속 원소로 1족 알칼리 금속과 화학적 성질이 다르다.

• 1, 2, 13~17족 원소의 경우 원자가 전자 수는 족의 끝자리 수와 같다. ─ 18족 원소의 원자가 전자 수는 0이다.

답 ❶ 원자량 ❷ 원자 번호 ❸ 족

개념 확인

정답과 해설 12쪽

1-1

다음은 주기율과 주기율표에 대한 설명이다.

> 주기율은 성질이 비슷한 원소들이 [㉠]으로 나타나는 것으로, 최초의 주기율표는 멘델레예프가 당시까지 발견된 63종의 원소를 [㉡] 순서로 배열하여 만든 것이다. 현대의 주기율표는 원소들을 [㉢] 순서로 배열하여 성질이 비슷한 원소가 같은 [㉣]줄에 오도록 배열하였다.

㉠~㉣에 들어갈 알맞은 말을 쓰시오.

1-2

다음은 현대의 주기율표가 만들어지기까지 제안된 이론에 대한 설명이다.

> (가) 뉴랜즈는 원소들을 [㉠] 순서로 나열하면 8번째마다 화학적 성질이 비슷한 원소가 나타나는 것을 발견하였다.
> (나) 되베라이너는 화학적 성질이 비슷한 세 쌍 원소를 [㉡] 순서로 배열했을 때 중간 원소의 원자량이 나머지 두 원소의 원자량의 평균값과 비슷하다는 것을 발견하였다.
> (다) 멘델레예프는 당시까지 발견된 63종의 원소를 [㉢] 순서로 배열하여 최초의 주기율표를 만들었다.

(1) ㉠~㉢에 들어갈 알맞은 말을 쓰시오.

(2) (가)~(다)를 제안된 시간 순서대로 나열하시오.

1-3

표는 되베라이너의 세 쌍 원소에 해당하는 원소들의 원자량에 대한 자료이다.

원소	Li	Na	K
원자량	7	23	㉠

이에 대한 설명으로 옳은 것만을 〈보기〉에서 있는 대로 고르시오.

> 보기
> ㄱ. ㉠으로 '30'이 적절하다.
> ㄴ. 세 쌍 원소의 화학적 성질이 비슷하다.
> ㄷ. 세 쌍 원소들은 현대 주기율표에서 같은 주기에 속한다.

1-4

다음은 멘델레예프와 모즐리에 의해 제안된 주기율표에 대한 설명이다.

> • 멘델레예프는 당시까지 발견된 63종의 원소를 [㉠] 순서로 배열하여 주기율표를 만들었다.
> • 모즐리는 원소의 주기적 성질이 [㉡]수와 관련이 있음을 발견하였고, 원소들을 [㉢] 순서로 배열하여 현재 주기율표와 비슷한 주기율표를 완성하였다.

이에 대한 설명으로 옳은 것만을 〈보기〉에서 있는 대로 고르시오.

> 보기
> ㄱ. ㉠으로 '원자량'이 적절하다.
> ㄴ. ㉡으로 '중성자'가 적절하다.
> ㄷ. ㉢으로 '원자 번호'가 적절하다.

일 원소의 분류와 주기율

전자가 들어 있는
가장 바깥 껍질의 주 양자수는
주기와 같네?

주기 \ 족	1	2	13	14	15	16	17	18
1	$1s^1$							$1s^2$
2	$2s^1$	$2s^2$	$2s^22p^1$	$2s^22p^2$	$2s^22p^3$	$2s^22p^4$	$2s^22p^5$	$2s^22p^6$
3	$3s^1$	$3s^2$	$3s^23p^1$	$3s^23p^2$	$3s^23p^3$	$3s^23p^4$	$3s^23p^5$	$3s^23p^6$
4	$4s^1$	$4s^2$	$4s^24p^1$	$4s^24p^2$	$4s^24p^3$	$4s^24p^4$	$4s^24p^5$	$4s^24p^6$
가장 바깥 전자 껍질의 전자 배치	ns^1	ns^2	ns^2np^1	ns^2np^2	ns^2np^3	ns^2np^4	ns^2np^5	ns^2np^6
원자가 전자 수	1	2	3	4	5	6	7	0

핵심 개념

2 원소의 분류

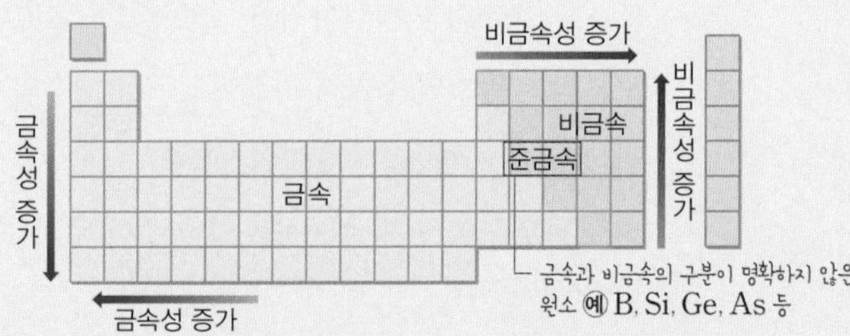

성질	금속 원소	비금속 원소
열, 전기 전도성	크다.	매우 작다(흑연은 예외).
이온의 형성	❶ ( ) 이 되기 쉽다.	❷ ( ) 이 되기 쉽다.
실온에서의 상태	대부분 고체(수은은 액체)	대부분 기체, 고체(브로민은 액체)

3 원소의 전자 배치와 주기율

- **전자 배치의 주기성**: 바닥상태 원자의 전자 배치에서 가장 바깥 전자 껍질의 전자 배치는 주기성을 나타낸다.
- 전자가 들어 있는 가장 바깥 전자 껍질의 주 양자수는 ❸ ( ) 와 같다.
- ❹ ( ) : 가장 바깥 전자 껍질에 들어 있는 전자로, 원소의 화학적 성질을 결정한다.

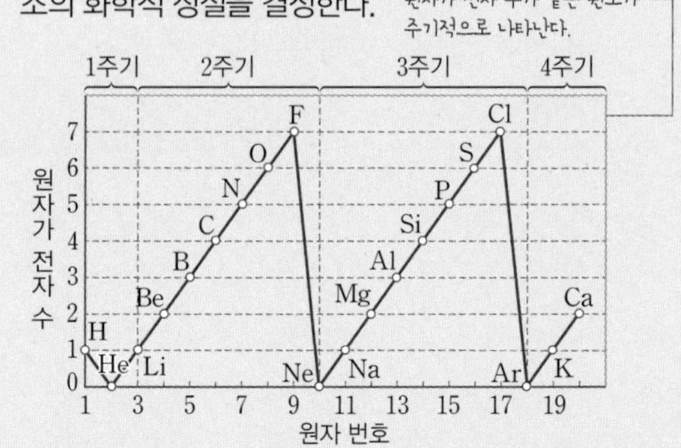

답 ❶ 양이온 ❷ 음이온 ❸ 주기 ❹ 원자가 전자

2-1

그림은 주기율표의 원소를 (가)~(마)로 분류한 것이다.

주기＼족	1	2	13	14	15	16	17	18
1	(가)							
2								
3		(나)					(라)	(마)
4					(다)			
5								
6								

(1) 전기 전도성이 크고, 전자를 잃고 양이온이 되기 쉬운 원소가 속한 영역을 쓰시오.

(2) 전자를 얻어 음이온이 되기 쉬운 원소가 속한 영역을 쓰시오.

2-2

그림은 주기율표의 일부를 나타낸 것이다.

주기＼족	1	2	13	14	15	16	17	18
1								
2						(나)		(다)
3	(가)							
4								

(1) 전자를 잃고 양이온이 되기 쉽고, 실온에서 고체 상태로 존재하는 원소가 속한 영역을 쓰시오.

(2) 전자를 얻어 음이온이 되기 쉽고, 실온에서 기체 상태로 존재하는 원소가 속한 영역을 쓰시오.

(3) 반응성이 거의 없어 주로 원자 상태로 존재하는 원소가 속한 영역을 쓰시오.

3-1

그림은 바닥상태 원자 A와 B의 전자 배치를 나타낸 것이다.

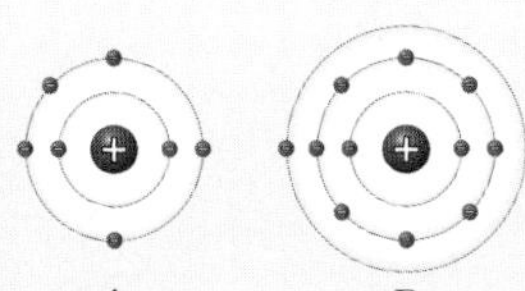

A와 B에 대한 설명으로 옳은 것만을 ⟨보기⟩에서 있는 대로 고르시오. (단, A, B는 임의의 원소 기호이다.)

보기
ㄱ. A는 비금속 원소이다.
ㄴ. B는 금속 원소이다.
ㄷ. A와 B는 같은 주기 원소이다.
ㄹ. 원자가 전자 수는 A가 B보다 크다.

3-2

그림은 주기율표의 일부를 나타낸 것이다.

주기＼족	1	2		15	16	17	18
1	A						
2					B		
3	C					D	

A~D에 대한 설명으로 옳은 것만을 ⟨보기⟩에서 있는 대로 고르시오. (단, A~D는 임의의 원소 기호이다.)

보기
ㄱ. A와 C는 화학적 성질이 비슷하다.
ㄴ. A와 C의 원자가 전자 수는 같다.
ㄷ. B는 비금속 원소이다.
ㄹ. 바닥상태 C와 D에서 전자가 들어 있는 전자 껍질 수는 같다.

Hint A와 C는 같은 족, C와 D는 같은 주기 원소이다.

기초 유형 연습 | 원소의 분류와 주기율

대표 기출 유형

다음은 주기율표에 대한 세 학생의 대화이다.

멘델레예프는 원소를 원자 번호 순서로 배열하여 주기율표를 만들었어.

현대 주기율표는 원소를 원자량 순서로 배열하고 있어.

현대 주기율표에서는 세로줄을 족, 가로 줄을 주기라고 하지.

학생 A　　학생 B　　학생 C

제시한 내용이 옳은 학생만을 있는 대로 고른 것은?

① A　② C　③ A, B
④ A, C　⑤ A, B, C

개념 point

멘델레예프의 주기율표: 멘델레예프는 당시까지 발견된 63종의 원소를 원자량 순서로 배열하여 화학적 성질이 비슷한 원소가 같은 세로줄에 오도록 배열하여 최초의 주기율표를 만들었다.

현대 주기율표: 원소를 원자 번호(=양성자수) 순서로 배열하여 주기율표를 만들었다.

|보기| 풀이

A 멘델레예프는 원소들을 원자량 순서로 배열하여 최초의 주기율표를 만들었다.

B, C 현대 주기율표에서는 원소들을 원자 번호 순서로 배열하여 만들며 세로줄을 족, 가로줄을 주기라고 한다.

함정 탈출

원소를 원자량 순서로 배열하면 주기성이 맞지 않는 원소들이 있지만, 원소를 원자 번호 순서로 배열하면 주기성이 맞아 떨어진다.

답 ②

1 다음은 바닥상태 원자 X～Z에 대한 자료이다.

- X에서 전자가 들어 있는 전자 껍질 수와 원자가 전자 수는 각각 1이다.
- X와 Y의 원자가 전자 수는 같다.
- Y와 Z에서 전자가 들어 있는 전자 껍질 수는 같다.

X～Z에 대한 설명으로 옳은 것만을 〈보기〉에서 있는 대로 고른 것은? (단, X～Z는 임의의 원소 기호이다.)

보기
ㄱ. X는 알칼리 금속이다.
ㄴ. Y는 비금속 원소이다.
ㄷ. Y와 Z는 같은 주기 원소이다.

① ㄱ　② ㄷ　③ ㄱ, ㄴ
④ ㄴ, ㄷ　⑤ ㄱ, ㄴ, ㄷ

2017학년도 6월 모평 8번 변형

2 다음은 2, 3주기 원소 X～Z에 대한 자료이다.

- 바닥상태 X의 전자 배치에서 $\frac{p\text{ 오비탈의 전자 수}}{s\text{ 오비탈의 전자 수}}=\frac{1}{4}$이다.
- X와 Y의 원자가 전자 수는 같다.
- 바닥상태 Z에서 전자가 들어 있는 전자 껍질 수는 X와 같고, 홀전자 수는 2이다.

X～Z를 원자 번호 순으로 나열하되, 판단 근거를 서술하시오. (단, X～Z는 임의의 원소 기호이다.)

정답과 해설 13쪽

3 다음은 원자 A와 B의 전자 배치를 나타낸 것이다. A와 B의 전자 배치는 파울리 배타 원리를 만족한다.

- A: $1s^2 2s^2 2p^5$
- B: $1s^2 2s^2 2p^6 3s^1 3p^6$

이에 대한 설명으로 옳은 것만을 〈보기〉에서 있는 대로 고른 것은? (단, A, B는 임의의 원소 기호이다.)

보기

ㄱ. A는 바닥상태이다.
ㄴ. A와 B의 원자가 전자 수는 같다.
ㄷ. A는 금속 원소이고, B는 비금속 원소이다.

① ㄱ ② ㄷ ③ ㄱ, ㄴ
④ ㄴ, ㄷ ⑤ ㄱ, ㄴ, ㄷ

2019학년도 3월 학평 6번 변형

4 표는 바닥상태 원자 A~C에 대한 자료이다.

원자	A	B	C
p 오비탈에 들어 있는 전자 수	3	5	9

이에 대한 설명으로 옳은 것만을 〈보기〉에서 있는 대로 고른 것은? (단, A~C는 임의의 원소 기호이다.)

보기

ㄱ. A는 비금속 원소이다.
ㄴ. B는 금속 원소이다.
ㄷ. A와 C는 같은 족 원소이다.

① ㄱ ② ㄴ ③ ㄱ, ㄷ
④ ㄴ, ㄷ ⑤ ㄱ, ㄴ, ㄷ

5 다음은 주기율표에서 m족에 속하는 두 가지 원소이다.

$_{9}X$ $_{17}Y$

m을 구하시오. (단, X, Y는 임의의 원소 기호이다.)

2014학년도 10월 학평 11번 변형

6 표는 바닥상태 원자 A~C에 대한 자료이다.

원자	A	B	C
전자가 들어 있는 전자 껍질 수	1	2	2
홀전자 수	1	1	3

이에 대한 설명으로 옳은 것만을 〈보기〉에서 있는 대로 고른 것은? (단, A~C는 임의의 원소 기호이고, 원자 번호는 B<C이다.)

보기

ㄱ. A는 금속 원소이다.
ㄴ. A와 B의 화학적 성질은 비슷하다.
ㄷ. 전자가 들어 있는 p 오비탈 수는 C가 B보다 크다.

① ㄱ ② ㄷ ③ ㄱ, ㄴ
④ ㄴ, ㄷ ⑤ ㄱ, ㄴ, ㄷ

2주 4일

5일 원소의 주기적 성질

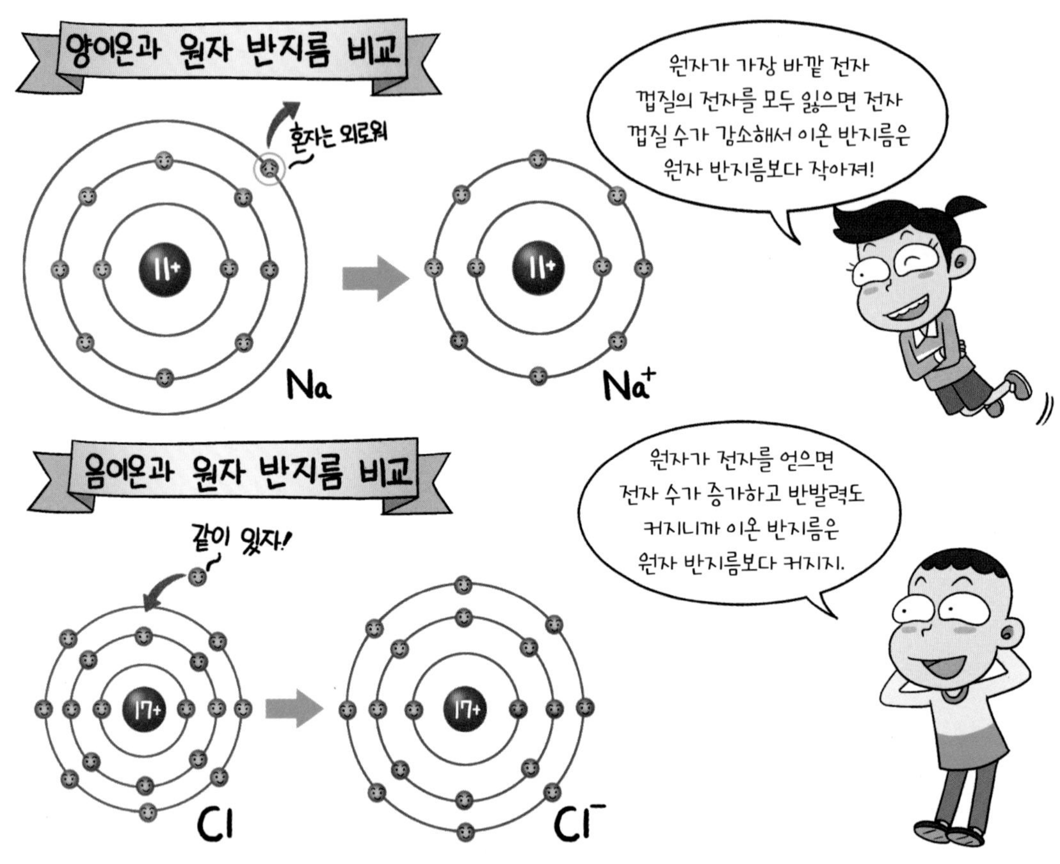

양이온과 원자 반지름 비교
혼자는 외로워
11+
Na
Na+
원자가 가장 바깥 전자 껍질의 전자를 모두 잃으면 전자 껍질 수가 감소해서 이온 반지름은 원자 반지름보다 작아져!
음이온과 원자 반지름 비교
같이 있자!
17+
Cl
Cl-
원자가 전자를 얻으면 전자 수가 증가하고 반발력도 커지니까 이온 반지름은 원자 반지름보다 커지지.

핵심 개념

1 유효 핵전하

- **유효 핵전하**: 전자가 실제로 느끼는 핵전하
- **가로막기 효과**: 다전자 원자에서는 다른 전자들에 의해 원자핵이 가려져서 원자가 전자에 작용하는 핵전하는 양성자수에 의한 핵전하보다 작다. ─ 수소 원자는 가려막기 효과가 없다.
- **원자가 전자가 느끼는 유효 핵전하의 주기성**

같은 주기에서	같은 족에서
원자 번호가 커질수록 ❶ [　　] 한다.	원자가 번호가 커질수록 증가한다.

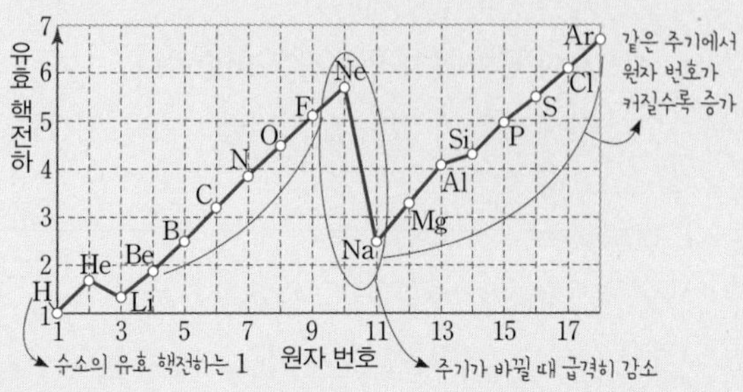

2 원자 반지름과 이온 반지름

- **원자 반지름의 주기성**

같은 주기에서	같은 족에서
원자 번호가 커질수록 작아진다. ➡ 원자가 전자가 느끼는 유효 핵전하가 증가하기 때문	원자 번호가 커질수록 커진다. ➡ ❷ [　　] 가 증가하기 때문

- **이온 반지름**

원자가 양이온이 될 때	원자가 음이온이 될 때
원자가 전자를 모두 잃고 양이온이 되면 반지름이 작아진다. ➡ 전자 껍질 수가 감소하기 때문 예 반지름: $Na > Na^+$	전자를 얻어 음이온이 되면 반지름이 커진다. ➡ 전자 수 증가로 전자 간 반발력이 커지기 때문 예 반지름: $Cl < Cl^-$

- **등전자 이온의 반지름**(전자 수가 같은 이온): 핵전하가 클수록 ❸ [　　].
  예 $O^{2-} > F^- > Na^+ > Mg^{2+}$ ─ 전자 껍질 수는 같고 유효 핵전하가 증가하기 때문

답 ❶ 증가 ❷ 전자 껍질 수 ❸ 작아진다

개념 확인

정답과 해설 13쪽

1-1

그림은 주기율표의 일부를 나타낸 것이다. A~D는 임의의 원소 기호이다.

주기 \ 족	1	2	13	14	15	16	17	18
1								
2	A				B		C	
3							D	

A~D의 원자가 전자가 느끼는 유효 핵전하를 부등호로 비교하시오.

1-2

그림은 리튬(Li) 원자와 베릴륨(Be) 원자의 전자 배치를 모형으로 나타낸 것이다.

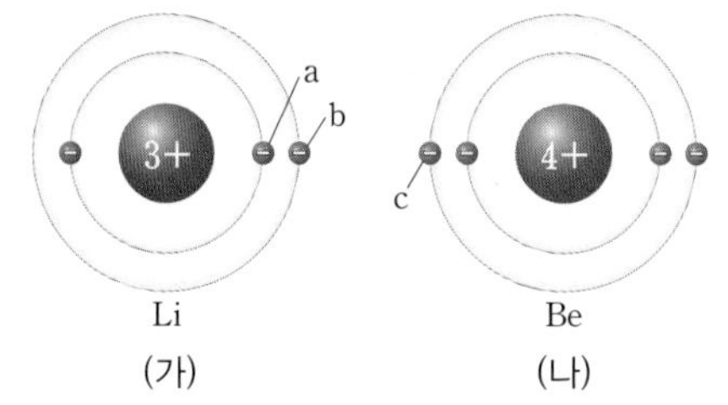

(1) (가)에서 전자 a와 b가 느끼는 유효 핵전하의 크기를 부등호로 비교하시오.

(2) (가)의 전자 b와 (나)의 전자 c가 느끼는 유효 핵전하의 크기를 부등호로 비교하시오.

2주 5일

2-1

그림은 3주기 원소 중 일부를 주기율표에 나타낸 것이다.

주기 \ 족	1	2	13	14	15	16	17	18
3	(가)		(나)		(다)		(라)	(마)

(1) 18족 원소의 전자 배치를 갖는 안정한 이온의 반지름이 원자 반지름보다 작은 것을 있는 대로 쓰시오.

(2) (다)와 (라)가 (마)의 전자 배치를 갖는 이온이 되었을 때 (다)의 이온과 (라)의 이온의 반지름 크기를 부등호로 비교하시오.

2-2

그림은 2, 3주기 원소 A~C에 대한 자료이다. A~C의 이온은 모두 Ne의 전자 배치를 가지며 원자 번호는 각각 9, 12, 13 중 하나이다.

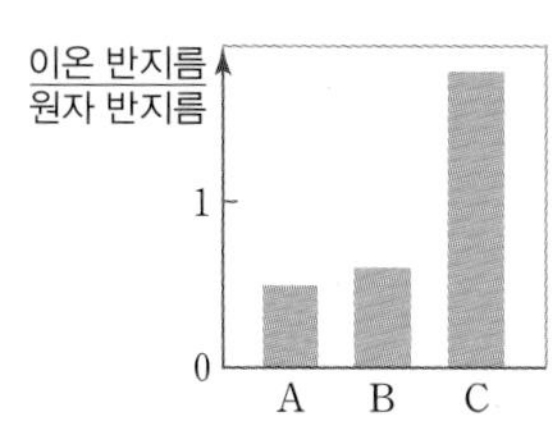

(1) A~C 중 양이온이 되는 원소를 있는 대로 쓰시오.

(2) A와 C의 이온 반지름의 크기를 부등호로 비교하시오.

Hint A와 C는 등전자 이온이다.

5일 원소의 주기적 성질

원자에서 전자 1몰씩을 차례로 떼어낼 때,
이온화 차수가 커질수록 떼어내는 데
많은 에너지가 필요해!

핵심 개념

3 이온화 에너지

- **이온화 에너지**: 기체 상태의 원자 1 mol에서 전자 1 mol을 떼어내는 데 필요한 에너지

$M(g)+E \longrightarrow M^+(g)+e^-$ (E: 이온화 에너지)

E가 작을수록 전자를 잃고 양이온이 되기 쉽다.

- **이온화 에너지의 주기성**

같은 주기에서	같은 족에서
원자 번호가 커질수록 대체로 증가한다.	원자 번호가 커질수록 ❶ ______ 한다.

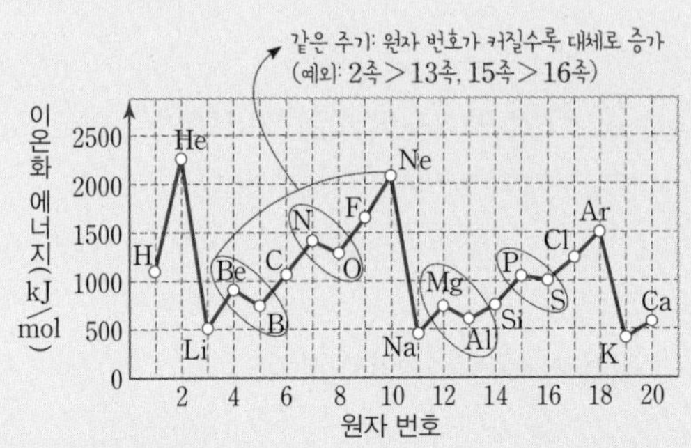

4 순차 이온화 에너지

- **순차 이온화 에너지**: 전자가 2개 이상인 다전자 원자에서 전자를 2개 이상 차례로 떼어낼 때 필요한 에너지

수소는 제1 이온화 에너지만 존재

$M(g)+E_1 \longrightarrow M^+(g)+e^-$ (E_1: 제1 이온화 에너지)
$M^+(g)+E_2 \longrightarrow M^{2+}(g)+e^-$ (E_2: 제2 이온화 에너지)
$M^{2+}(g)+E_3 \longrightarrow M^{3+}(g)+e^-$ (E_3: 제3 이온화 에너지)

- **순차 이온화 에너지의 크기**: 이온화 차수가 커질수록 순차 이온화 에너지가 ❷ ______ 한다.

$$E_1 < E_2 < E_3 < E_4 < \cdots$$

- **순차 이온화 에너지와 원자가 전자 수**: 순차 이온화 에너지가 급격히 증가하기 직전까지 떼어낸 전자 수는 ❸ ______ 수와 같다.

예) $E_1 \ll E_2 < E_3 < E_4 \cdots$: 원자가 전자 수 1 ➡ 1족
$E_1 < E_2 < E_3 \ll E_4 \cdots$: 원자가 전자 수 3 ➡ 13족

답 ❶ 감소 ❷ 증가 ❸ 원자가 전자

개념 확인

정답과 해설 13쪽

3-1

그림은 2, 3주기 원소의 족에 따른 이온화 에너지를 순서 없이 나타낸 것이다.

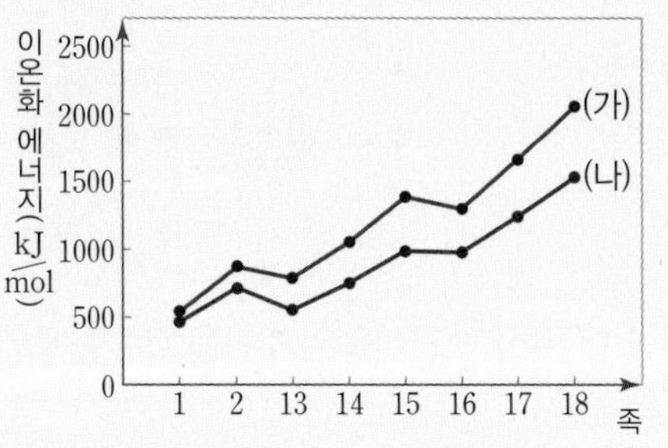

(가)와 (나)에 해당하는 주기를 각각 쓰시오.

3-2

그림은 2, 3주기 원소 A~C의 원자가 전자 수와 제1 이온화 에너지(E_1)를 나타낸 것이다.

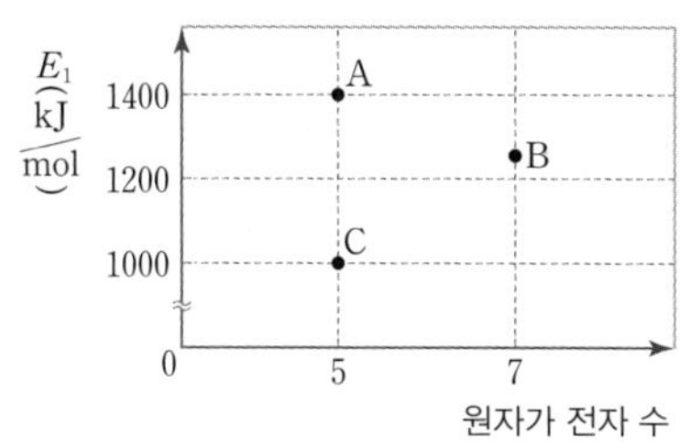

(1) A~C 중 2주기 원소를 있는 대로 쓰시오.

Hint 같은 족에서 E_1은 '2주기 원소>3주기 원소'이고, 같은 주기에서 E_1은 '15족 원소<17족 원소'이다.

(2) A~C 중 원자 반지름이 가장 큰 것을 고르시오.

4-1

그림은 3주기 원소 X~Z의 순차 이온화 에너지를 상댓값으로 나타낸 것이다. X~Z는 임의의 원소 기호이다.

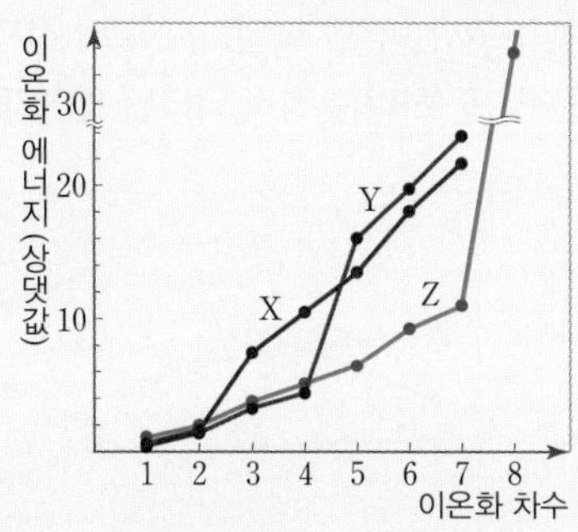

X~Z의 원자가 전자 수를 각각 구하시오.

4-2

표는 3주기 m족 원소 X의 순차 이온화 에너지를 나타낸 것이다. X는 임의의 원소 기호이다.

원소	순차 이온화 에너지(kJ/mol)			
	E_1	E_2	E_3	E_4
X	800	2430	3660	25000

(1) m을 구하시오.

Hint X의 순차 이온화 에너지는 $E_3 \ll E_4$이다.

(2) X가 18족 원소의 전자 배치를 갖는 안정한 이온이 될 때 필요한 에너지(kJ/mol)를 구하시오.

2주 5일

기초 유형 연습 | 원소의 주기적 성질

대표 기출 유형

2020학년도 9월 모평 8번 변형

그림은 원자 A~D의 이온 반지름을 상댓값으로 나타낸 것이다. A~D는 각각 원자 번호가 15, 16, 19, 20 중 하나이고, 이온의 전자 배치는 모두 Ar과 같다.

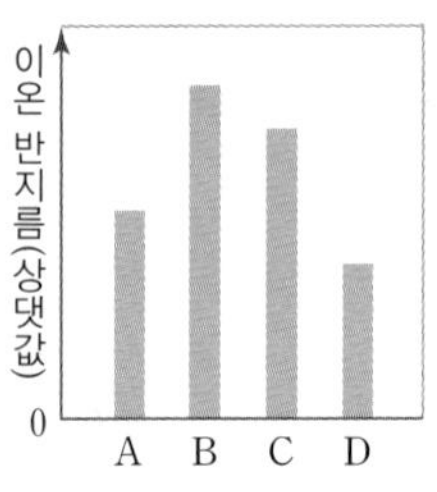

이에 대한 설명으로 옳은 것만을 <보기>에서 있는 대로 고른 것은? (단, A~D는 임의의 원소 기호이다.)

보기
ㄱ. A의 이온은 음이온이다.
ㄴ. 원자 반지름은 B > C이다.
ㄷ. 원자가 전자가 느끼는 유효 핵전하는 A > D 이다.

① ㄱ ② ㄴ ③ ㄱ, ㄷ
④ ㄴ, ㄷ ⑤ ㄱ, ㄴ, ㄷ

개념 point

원자 번호가 15, 16, 19, 20인 원자의 핵전하량은 20 > 19 > 16 > 15이므로 이들이 등전자 이온이 되었을 때 이온 반지름은 20 < 19 < 16 < 15이다.
같은 주기에서 원자 번호가 커질수록 원자가 전자가 느끼는 유효 핵전하는 커진다.

|보기| 풀이

ㄱ 이온 반지름이 B > C > A > D이므로 A~D의 원자 번호는 각각 19, 15, 16, 20이다. 즉 A는 4주기 1족 원소인 금속 원소이므로 A의 이온은 양이온이다.
ㄴ 원자 반지름은 같은 주기에서 원자 번호가 클수록 작아지므로 B > C이다.
ㄷ 같은 주기에서 원자 번호가 커질수록 원자가 전자가 느끼는 유효 핵전하가 커지므로 A < D이다.

함정 탈출

A~D의 원자 반지름 크기는 A > D > B > C이지만 이들의 안정한 이온은 등전자 이온이므로 이온 반지름 크기는 B > C > A > D이다.

답 ②

1 그림은 양성자수가 9인 이온 X의 전자 배치를 모형으로 나타낸 것이다.

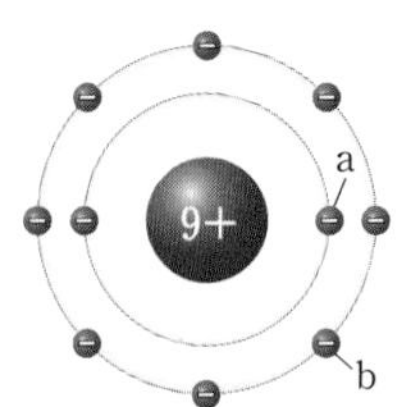

이에 대한 설명으로 옳은 것만을 <보기>에서 있는 대로 고른 것은?

보기
ㄱ. X의 반지름은 원자 반지름보다 크다.
ㄴ. 전자 a가 느끼는 유효 핵전하는 +9이다.
ㄷ. 전자가 느끼는 유효 핵전하는 a가 b보다 크다.

① ㄱ ② ㄴ ③ ㄱ, ㄷ
④ ㄴ, ㄷ ⑤ ㄱ, ㄴ, ㄷ

2014학년도 6월 모평 11번 변형

2 그림에서 (가)~(다)는 몇 가지 원소의 원자 반지름, 원자가 전자가 느끼는 유효 핵전하, Ne의 전자 배치를 갖는 이온 반지름 중 하나를 각각 나타낸 것이다.

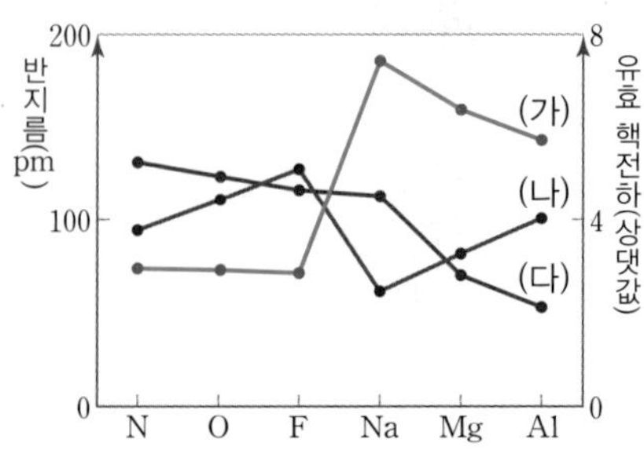

(가)~(다)에 해당하는 것을 각각 쓰시오.

정답과 해설 14쪽

2016학년도 4월 학평 14번 변형

3 다음은 주기율표의 빗금 친 부분에 위치하는 원소 A~E에 대한 자료이다.

주기＼족	1	2	13	14	15	16	17	18
2	▨					▨	▨	
3	▨						▨	

- A~E 중 원자 반지름은 A가 가장 크다.
- A와 B는 같은 족 원소이고, B와 C는 같은 주기 원소이다.
- 바닥상태 전자 배치에서 홀전자 수는 D가 E보다 크다.

이에 대한 설명으로 옳은 것만을 〈보기〉에서 있는 대로 고르시오. (단, A~E는 임의의 원소 기호이다.)

보기

ㄱ. 원자가 전자가 느끼는 유효 핵전하는 A>E이다.
ㄴ. 원자 반지름은 B>D이다.
ㄷ. 이온화 에너지는 C>E이다.

2015학년도 4월 학평 13번 변형

4 표는 원소 A~C에 대한 자료이다. A~C는 각각 1족, 16족, 17족 원소 중 하나이고, 이온은 모두 Ne의 전자 배치를 갖는다.

원소	A	B	C
원자 반지름(pm)	186	a	b
이온 반지름(pm)	95	136	140

이에 대한 설명으로 옳은 것만을 〈보기〉에서 있는 대로 고른 것은? (단, A~C는 임의의 원소 기호이다.)

보기

ㄱ. $a>136$이다.
ㄴ. $b<140$이다.
ㄷ. 원자 반지름은 A>C이다.

① ㄱ ② ㄷ ③ ㄱ, ㄴ
④ ㄴ, ㄷ ⑤ ㄱ, ㄴ, ㄷ

5 그림은 2주기 바닥상태 원자 X~Z의 홀전자 수와 원자 반지름(상댓값)을 나타낸 것이다.

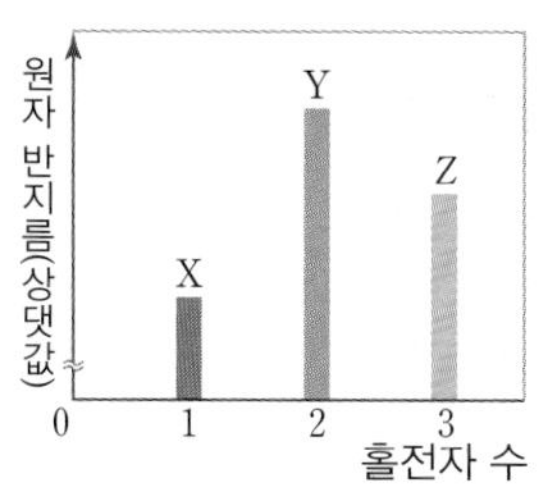

이에 대한 설명으로 옳은 것만을 〈보기〉에서 있는 대로 고른 것은? (단, X~Z는 임의의 원소 기호이다.)

보기

ㄱ. X는 17족 원소이다.
ㄴ. 원자가 전자가 느끼는 유효 핵전하는 Y<Z이다.
ㄷ. Ne의 전자 배치를 갖는 이온의 반지름은 X<Z이다.

① ㄱ ② ㄷ ③ ㄱ, ㄴ
④ ㄴ, ㄷ ⑤ ㄱ, ㄴ, ㄷ

2014학년도 3월 학평 8번 변형

6 그림은 원자 번호가 연속인 2, 3주기 원소 A~D의 원자가 전자가 느끼는 유효 핵전하를 상댓값으로 나타낸 것이다.

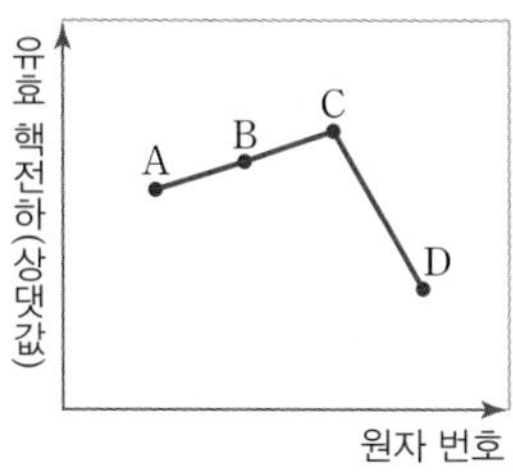

이에 대한 설명으로 옳은 것만을 〈보기〉에서 있는 대로 고른 것은? (단, A~D는 임의의 원소 기호이다.)

보기

ㄱ. 전자가 들어 있는 전자 껍질 수는 C>D이다.
ㄴ. 이온화 에너지는 B<C이다.
ㄷ. 원자 반지름은 A<D이다.

① ㄱ ② ㄷ ③ ㄱ, ㄴ
④ ㄴ, ㄷ ⑤ ㄱ, ㄴ, ㄷ

4주 누구나 100점 테스트

1 그림은 원자 X~Z의 구조를 모형으로 나타낸 것이다. ○, ●, ◦은 원자의 구성 입자이다. 각 원자의 원자량은 질량수와 같다.

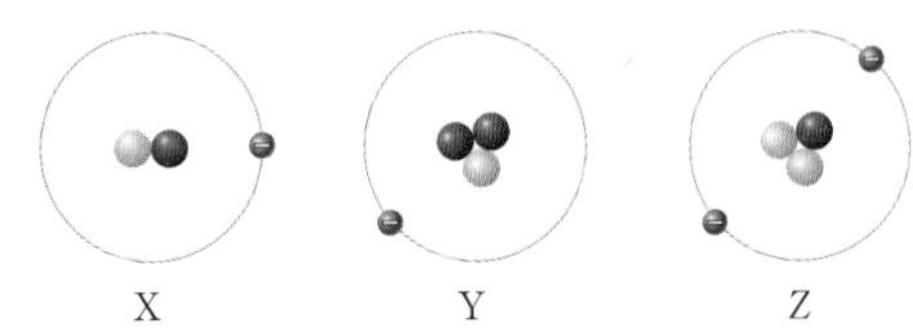

이에 대한 설명으로 옳은 것은? (단, X~Z는 임의의 원소 기호이다.)

① ●는 모든 원자에 존재한다.
② X는 Z의 동위 원소이다.
③ 질량수는 Y가 Z보다 크다.
④ 원자량은 Y가 X보다 크다.
⑤ Z에 원자 번호와 질량수를 표시하면 $^{2}_{3}Z$이다.

2021학년도 6월 모평 12번 변형

2 그림은 다전자 원자에서 세 가지 오비탈을 모형으로 나타낸 것이다.

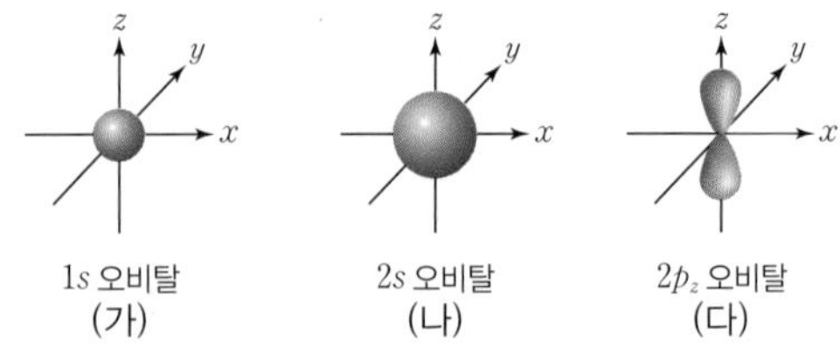

1*s* 오비탈 (가) 2*s* 오비탈 (나) 2p_z 오비탈 (다)

(가)~(다)에 대한 설명으로 옳은 것은?

① (가)에서 전자는 오비탈의 경계면 안쪽에서만 발견된다.
② 에너지 준위는 (나)=(다)이다.
③ 방위(부) 양자수는 (나)>(가)이다.
④ (나)에서 전자가 발견될 확률은 핵으로부터의 거리가 같더라도 다를 수 있다.
⑤ (다)는 (주 양자수+방위(부) 양자수)가 3이다.

3 다음은 구리(Cu)에 대한 자료이다.

- 자연계에 존재하는 구리의 동위 원소는 ^{63}Cu, ^{65}Cu 2가지이다.
- ^{63}Cu, ^{65}Cu의 원자량은 각각 62.9, 64.9이다.
- Cu의 평균 원자량은 63.5이다.

^{63}Cu, ^{65}Cu의 존재 비율(%)을 각각 구하시오.

2021학년도 9월 모평 10번

4 그림은 오비탈 (가), (나)를 모형으로 나타낸 것이고, 표는 오비탈 A, B에 대한 자료이다. (가), (나)는 각각 A, B 중 하나이다.

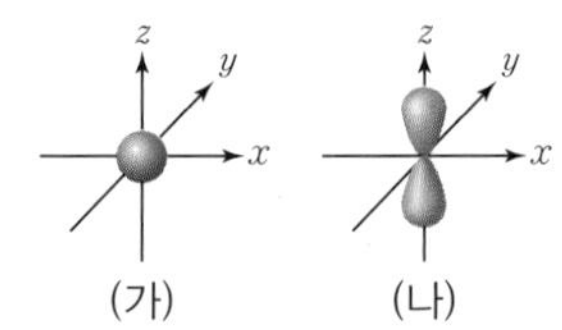

오비탈	주 양자수(n)	방위(부) 양자수(l)
A	1	a
B	2	b

이에 대한 설명으로 옳은 것만을 〈보기〉에서 있는 대로 고른 것은?

보기
ㄱ. (가)는 A이다.
ㄴ. $a+b=2$이다.
ㄷ. (나)의 자기 양자수(m_l)는 $+\frac{1}{2}$이다.

① ㄱ ② ㄴ ③ ㄱ, ㄷ
④ ㄴ, ㄷ ⑤ ㄱ, ㄴ, ㄷ

2020학년도 3월 학평 5번 변형

5 다음은 이온 반지름에 대한 세 학생의 대화이다.

- 학생 A: 나트륨 이온(Na^+)의 반지름은 Na의 원자 반지름보다 작아.
- 학생 B: 플루오린화 이온(F^-)의 반지름은 F의 원자 반지름보다 작아.
- 학생 C: 이온 반지름은 Na^+이 F^-보다 커.

제시한 내용이 옳은 학생만을 있는 대로 고르시오.

정답과 해설 14쪽

2020학년도 6월 모평 5번

6 그림 (가)~(다)는 3가지 원자의 전자 배치를 나타낸 것이다.

	1s	2s	2p		
(가)	↑↓	↑	↑		
(나)	↑↓	↑↓	↑		↑
(다)	↑↓	↑↓	↑↓	↑	

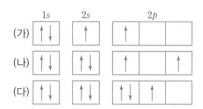

(가)~(다)에 대한 설명으로 옳은 것은?

① 바닥상태 전자 배치는 2가지이다.
② 전자가 들어 있는 오비탈 수는 모두 같다.
③ (가)는 쌓음 원리를 만족한다.
④ (나)에서 p 오비탈의 두 전자는 에너지가 같다.
⑤ (다)는 훈트 규칙을 만족한다.

2019학년도 3월 학평 10번 변형

7 다음은 2주기 바닥상태 원자 X~Z에 대한 자료이다.

- X, Y, Z의 홀전자 수는 같다.
- X~Z 중 제1 이온화 에너지는 X가 가장 크다.
- X~Z 중 제2 이온화 에너지는 Z가 가장 크다.

X~Z의 원자 번호 순으로 옳은 것은? (단, X~Z는 임의의 원소 기호이다.)

① X>Y>Z ② X>Z>Y ③ Y>Z>X
④ Z>X>Y ⑤ Z>Y>X

2015학년도 3월 학평 14번 변형

8 표는 2주기 원소 A, B의 순차 이온화 에너지(E_n)를 나타낸 것이다.

원자	순차 이온화 에너지(E_n, 10^3 kJ/mol)						
	E_1	E_2	E_3	E_4	E_5	E_6	E_7
A	1.4	2.9	4.6	7.5	9.4	53.3	64.4
B	1.3	3.4	5.3	7.5	11.0	13.3	71.3

A와 B의 원자가 전자 수를 각각 쓰시오. (단, A, B는 임의의 원소 기호이다.)

2015학년도 10월 학평 14번 변형

9 그림은 원자 A와 이온 B^+, C^-의 전자 배치를 나타낸 것이다.

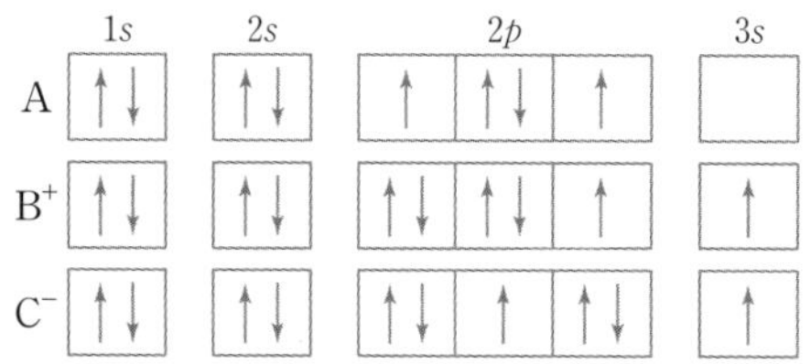

이에 대한 설명으로 옳지 <u>않은</u> 것은?

① A의 전자 배치는 바닥상태이다.
② A의 원자가 전자 수는 6이다.
③ 바닥상태 B의 홀전자 수는 1이다.
④ B와 C는 3주기 원소이다.
⑤ C^-의 전자 배치는 파울리 배타 원리를 만족한다.

2021학년도 수능 14번

10 다음은 원자 A~D에 대한 자료이다. A~D의 원자 번호는 각각 7, 8, 12, 13 중 하나이고, A~D의 이온은 모두 Ne의 전자 배치를 갖는다.

- 원자 반지름은 A가 가장 크다.
- 이온 반지름은 B가 가장 작다.
- 제2 이온화 에너지는 D가 가장 크다.

A~D에 대한 설명으로 옳은 것만을 〈보기〉에서 있는 대로 고른 것은? (단, A~D는 임의의 원소 기호이다.)

보기
ㄱ. 이온 반지름은 C가 가장 크다.
ㄴ. 제2 이온화 에너지는 A>B이다.
ㄷ. 원자가 전자가 느끼는 유효 핵전하는 D>C이다.

① ㄱ ② ㄴ ③ ㄱ, ㄷ
④ ㄴ, ㄷ ⑤ ㄱ, ㄴ, ㄷ

2주 100점

버스 좌석에 앉을 때의 상황에 비유하여 전자 배치 규칙을 알아볼까요?

정답과 해설 15쪽

| 2021학년도 수능 3번 변형 |

다음은 학생 X가 그린 3가지 원자의 전자 배치 (가)~(다)와 이에 대한 세 학생의 대화이다.

1s
2s
2p
3s
(가) $_{4}$Be
(나) $_{6}$C
(다) $_{12}$Mg
(가)는 바닥상태 전자 배치야.
(나)는 쌓음 원리를 만족해.
(다)는 파울리 배타 원리를 만족해.
학생 A
학생 B
학생 C

제시한 의견이 옳은 학생만을 있는 대로 고른 것은?

① A ② B ③ A, B ④ B, C ⑤ A, B, C

특강 전자 배치 규칙

- **파울리 배타 원리**: 오비탈 1개에 전자가 최대 2개까지 채워지며, 한 오비탈에 들어가는 두 전자의 스핀 방향은 서로 반대이다.

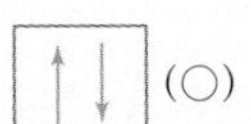
(○)
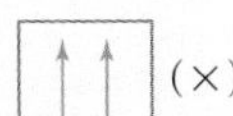
(○)

(×) (×)

- **쌓음 원리**: 에너지 준위가 낮은 오비탈부터 전자가 차례대로 채워진다.

오비탈에 전자가 채워지는 순서: 1s → 2s → 2p → 3s → 3p → 4s → 3d⋯

- **훈트 규칙**: 에너지 준위가 같은 오비탈에 전자가 채워질 때 가능한 한 홀전자 수가 최대가 되도록 전자가 배치된다.

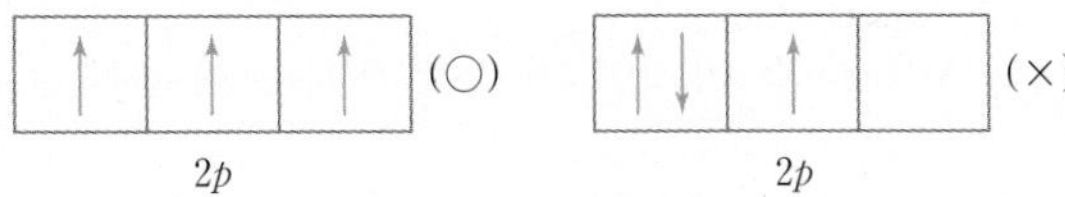

(○)
(×)
2p
2p

- **전자 배치 분석**

① 파울리 배타 원리를 만족하지 않으면 ➡ 불가능한 전자 배치

② 파울리 배타 원리를 만족하고, 쌓음 원리 또는 훈트 규칙을 만족하지 않으면 ➡ 들뜬상태 전자 배치

③ 파울리 배타 원리, 쌓음 원리, 훈트 규칙을 모두 만족할 경우만 ➡ 바닥상태 전자 배치

1

2016학년도 6월 모평 4번 변형

원자 모형

그림은 3가지 원자 모형 A~C를 주어진 기준에 따라 분류한 것이다. A~C는 각각 톰슨, 보어, 현대 원자 모형 중 하나이다.

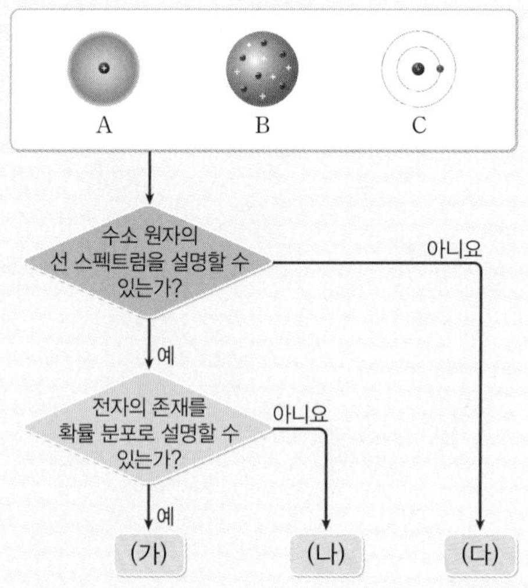

(가)~(다)에 대한 설명으로 옳은 것만을 〈보기〉에서 있는 대로 고른 것은?

보기

ㄱ. (가)는 A이다.

ㄴ. (나)에서는 전자가 존재하는 공간을 오비탈로 표현한다.

ㄷ. (다)에는 원자핵이 존재한다.

① ㄱ ② ㄷ ③ ㄱ, ㄴ ④ ㄴ, ㄷ ⑤ ㄱ, ㄴ, ㄷ

❶ (가) 모형은 현대 원자 모형이다.

수소 원자를 선 스펙트럼으로 설명할 수 있는 것은 보어 원자 모형과 현대 원자 모형이고, 전자의 존재를 확률 분포로 설명하는 것은 현대 원자 모형(A)이다.

❷ (나) 모형은 보어 원자 모형이다.

수소 원자를 선 스펙트럼으로 설명할 수 있지만 전자의 존재를 확률 분포로 설명하지 않는 것은 보어의 원자 모형(C)이다.

❸ (다) 모형은 보어 원자 모형 이전의 원자 모형이다.

수소 원자를 선 스펙트럼으로 설명할 수 없는 원자 모형은 톰슨 원자 모형이나 러더퍼드 원자 모형이다. 주어진 자료에서는 톰슨 원자 모형(B)이다.

답 ①

정답과 해설 16쪽

2 2019학년도 9월 모평 15번 원자의 구성 입자

그림은 용기 속에 ^{4}He과, ^{1}H, ^{12}C, ^{13}C만으로 이루어진 CH_4이 들어 있는 것을 나타낸 것이다.

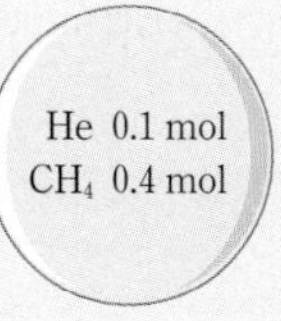

용기 속에 들어 있는 ^{12}C와 ^{13}C의 원자 수비가 1 : 1일 때, 용기 속 $\frac{\text{전체 중성자수}}{\text{전체 양성자수}}$는?

① $\frac{5}{6}$ ② $\frac{4}{5}$ ③ $\frac{3}{4}$
④ $\frac{2}{3}$ ⑤ $\frac{2}{5}$

≫ **자료 분석 Tip**

^{4}He의 양성자수는 2, 중성자수는 2이고, ^{1}H의 양성자수는 1, 중성자수는 0이다. ^{12}C의 양성자수는 6, 중성자수는 6이고, ^{13}C의 양성자수는 6, 중성자수는 7이다.

≫ **문제 해결 Tip**

❶ ^{4}He, ^{1}H, ^{12}C, ^{13}C 각각의 양성자수와 중성자수를 구한다.
❷ He과 CH_4의 양(mol)으로부터 각 물질을 이루는 원자의 양(mol)을 구한다.
❸ 용기 속 전체 양성자수와 중성자수의 비를 구한다.

3 2016학년도 수능 13번 변형 원소의 주기적 성질

그림은 원자 ㉠~㉦의 정보를 카드에 나타낸 것이다.

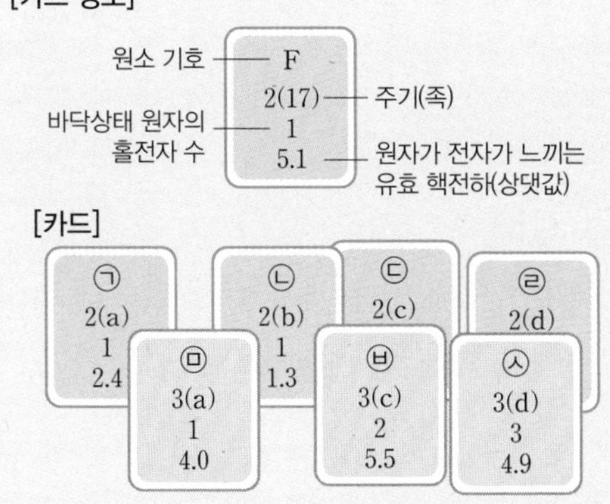

이에 대한 설명으로 옳은 것만을 〈보기〉에서 있는 대로 고른 것은?

보기

ㄱ. a=1이다.
ㄴ. 원자가 전자 수는 ㉥<㉦이다.
ㄷ. 이온화 에너지는 ㉢<㉣이다.

① ㄱ ② ㄷ ③ ㄱ, ㄴ ④ ㄴ, ㄷ ⑤ ㄱ, ㄴ, ㄷ

≫ **자료 분석 Tip**

• 바닥상태 전자 배치에서 홀전자 수가 1인 원소는 1족, 13족, 17족이고, 홀전자 수가 2인 원소는 14족, 16족이고, 홀전자 수가 3인 원소는 15족이다.
• 같은 주기에서 원자가 전자가 느끼는 유효 핵전하는 원자 번호가 클수록 크다.

≫ **문제 해결 Tip**

❶ ㉠과 ㉡의 홀전자 수와 원자가 전자가 느끼는 유효 핵전하로부터 ㉠과 ㉡의 족을 유추한다.
❷ ㉦의 족은 쉽게 유추되므로 원자가 전자가 느끼는 유효 핵전하로부터 ㉥의 족을 유추한다.
❸ ㉥과 ㉦의 족을 알면 ㉢과 ㉣의 족을 알 수 있고, 이온화 에너지를 비교할 수 있다.

2주 특강

4 2020학년도 수능 10번 변형

원소의 주기적 성질

다음은 원소의 주기적 성질과 관련하여 학생 A가 세운 가설과 이를 검증하기 위해 수행한 탐구 활동이다.

[가설] 15~17족에 속한 원소들은 ㉠.

[탐구 과정] ① 15~17족에 속한 각 원자의 (가)를 조사한다.
② 조사한 각 원자의 (가)를 족에 따라 구분하여 점으로 표시한 후, 표시한 점을 각 주기별로 연결한다.

[탐구 결과]

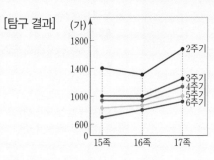

[결론] 가설은 옳다.

학생 A의 결론이 타당할 때, 이에 대한 설명으로 옳은 것만을 〈보기〉에서 있는 대로 고른 것은?

보기

ㄱ. 같은 주기에서 원자 번호가 커질수록 (가)는 증가한다.
ㄴ. '같은 족에서 원자 번호가 커질수록 (가)는 작아진다'는 ㉠으로 적절하다.
ㄷ. (가)로 '원자 반지름'이 적절하다.

① ㄱ ② ㄴ ③ ㄱ, ㄷ ④ ㄴ, ㄷ ⑤ ㄱ, ㄴ, ㄷ

ㄱ. 같은 주기에서 원자 번호가 커질수록 (가)는 증가한다. (×)

그래프의 특성으로 보아 (가)는 '이온화 에너지'이다. 같은 주기에서 원자 번호가 커질수록 이온화 에너지는 대체로 증가하지만, 2족 → 13족과 15족 → 16족에서는 예외적으로 감소한다.

ㄴ. '같은 족에서 원자 번호가 커질수록 (가)는 작아진다'는 ㉠으로 적절하다. (○)

그래프를 보면 같은 족에서 원자 번호가 커질수록 (가)는 작아지므로 이 내용은 ㉠으로 적절하다.

ㄷ. (가)로 '원자 반지름'이 적절하다. (×)

원자 반지름은 같은 주기에서 원자 번호가 커질수록 작아지고, 같은 족에서 원자 번호가 커질수록 커지므로 (가)로 원자 반지름은 적절하지 않다.

답 ②

정답과 해설 16쪽

5 2020학년도 수능 15번 변형 원소의 주기적 성질

다음은 원자 번호가 각각 8~13 중 하나인 원자 W~Z에 대한 자료이다.

- 바닥상태 전자 배치에서 W, X, Y의 홀전자 수는 모두 같다.
- 각 원자의 이온은 모두 Ne의 전자 배치를 갖는다.
- ㉠과 ㉡은 각각 원자가 전자가 느끼는 유효 핵전하와 이온 반지름 중 하나이다.

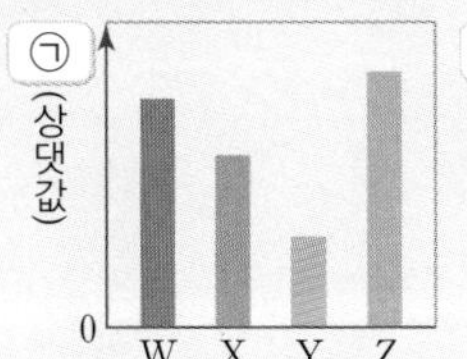

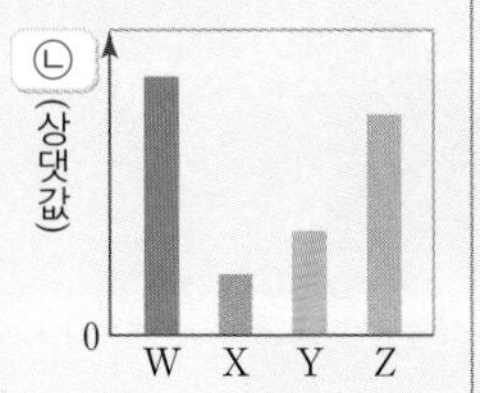

이에 대한 설명으로 옳은 것만을 〈보기〉에서 있는 대로 고른 것은? (단, W~Z는 임의의 원소 기호이다.)

보기
ㄱ. ㉠은 이온 반지름이다.
ㄴ. 제2 이온화 에너지는 W > Z이다.
ㄷ. 원자 반지름은 X < Y이다.

① ㄱ ② ㄷ ③ ㄱ, ㄴ ④ ㄴ, ㄷ ⑤ ㄱ, ㄴ, ㄷ

» **자료 분석 Tip**

원자 번호 8~13 중 홀전자 수가 같은 3개의 원소는 F, Na, Al이고, 이들 원소의 Ne의 전자 배치를 갖는 이온 반지름은 F > Na > Al이다.

» **문제 해결 Tip**

❶ 원자 번호가 8~13인 원소의 홀전자 수는 순서대로 2, 1, 0, 1, 0, 1임을 파악한다.
❷ Ne의 전자 배치를 갖는 이온의 반지름은 O > F > Na > Mg > Al임을 파악한다.
❸ 원자가 전자가 느끼는 유효 핵전하는 F > O > Al > Mg > Na임을 파악한다.

6 2020학년도 7월 학평 8번 변형 원소의 주기적 성질

그림은 원자 번호가 각각 3, 4, 11, 12, 13 중 하나인 원소 A~E에 대한 자료이다.

[자료 I]

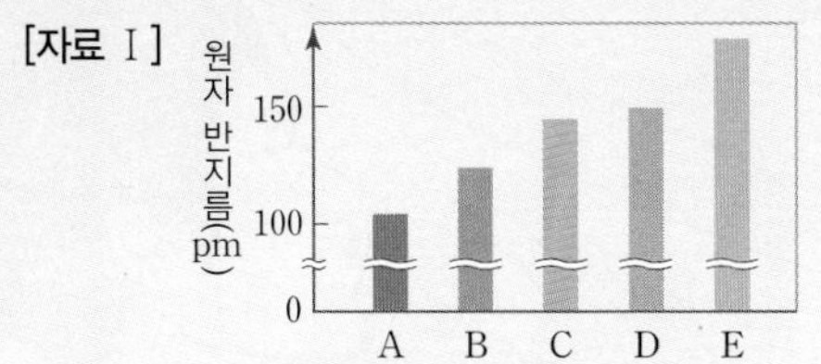

[자료 II] 바닥상태에서 원자가 전자의 주 양자수(n)

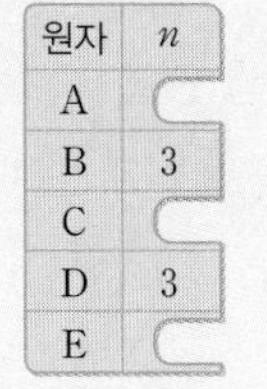

원자	n
A	
B	3
C	
D	3
E	

A~E에 대한 설명으로 옳은 것만을 〈보기〉에서 있는 대로 고른 것은? (단, A~E는 임의의 원소 기호이다.)

보기
ㄱ. 바닥상태 A 원자의 홀전자 수는 1이다.
ㄴ. 제1 이온화 에너지는 B > D이다.
ㄷ. 제2 이온화 에너지는 C > E이다.

① ㄱ ② ㄷ ③ ㄱ, ㄴ ④ ㄴ, ㄷ ⑤ ㄱ, ㄴ, ㄷ

» **자료 분석 Tip**

원자 번호 3, 4, 11, 12, 13인 원소의 주기율표의 위치를 파악하여 원자 반지름을 비교해 보면 3주기 1족 원소의 원자 반지름이 가장 크다.

» **문제 해결 Tip**

❶ 원자 번호 3, 4, 11, 12, 13인 원소의 원자 반지름 크기를 같은 주기, 같은 족으로 구분하여 비교해 본다.
❷ 바닥상태에서 원자가 전자의 주 양자수는 원소의 '주기'를 의미함을 알아야 한다.

Week 3

이번 주에는 무엇을 공부할까? ①

III. 화학 결합과 분자의 세계

배울 내용

Week 3

이번 주에는 무엇을 공부할까? ❷

중학 기초 개념

1 원소

더 이상 다른 물질로 분해되지 않으면서 물질을 이루는 기본 성분이다.

Quiz 물을 이루는 원소의 종류는 ❶ ______ 와 ❷ ______ 이다.

2 원자

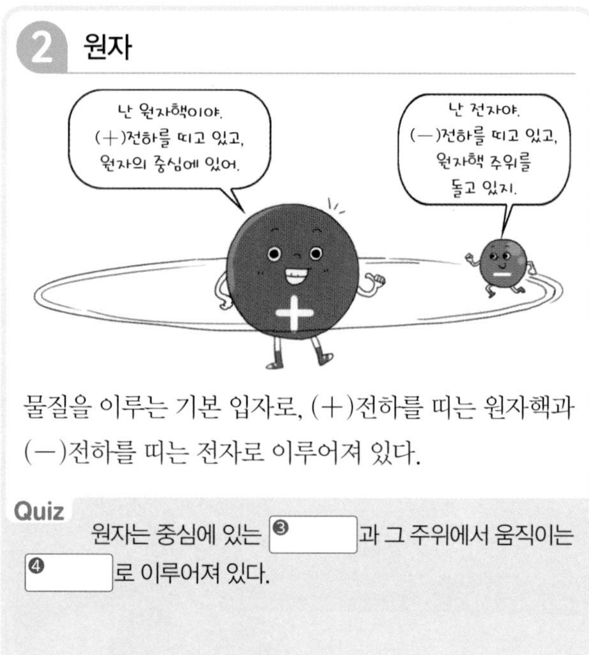

물질을 이루는 기본 입자로, (+)전하를 띠는 원자핵과 (−)전하를 띠는 전자로 이루어져 있다.

Quiz 원자는 중심에 있는 ❸ ______ 과 그 주위에서 움직이는 ❹ ______ 로 이루어져 있다.

3 분자

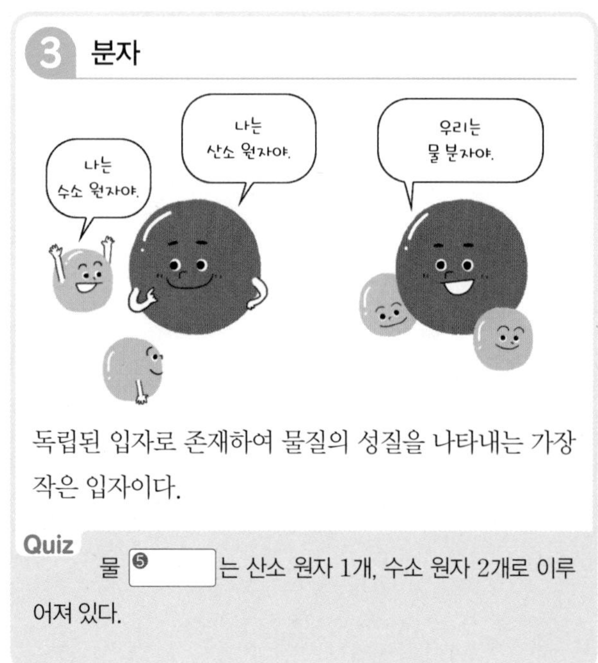

독립된 입자로 존재하여 물질의 성질을 나타내는 가장 작은 입자이다.

Quiz 물 ❺ ______ 는 산소 원자 1개, 수소 원자 2개로 이루어져 있다.

4 원소 기호와 분자식

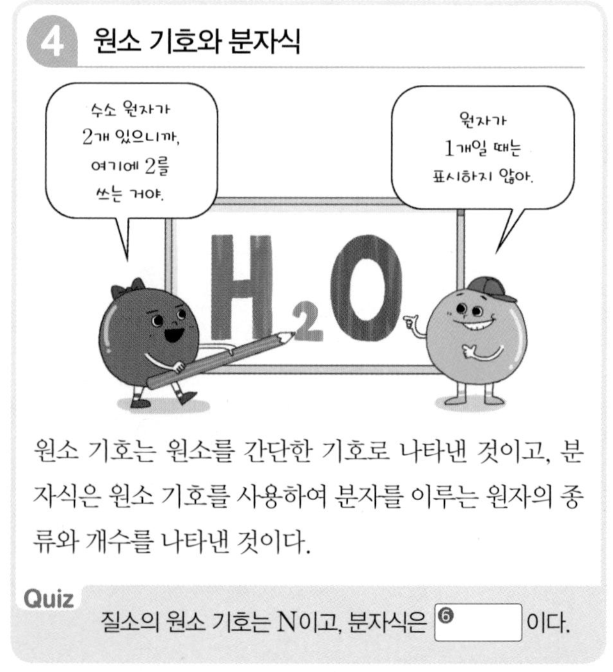

원소 기호는 원소를 간단한 기호로 나타낸 것이고, 분자식은 원소 기호를 사용하여 분자를 이루는 원자의 종류와 개수를 나타낸 것이다.

Quiz 질소의 원소 기호는 N이고, 분자식은 ❻ ______ 이다.

답 ❶ 수소(산소) ❷ 산소(수소) ❸ 원자핵 ❹ 전자 ❺ 분자 ❻ N_2

5 이온

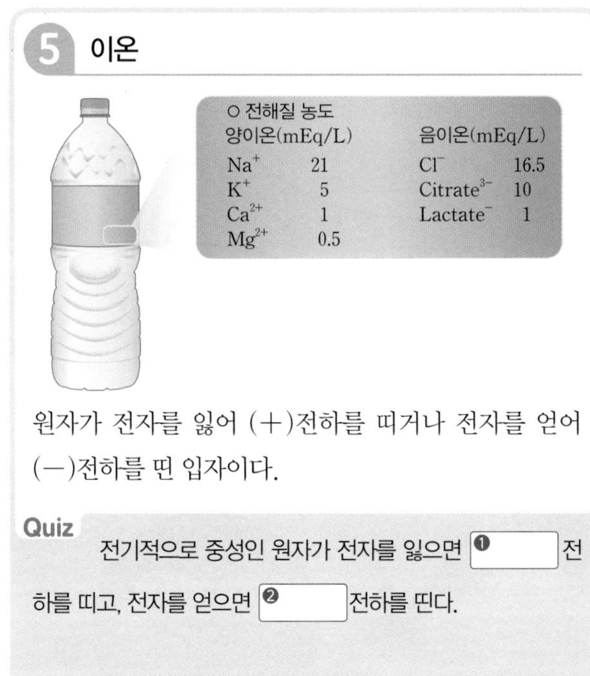

ㅇ 전해질 농도

양이온(mEq/L)		음이온(mEq/L)	
Na^{+}	21	Cl^{-}	16.5
K^{+}	5	$Citrate^{3-}$	10
Ca^{2+}	1	$Lactate^{-}$	1
Mg^{2+}	0.5		

원자가 전자를 잃어 (+)전하를 띠거나 전자를 얻어 (−)전하를 띤 입자이다.

Quiz 전기적으로 중성인 원자가 전자를 잃으면 ❶ ______ 전하를 띠고, 전자를 얻으면 ❷ ______ 전하를 띤다.

6 이온의 형성

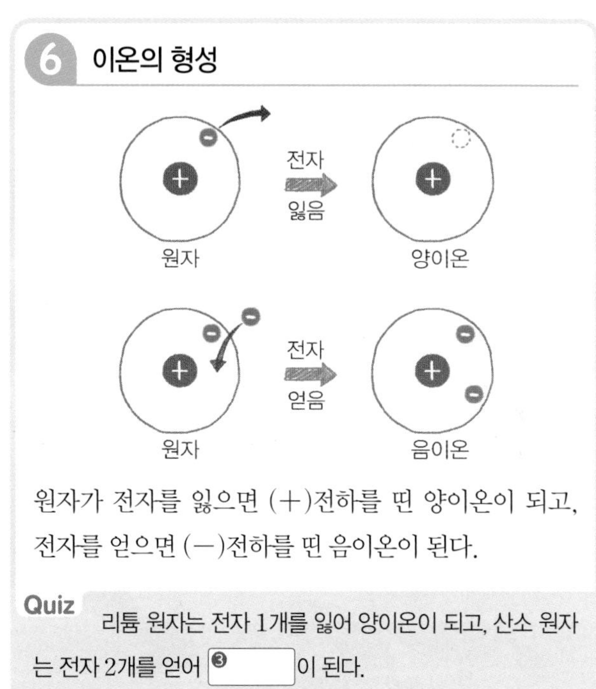

원자가 전자를 잃으면 (+)전하를 띤 양이온이 되고, 전자를 얻으면 (−)전하를 띤 음이온이 된다.

Quiz 리튬 원자는 전자 1개를 잃어 양이온이 되고, 산소 원자는 전자 2개를 얻어 ❸ ______ 이 된다.

7 이온식

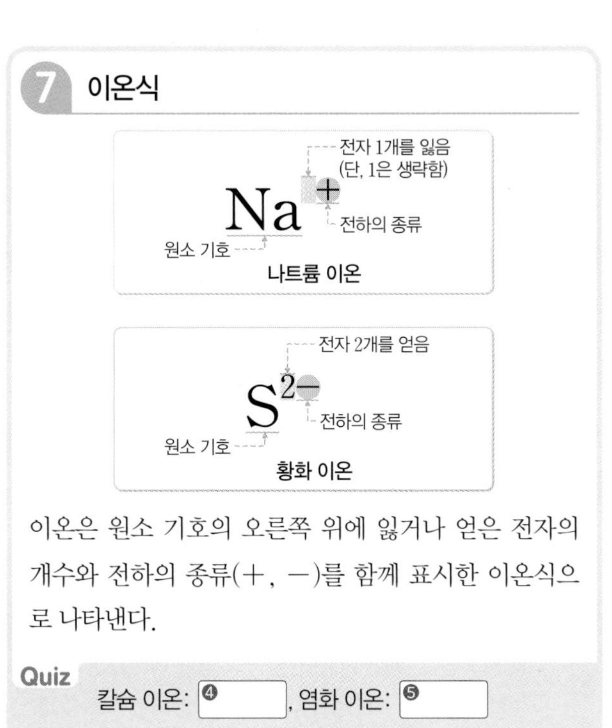

이온은 원소 기호의 오른쪽 위에 잃거나 얻은 전자의 개수와 전하의 종류(+, −)를 함께 표시한 이온식으로 나타낸다.

Quiz 칼슘 이온: ❹ ______, 염화 이온: ❺ ______

8 전하를 띤 이온의 이동

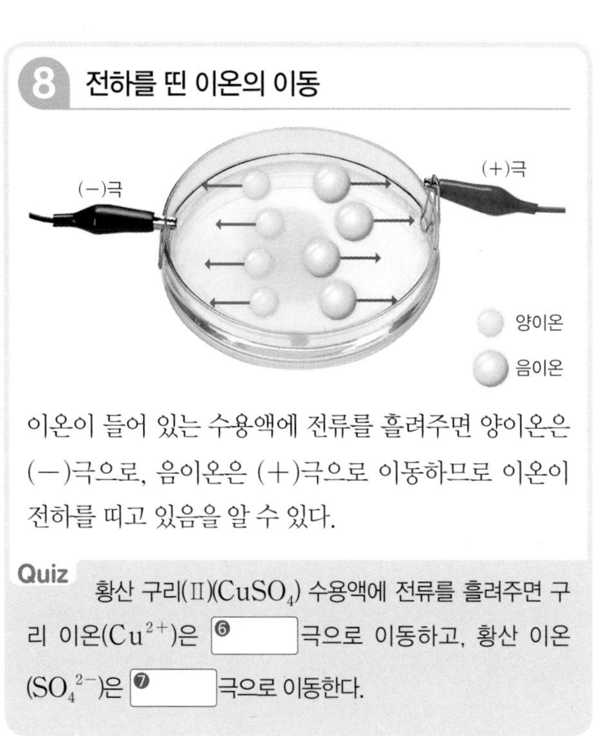

이온이 들어 있는 수용액에 전류를 흘려주면 양이온은 (−)극으로, 음이온은 (+)극으로 이동하므로 이온이 전하를 띠고 있음을 알 수 있다.

Quiz 황산 구리(Ⅱ)($CuSO_4$) 수용액에 전류를 흘려주면 구리 이온(Cu^{2+})은 ❻ ______ 극으로 이동하고, 황산 이온(SO_4^{2-})은 ❼ ______ 극으로 이동한다.

답 ❶ (+) ❷ (−) ❸ 음이온 ❹ Ca^{2+} ❺ Cl^{-} ❻ (−) ❼ (+)

3 주

1일

화학 결합의 성질

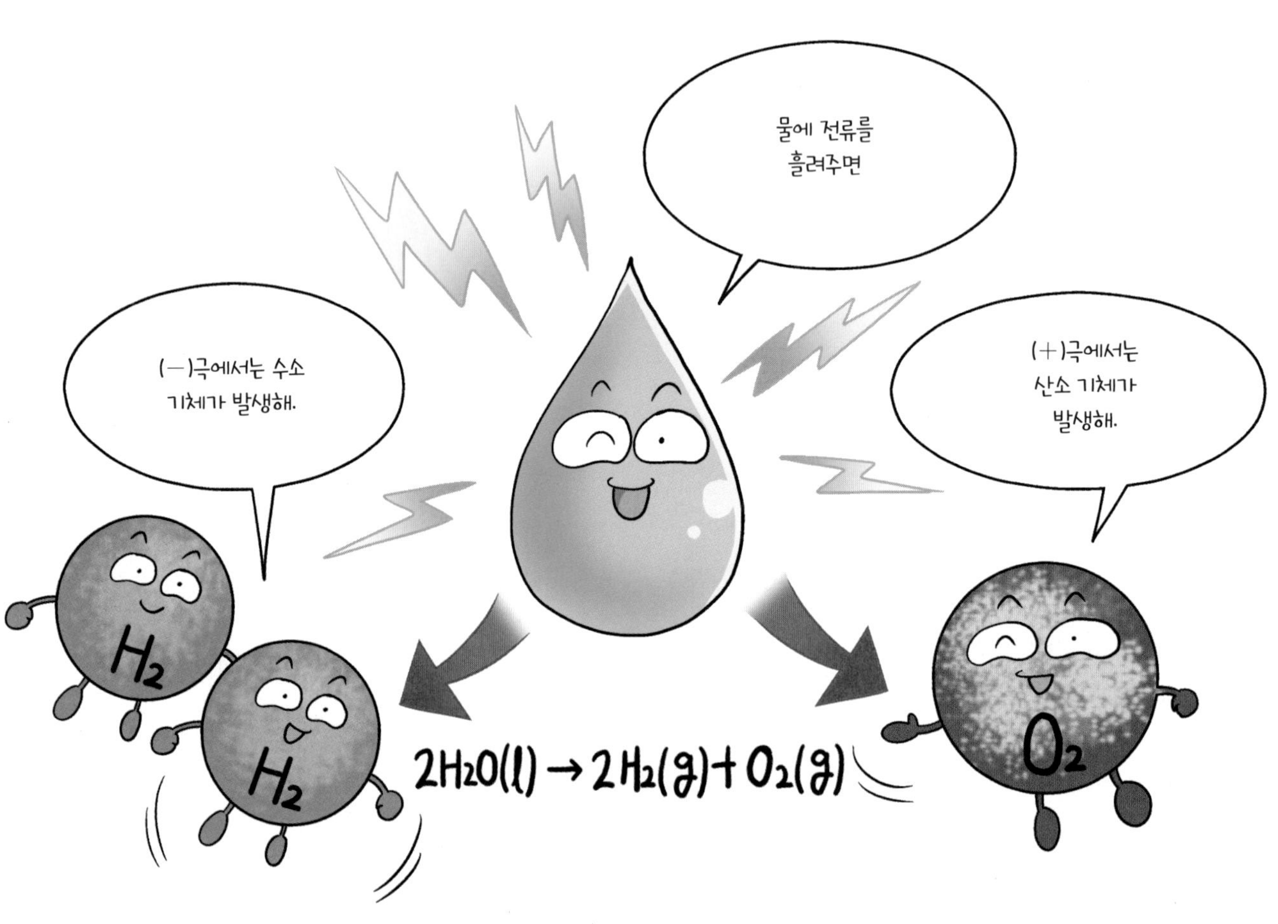

물에 전류를
흘려주면
(−)극에서는 수소
기체가 발생해.
(+)극에서는
산소 기체가
발생해.
H2
H2
O2
2H2O(l) → 2H2(g) + O2(g)

핵심 개념

1 물의 전기 분해

- 순수한 물에 황산 나트륨과 같은 전해질을 소량 녹인 후 전류를 흘려주면 (+)극에서는 산소(O_2) 기체가, (−)극에서는 수소(H_2) 기체가 1 : 2의 부피비로 발생한다.
- **각 전극에서의 반응**
  - (+)극: $2H_2O \longrightarrow O_2 + 4H^+ + 4e^-$
    ➡ 물(H_2O)이 전자를 잃는 반응
  - (−)극: $4H_2O + 4e^- \longrightarrow 2H_2 + 4OH^-$
    ➡ 물(H_2O)이 전자를 얻는 반응
  - 전체 반응: $2H_2O \longrightarrow 2H_2 + O_2$
- 물에 전류가 흐르면 각 전극에서 전자를 잃거나 얻는 화학 반응이 일어나 물이 수소와 산소로 분해된다. ➡ 물을 구성하는 수소와 산소가 화학 결합을 형성할 때 ❶ ______ 가 관여한다.

2 염화 나트륨 용융액의 전기 분해

- 염화 나트륨 용융액에 전류를 흘려주면 (+)극에서는 염소(Cl_2) 기체가 발생하고, (−)극에서는 금속 나트륨(Na)이 생성된다.
- **각 전극에서의 반응**
  - (+)극: $2Cl^- \longrightarrow Cl_2 + 2e^-$
    ➡ 염화 이온(Cl^-)이 전자를 잃는 반응
  - (−)극: $2Na^+ + 2e^- \longrightarrow 2Na$
    ➡ 나트륨 이온(Na^+)이 전자를 얻는 반응
  - 전체 반응: $2NaCl \longrightarrow 2Na + Cl_2$
- 염화 나트륨 용융액에 전류가 흐르면 각 전극에서 전자를 잃거나 얻는 화학 반응이 일어나 염화 나트륨이 성분 물질로 분해된다. ➡ 염화 나트륨을 구성하는 나트륨과 염소가 화학 결합을 형성할 때 ❷ ______ 가 관여한다.

답 ❶ 전자 ❷ 전자

개념 확인

■ 정답과 해설 16쪽

1-1

그림은 물의 전기 분해 실험을 한 후 시험관의 모습을 나타낸 것이다.

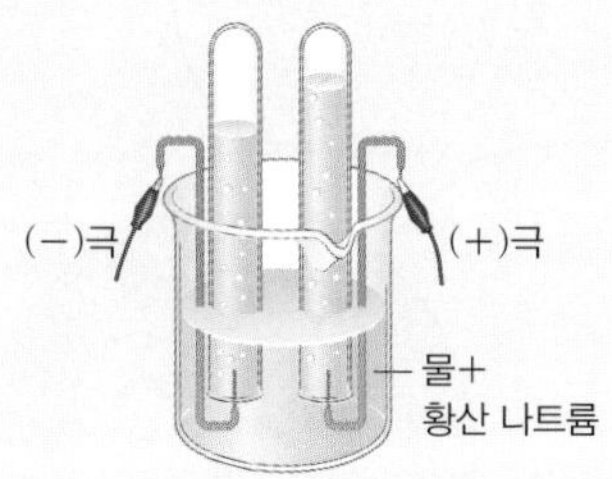

이에 대한 설명에서 빈칸에 들어갈 알맞은 말을 쓰시오.

(1) (−)극에서는 ❶ [ ] 기체, (+)극에서는 ❷ [ ] 기체가 발생한다.

(2) 이 실험을 통해 물을 이루는 원자 사이에 화학 결합이 형성될 때 [ ]가 관여한다는 것을 알 수 있다.

1-2

그림은 물의 전기 분해 장치를 나타낸 것이다.

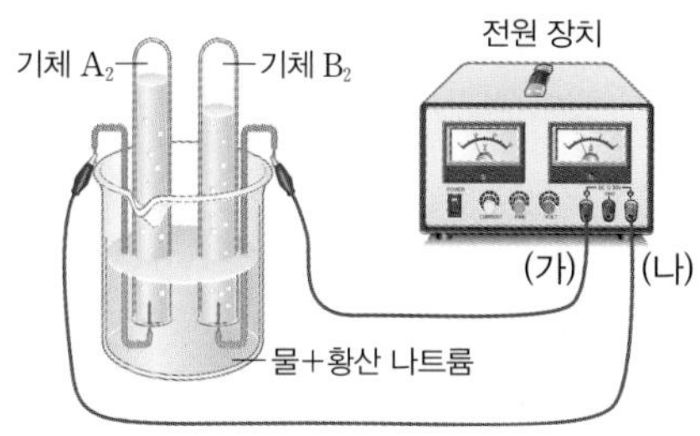

(1) 발생하는 기체의 부피비(A_2 : B_2)가 1 : 2일 때, (가)와 (나)는 각각 어느 전극인지 쓰시오.

(2) 기체 A_2와 기체 B_2는 각각 무엇인지 쓰시오.

2-1

그림은 염화 나트륨 용융액의 전기 분해 장치를 나타낸 것이다.

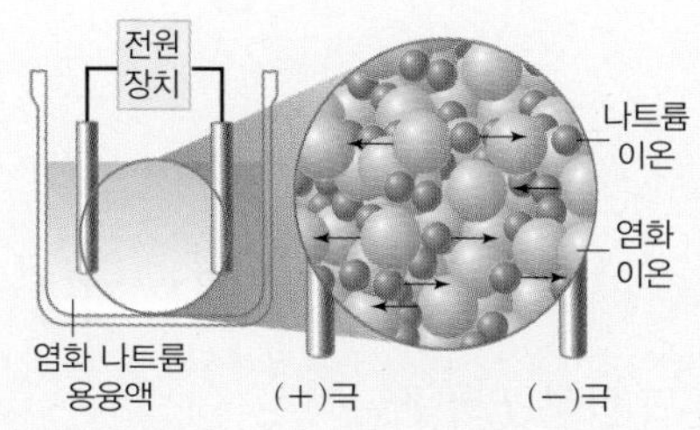

이에 대한 설명에서 빈칸에 들어갈 알맞은 말을 쓰시오.

염화 나트륨 용융액에 전류를 흘려주면 ❶ [ ]이 (+)극으로, ❷ [ ]이 (−)극으로 이동한다.

2-2

그림은 염화 나트륨 용융액의 전기 분해 장치를 나타낸 것이다.

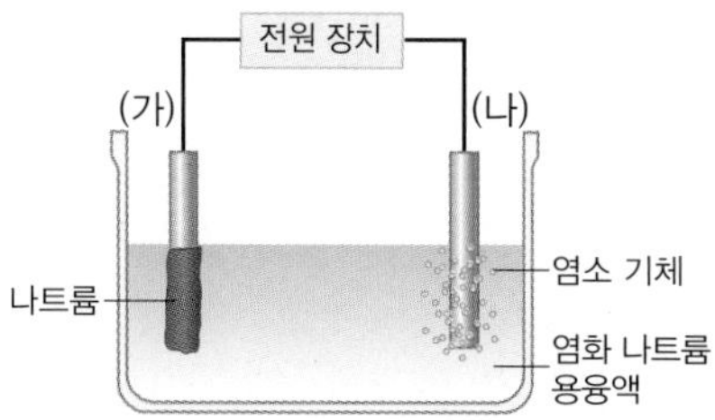

이에 대한 설명에서 빈칸에 들어갈 알맞은 말을 쓰시오.

(1) (가)는 전원 장치의 ❶ [ ]극, (나)는 전원 장치의 ❷ [ ]극에 연결된다.

(2) (가)에서 나트륨 이온이 전자를 [ ] 금속 나트륨이 생성된다.

(3) (나)에서 염화 이온이 전자를 [ ] 염소 기체가 생성된다.

3주
1일

1일 화학 결합의 성질

핵심 개념

3 옥텟 규칙

- **비활성 기체**: 주기율표 ❶ [　　] 족에 속하는 헬륨(He), 네온(Ne), 아르곤(Ar) 등의 원소로, 화학적으로 매우 안정하여 일원자 분자로 존재한다.
- **비활성 기체의 전자 배치**: 가장 바깥 전자 껍질에 전자가 모두 채워져 안정한 전자 배치를 이룬다.
- **옥텟 규칙**: 비활성 기체 이외의 원자들이 전자를 잃거나 얻어서 비활성 기체와 같이 가장 바깥 전자 껍질에 ❷ [　　] 개의 전자를 채워 안정한 전자 배치를 이루려는 경향(단, He은 제외)
- **화학 결합과 옥텟 규칙**: 18족 원소 이외에 물질을 구성하는 원소들은 화학 결합을 하여 옥텟 규칙을 만족한다.

4 이온의 형성과 옥텟 규칙

금속 원소와 이온의 전자 배치	비금속 원소와 이온의 전자 배치
금속 원소의 원자는 옥텟 규칙을 만족하기 위해서 전자를 잃는다. ➡ 원자가 잃은 전자 수만큼의 (+)전하를 띠는 ❸ [　　] 이 된다.	비금속 원소의 원자는 옥텟 규칙을 만족하기 위해 전자를 얻는다. ➡ 원자가 얻은 전자 수만큼의 (−)전하를 띠는 ❹ [　　] 이 된다.
예 11개의 전자를 갖는 나트륨 원자가 전자를 1개 잃으면 18족 원소인 네온($_{10}Ne$)과 같은 전자 배치를 갖는다.	예 17개의 전자를 갖는 염소 원자가 전자를 1개 얻으면 18족 원소인 아르곤($_{18}Ar$)과 같은 전자 배치를 갖는다.

답 ❶ 18 ❷ 8 ❸ 양이온 ❹ 음이온

정답과 해설 16쪽

3-1

그림은 네온(Ne) 원자의 전자 배치를 모형으로 나타낸 것이다.

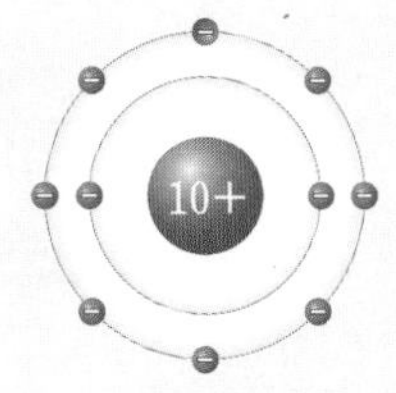

이에 대한 설명에서 빈칸에 들어갈 알맞은 말을 쓰시오.

(1) 네온의 가장 바깥 전자 껍질에 들어 있는 전자 수는 ❶ [   ]이고, 원자가 전자 수는 ❷ [   ]이다.

(2) 네온과 같이 원자들이 가장 바깥 전자 껍질에 8개의 전자를 가져 안정한 전자 배치를 이루려는 경향을 [   ]이라고 한다.

3-2

그림은 아르곤(Ar) 원자의 전자 배치를 모형으로 나타낸 것이다.

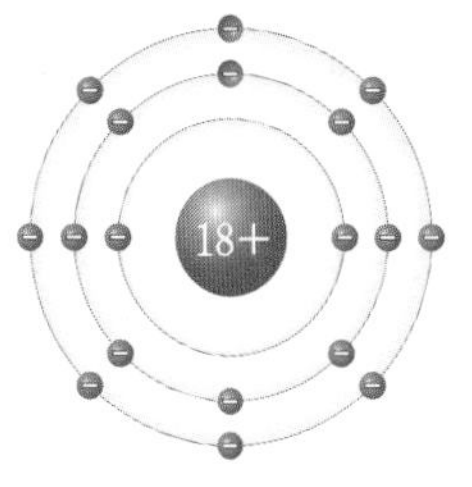

아르곤 원자와 전자 배치가 같은 이온을 모두 고르시오.

Na^+　　Cl^-　　K^+　　F^-　　O^{2-}

Hint 원자가 전자를 잃으면 양이온, 전자를 얻으면 음이온이 형성된다.

4-1

그림은 산소(O) 원자의 전자 배치를 모형으로 나타낸 것이다.

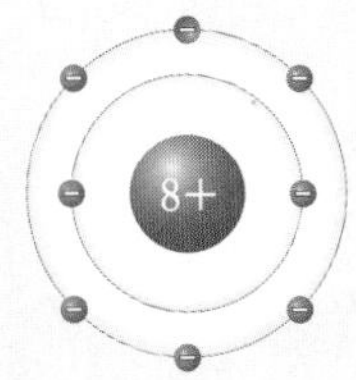

이에 대한 설명에서 빈칸에 들어갈 알맞은 말을 쓰시오.

산소 원자가 옥텟 규칙을 만족하는 안정한 이온이 되기 위해 전자 ❶ [   ]개를 ❷ [   ].

4-2

그림은 원자 A와 B의 전자 배치를 모형으로 나타낸 것이다. (단, A, B는 임의의 원소 기호이다.)

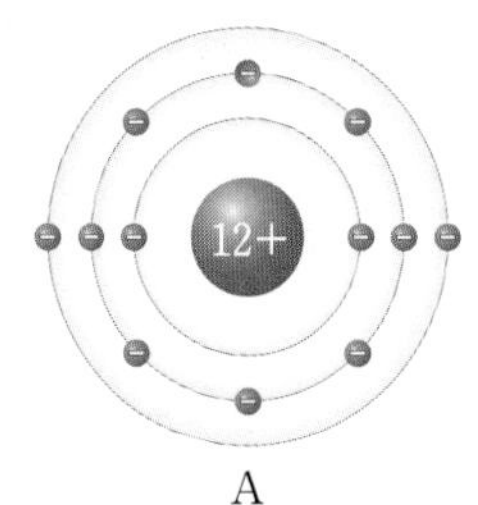

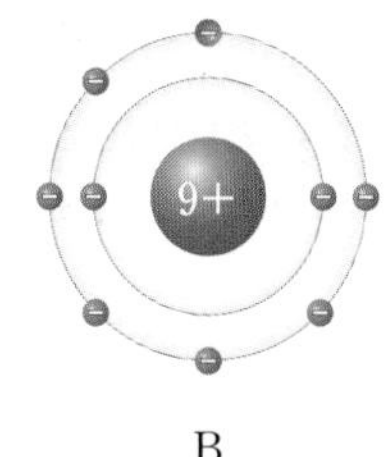

이에 대한 설명에서 (　　) 안에 알맞은 말을 고르시오.

(1) A는 금속 원소로, 전자를 (❶ 1 , 2)개 잃어 안정한 (❷ 양이온 , 음이온)이 된다.

(2) B는 비금속 원소로, 전자를 (❶ 1 , 2)개 얻어 안정한 (❷ 양이온 , 음이온)이 된다.

(3) A와 B는 안정한 이온이 되었을 때 (네온 , 아르곤)과 전자 배치가 같다.

1일 기초 유형 연습 | 화학 결합의 성질

대표 기출 유형

그림은 원자 A, B의 전자 배치를 나타낸 것이다.

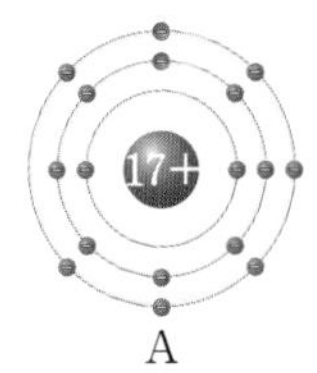

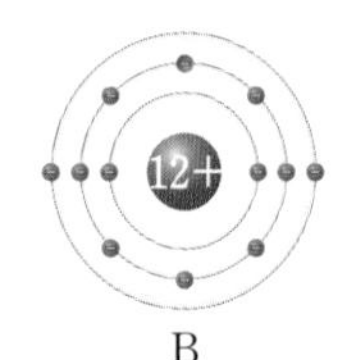

이에 대한 설명으로 옳은 것만을 〈보기〉에서 있는 대로 고른 것은? (단, A, B는 임의의 원소 기호이다.)

보기

ㄱ. A는 금속 원소, B는 비금속 원소이다.
ㄴ. A와 B는 안정한 이온이 되면 네온(Ne)과 같은 전자 배치를 갖는다.
ㄷ. B가 전자 2개를 잃어 이온이 되면 옥텟 규칙을 만족한다.

① ㄱ ② ㄴ ③ ㄷ
④ ㄱ, ㄷ ⑤ ㄴ, ㄷ

개념 point

옥텟 규칙: 비활성 기체 이외의 원자들이 전자를 잃거나 얻어서 비활성 기체와 같이 가장 바깥 전자 껍질에 8개의 전자를 채워 안정한 전자 배치를 이루려는 경향(단, He은 제외) ➡ 옥텟 규칙을 만족하기 위해 금속 원소는 양이온이 되고, 비금속 원소는 음이온이 된다.

|보기| 풀이

ㄱ A는 17족 원소이므로 비금속 원소, B는 2족 원소이므로 금속 원소이다.
ㄴ A는 전자 1개를 얻어 아르곤(Ar)과 같은 전자 배치를 갖게 되고, B는 전자 2개를 잃어 전자 껍질 수가 줄어들므로 네온(Ne)과 같은 전자 배치를 갖는다.
ㄷ B가 전자 2개를 잃으면 가장 바깥 전자 껍질에 채워진 전자 수가 8이 되므로 옥텟 규칙을 만족한다.

함정 탈출

A와 B는 같은 주기 원소이므로 전자 껍질 수가 같지만 이온이 되면 A는 전자 껍질 수가 변하지 않지만 B는 전자 껍질 수가 줄어들어 전자 껍질 수가 서로 달라진다.

답 ③

1 그림과 같이 소량의 황산 나트륨을 넣은 물에 전류를 흘려주었더니 (+)극에서는 기체 A, (−)극에서는 기체 B가 발생하였다.

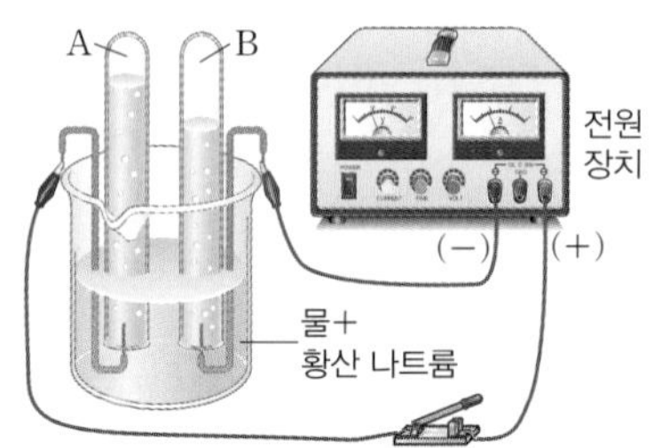

(1) 기체 A와 기체 B가 무엇인지 쓰시오.

(2) 이 실험으로부터 알 수 있는 물 분자를 이루는 수소와 산소의 화학 결합의 성질을 서술하시오.

2 그림 (가)와 (나)는 각각 염화 나트륨 용융액과 물의 전기 분해 실험 장치를 나타낸 것이다.

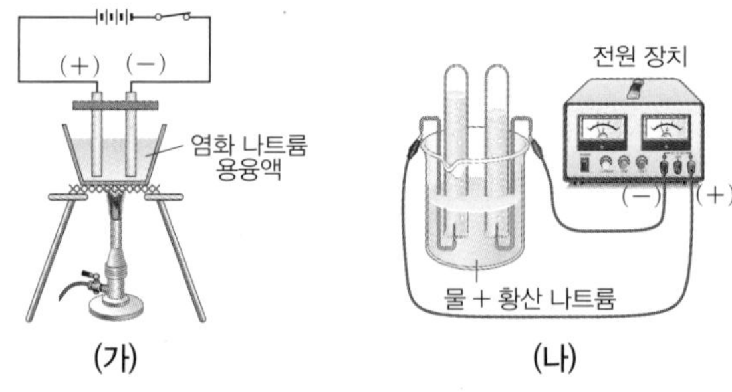

이에 대한 설명으로 옳은 것은?

① (가)에서 Na^+은 전자를 잃는다.
② (가)의 (+)극에서는 기포가 발생한다.
③ (나)의 (−)극에서는 산소 기체가 발생한다.
④ (나)의 (+)극에서는 전자를 얻는 반응이 일어난다.
⑤ (나)의 각 극에서 생성되는 물질의 부피비는 (+)극 : (−)극=2 : 1이다.

2016학년도 수능 3번 변형

3 다음은 물의 전기 분해 실험 보고서의 일부이다.

[실험 목적]
물의 전기 분해를 통해 화합물이 구성 원소로 나누어질 때 (㉠)가 관여하는 것을 확인한다.

[실험 장치]

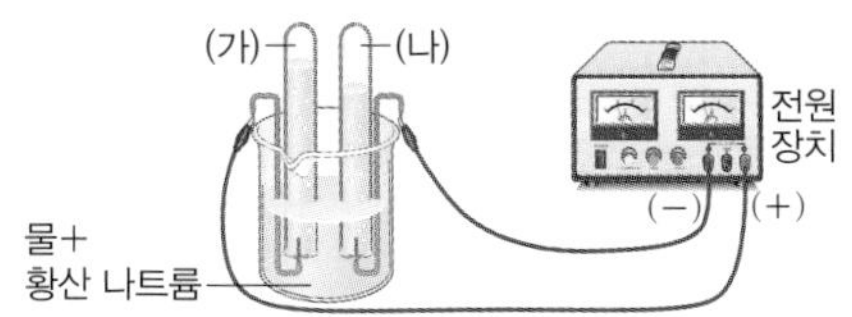

[실험 결과]
각 시험관에 모인 기체는 수소와 산소였고, 기체의 부피비는 (가) : (나)=1 : 2였다.

이에 대한 설명으로 옳은 것만을 〈보기〉에서 있는 대로 고른 것은?

보기
ㄱ. ㉠에는 '전자'가 적절하다.
ㄴ. (가)에 모인 기체는 수소이다.
ㄷ. (나)에 모인 기체는 전자를 얻는 반응에 의해 생성된다.

① ㄱ ② ㄴ ③ ㄷ
④ ㄱ, ㄷ ⑤ ㄴ, ㄷ

4 그림은 원자 A~C의 전자 배치를 모형으로 나타낸 것이다. (단, A~C는 임의의 원소 기호이다.)

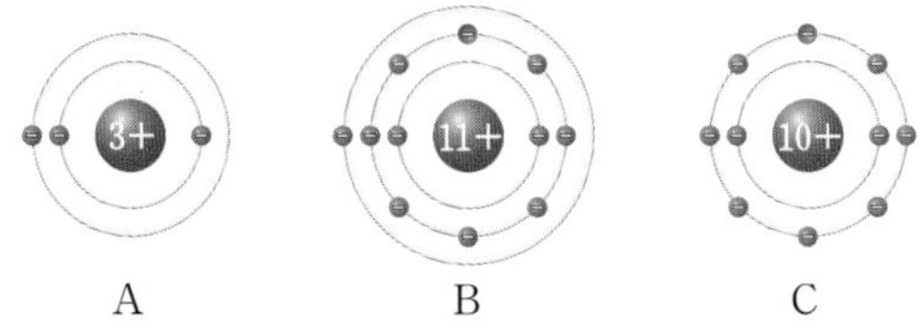

(1) A~C의 원자가 전자 수를 쓰시오.
(2) A~C는 각각 몇 족 원소인지 쓰시오.
(3) 위 자료에 대한 설명에서 ( ) 안에 알맞은 기호를 A~C에서 골라 쓰시오.

(㉠)가 안정한 이온이 되면 (㉡)와 같은 전자 배치를 갖는다.

5 다음은 원자 A~D의 바닥상태 전자 배치를 나타낸 것이다.

- A: $1s^2 2s^2 2p^4$
- B: $1s^2 2s^2 2p^6 3s^1$
- C: $1s^2 2s^2 2p^5$
- D: $1s^2 2s^2 2p^6$

이에 대한 설명으로 옳은 것만을 〈보기〉에서 있는 대로 고른 것은? (단, A~D는 임의의 원소 기호이다.)

보기
ㄱ. B는 음이온이 되려는 경향이 강하다.
ㄴ. A와 C는 안정한 이온이 되었을 때 같은 전자 배치를 갖는다.
ㄷ. D는 옥텟 규칙을 만족하고 있다.

① ㄱ ② ㄴ ③ ㄷ
④ ㄱ, ㄷ ⑤ ㄴ, ㄷ

6 그림은 안정한 이온 A^+과 B^{2-}의 전자 배치를 나타낸 것이다.

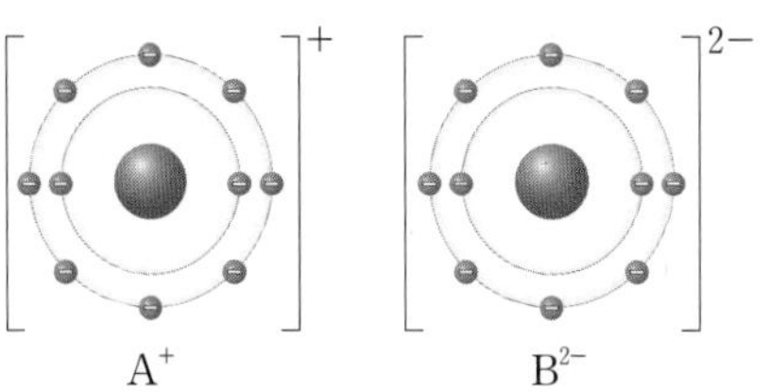

이에 대한 설명으로 옳은 것만을 〈보기〉에서 있는 대로 고른 것은? (단, A, B는 임의의 원소 기호이다.)

보기
ㄱ. 원자 번호는 A>B이다.
ㄴ. 원자가 전자 수는 A>B이다.
ㄷ. A와 B는 같은 주기 원소이다.

① ㄱ ② ㄷ ③ ㄱ, ㄴ
④ ㄴ, ㄷ ⑤ ㄱ, ㄴ, ㄷ

2일 화학 결합의 종류

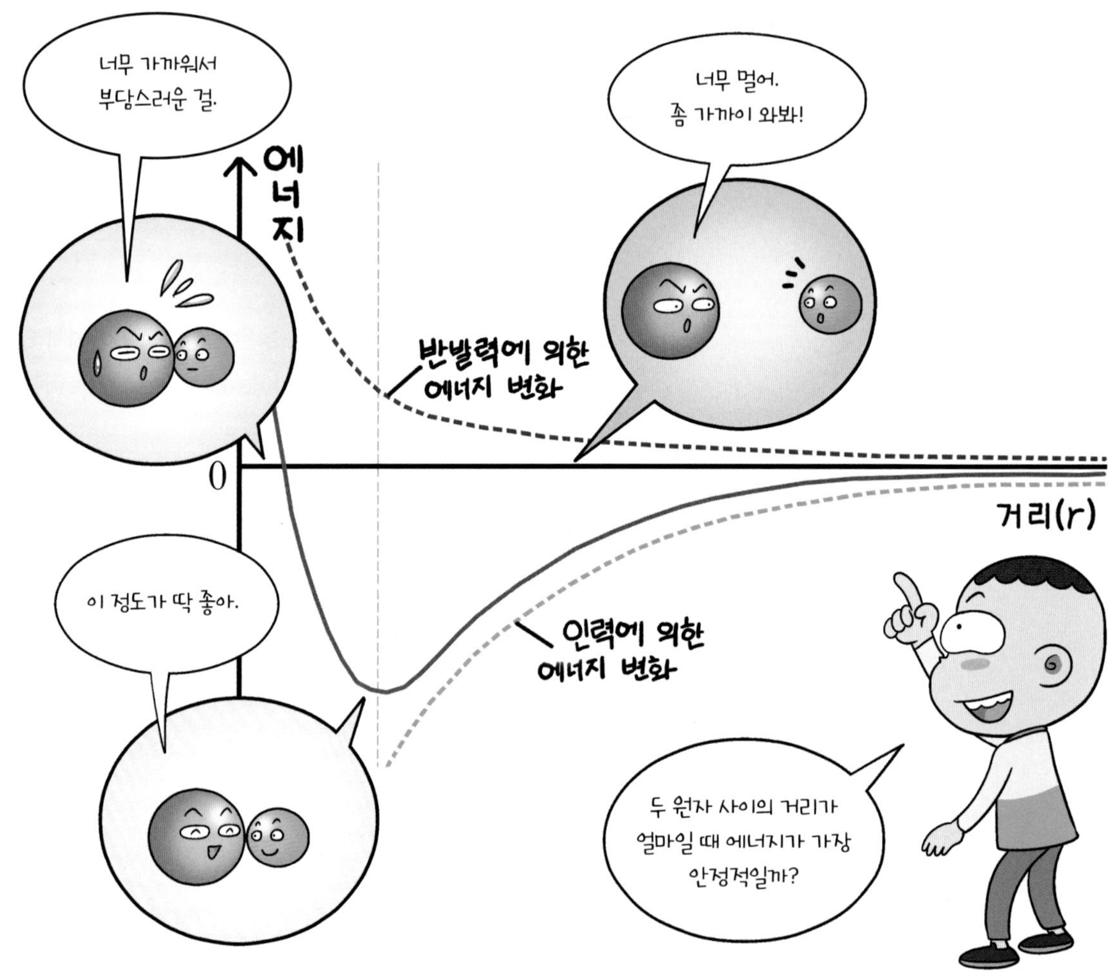

핵심 개념

1 이온 결합

- **이온 결합**: 금속 원소의 양이온과 비금속 원소의 음이온 사이의 정전기적 인력으로 형성되는 결합
- **이온 결합의 형성과 에너지 변화**: 양이온과 음이온 사이의 인력과 반발력이 균형을 이루어 에너지가 가장 ❶ ______ 거리에서 이온 결합이 형성된다.
- **이온 결합 물질의 성질**

① 외부에서 힘을 가하면 쉽게 쪼개지거나 부스러진다.
② 고체 상태에서는 전기 전도성이 없지만 액체와 수용액 상태에서는 전기 전도성이 ❷ ______.
③ 대부분 물에 잘 녹는다.
④ 이온 간 거리가 짧을수록, 이온의 전하량이 클수록 녹는점이 ❸ ______.

2 공유 결합

- **공유 결합**: 비금속 원소의 원자들이 전자쌍을 공유하여 형성되는 결합으로, 두 원자 사이에 공유하는 전자쌍의 수에 따라 단일 결합, 2중 결합, 3중 결합이 있다.
- **공유 결합의 형성과 에너지 변화**: 두 원자 사이의 인력과 반발력이 균형을 이루어 에너지가 가장 ❹ ______ 거리에서 공유 결합이 형성된다.
- **공유 결합 물질의 성질**

① 분자 결정은 쉽게 부스러지나, 공유 결정은 매우 단단하다.
② 고체와 액체 상태에서 전기 전도성이 없다.(단, 흑연 예외)
③ 대부분 물에 잘 녹지 않으나 HCl, NH_3 등은 잘 녹는다.
④ 분자 결정은 녹는점과 끓는점이 낮고, 공유 결정은 녹는점과 끓는점이 매우 높다.

답 ❶ 낮은 ❷ 있다 ❸ 높다 ❹ 낮은

개념 확인

정답과 해설 17쪽

1-1

그림은 마그네슘(Mg) 원자와 플루오린(F) 원자의 전자 배치를 나타낸 것이다.

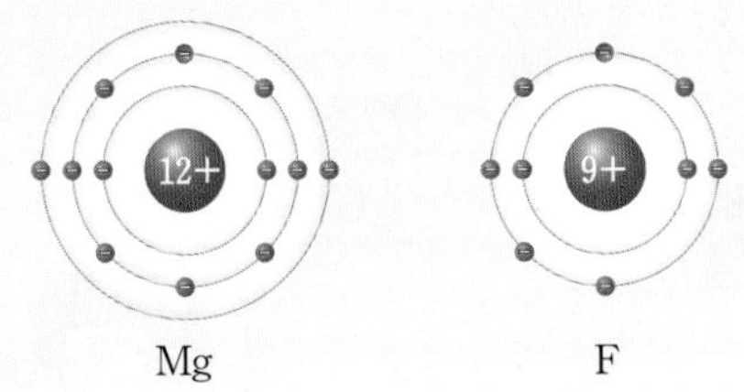

(1) 두 원자가 만나 형성하는 결합의 종류를 쓰시오.

(2) 두 원자가 결합하여 생성된 화합물의 화학식을 쓰시오.

1-2

그림은 이온 결합을 형성할 때 에너지 변화를 나타낸 것이다.

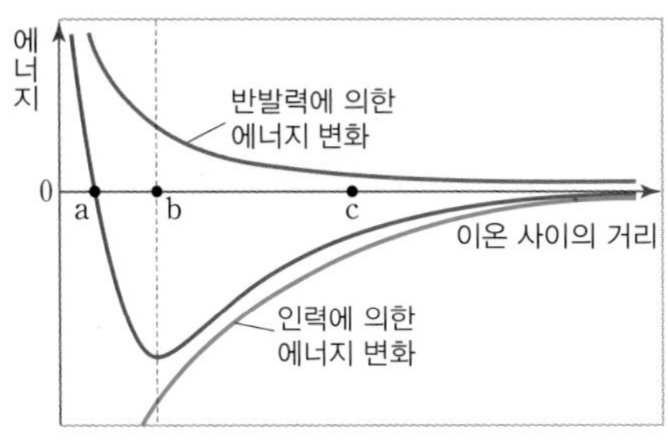

a~c 중 알맞은 것을 골라 쓰시오.

(1) 이온 사이의 인력이 반발력보다 우세한 지점

(2) 이온 사이의 인력과 반발력이 균형을 이루는 지점

(3) 이온 사이의 반발력이 인력보다 우세한 지점

2-1

그림은 수소 원자 2개가 결합하여 수소 분자를 형성하는 과정의 일부를 나타낸 것이다.

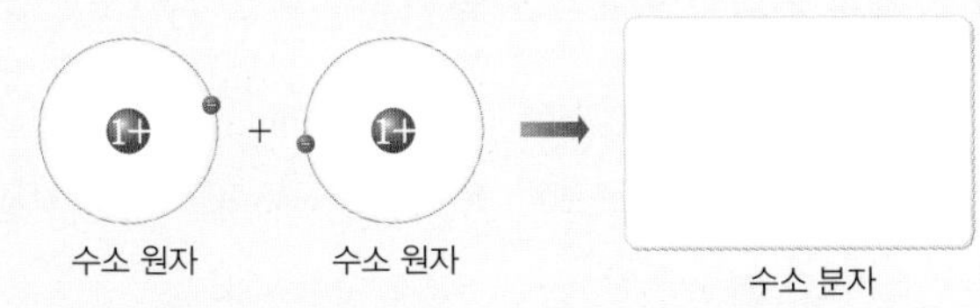

수소 분자의 모형을 그리고, 이에 대한 설명에서 빈칸에 들어갈 알맞은 말을 쓰시오.

수소 분자는 수소 원자 2개가 ❶ ____ 개의 전자쌍을 ❷ ____ 하여 형성된다.

2-2

그림은 원자 A와 B의 전자 배치를 나타낸 것이다. (단, A, B는 임의의 원소 기호이다.)

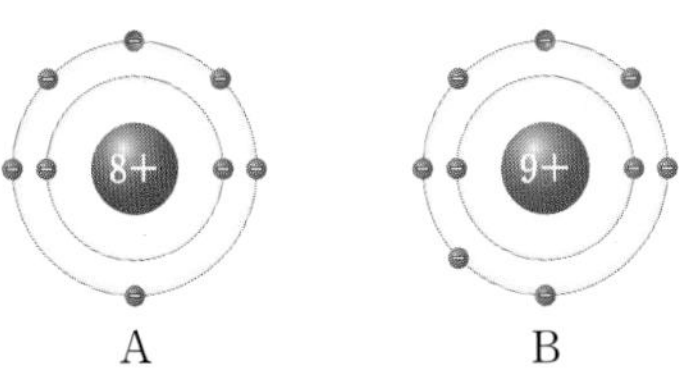

이에 대한 설명에서 빈칸에 들어갈 알맞은 말을 쓰시오.

(1) A_2에서 공유 전자쌍 수는 ____ 이다.

Hint A가 옥텟 규칙을 만족하려면 전자가 2개 필요하다.

(2) B_2에서 각 원자는 ____ 과 같은 전자 배치를 갖는다.

3주 2일

2일 화학 결합의 종류

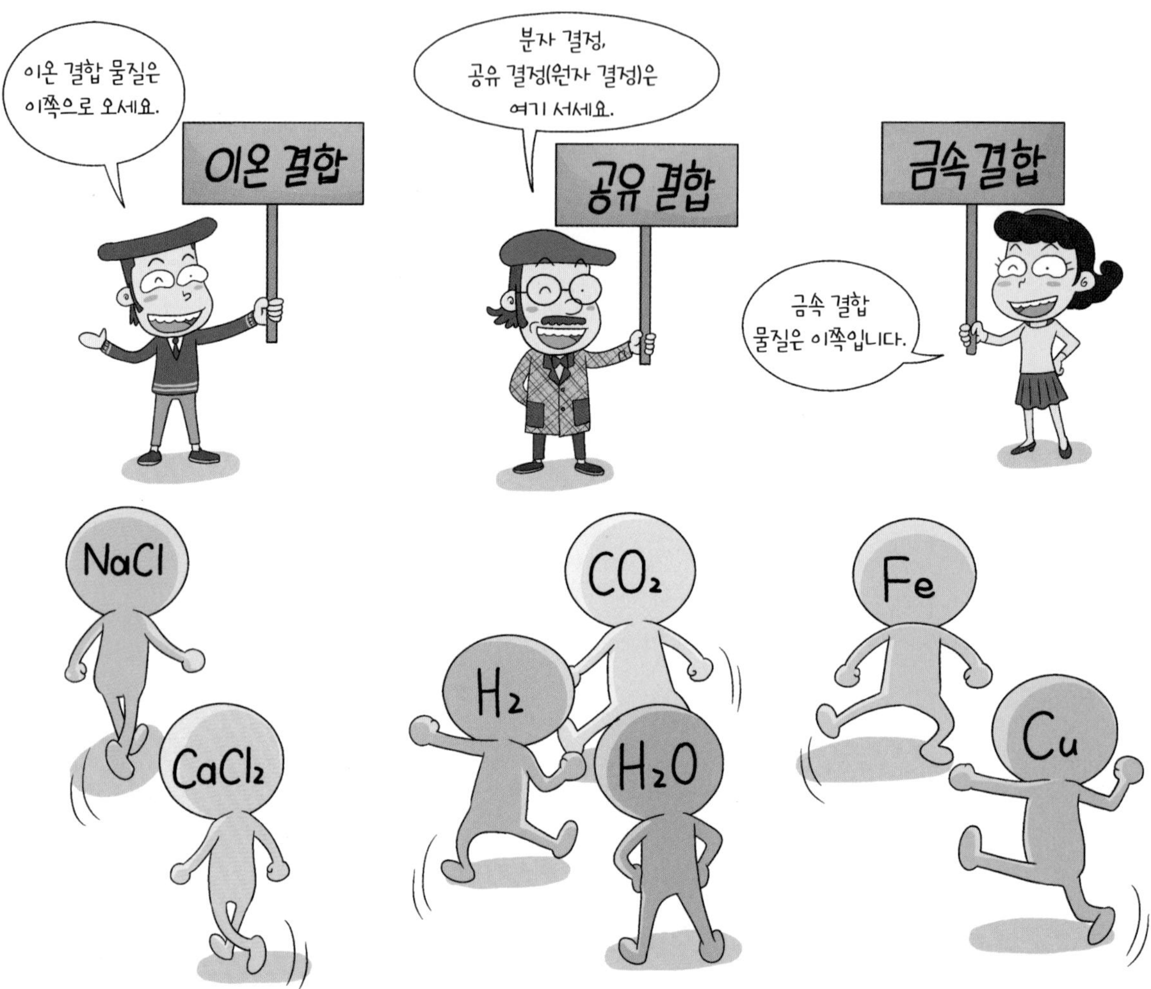

핵심 개념

3 금속 결합

- **금속 결합**: 금속 양이온과 ❶ ______ 사이의 정전기적 인력에 의해 형성되는 결합
- **금속 결합 물질의 성질**: 금속의 여러 가지 성질은 대부분 ❷ ______ 에 의해 나타난다.

① 대부분의 금속은 은백색 광택을 띤다.

② 녹는점이 높아 상온에서 대부분 고체 상태로 존재한다. (예외: 수은은 액체)

③ 전기 전도성과 열전도성이 크다.

④ 펴짐성(전성)과 뽑힘성(연성)이 있다. ➡ 금속에 힘을 가하면 양이온들의 층은 미끄러져 이동하지만 자유 전자들로 인해 결합이 유지된다.

4 화학 결합과 물질의 성질

구분		이온 결합	공유 결합		금속 결합
		이온 결정	분자 결정	공유 결정	금속 결정
구성 입자		양이온, 음이온	분자	원자	금속 양이온, 자유 전자
전기 전도성	고체	없음	없음	없음	있음
	액체	있음	없음	없음	있음
녹는점		높음	낮음	매우 높음	높음
예		염화 나트륨	아이오딘	석영	구리

- **화학 결합의 상대적 세기**: 일반적으로 공유 결합 > 이온 결합 > 금속 결합 ➡ 결정을 이루는 화학 결합의 세기가 강할수록 결정의 녹는점이 ❸ ______.

답 ❶ 자유 전자 ❷ 자유 전자 ❸ 높다

개념 확인

정답과 해설 18쪽

3-1

그림은 금속 결합 모형을 나타낸 것이다.

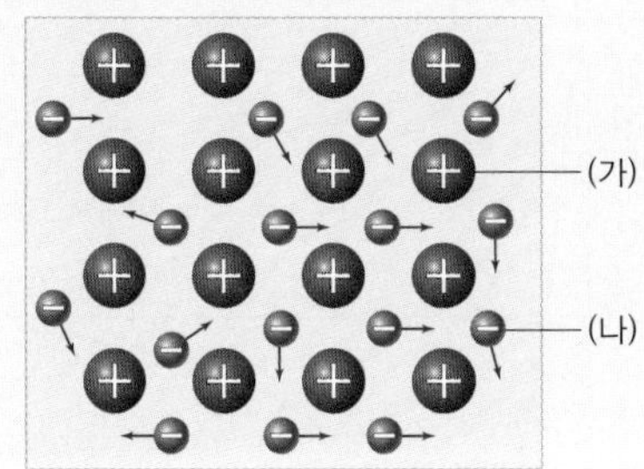

(1) (가)와 (나)는 각각 무엇인지 쓰시오.

(2) 위와 같은 금속 결합으로 이루어진 물질을 모두 고르시오.

NaCl　C(흑연)　Al　H_2O　Cu

3-2

다음은 물질 X의 성질을 나타낸 것이다.

- 펴짐성과 뽑힘성이 있다.
- 고체 상태와 액체 상태에서 전기가 잘 통한다.

이에 대한 설명에서 빈칸에 들어갈 알맞은 말을 쓰시오.

(1) 물질 X는 금속 양이온과 ❶ ☐ 사이의 정전기적 인력에 의해 형성되는 ❷ ☐ 물질이다.

(2) 물질 X가 이와 같은 성질을 갖는 까닭은 ☐ 가 이동할 수 있기 때문이다.

3주 2일

4-1

다음은 몇 가지 물질을 나타낸 것이다.

Fe　HCl　MgO
C(다이아몬드)　Mg　CO_2

(1) 이온 결합 물질을 모두 쓰시오.

(2) 공유 결합 물질을 모두 쓰시오.

(3) 금속 결합 물질을 모두 쓰시오.

4-2

표는 서로 다른 종류의 결합으로 형성된 물질 A~C의 상태에 따른 전기 전도성을 나타낸 것이다.

물질	전기 전도성	
	고체	액체
A	없음	없음
B	있음	있음
C	없음	있음

물질 A~C를 이루는 화학 결합의 종류를 각각 쓰시오.

Hint 전기 전도성이 있으려면 전하를 띤 입자가 이동할 수 있어야 한다.

기초 유형 연습 | 화학 결합의 종류

대표 기출 유형 2020학년도 9월 모평 5번 변형

그림은 화합물 A_2와 BC를 화학 결합 모형으로 나타낸 것이다.

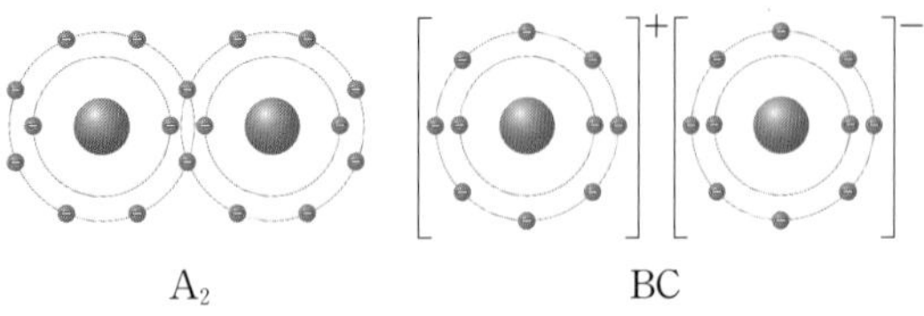

이에 대한 설명으로 옳은 것만을 〈보기〉에서 있는 대로 고른 것은? (단, A~C는 임의의 원소 기호이다.)

보기

ㄱ. A_2는 공유 결합 물질이다.
ㄴ. C_2에는 2중 결합이 있다.
ㄷ. B와 C는 같은 주기의 원소이다.

① ㄱ ② ㄴ ③ ㄷ
④ ㄱ, ㄷ ⑤ ㄴ, ㄷ

개념 point

이온 결합: 금속 원소의 양이온과 비금속 원소의 음이온 사이의 정전기적 인력으로 형성되는 결합 ➡ 금속 원소와 비금속 원소 사이에서 형성된다.
공유 결합: 비금속 원소의 원자들이 전자쌍을 공유하여 형성되는 결합 ➡ 비금속 원소 사이에서 형성된다.

|보기| 풀이

ㄱ A_2는 1개의 전자쌍을 공유하는 공유 결합 물질이다.
ㄴ C^-은 전자 1개를 얻어 10개의 전자를 갖고 있으므로 C는 전자 9개를 갖는 F(플루오린)이다. $C_2(F_2)$는 C(F)가 전자를 1개씩 내놓아 1개의 전자쌍을 공유하므로 단일 결합이 있다.
ㄷ BC에서 B^+과 C^-의 전자 배치는 Ne과 같다. 따라서 B는 3주기 1족 원소, C는 2주기 17족 원소이다.

함정 탈출

+1의 양이온은 원자가 전자를 1개 잃어서 형성되므로 원자는 이온일 때보다 전자가 1개 많고, −1의 음이온은 원자가 전자를 1개 얻어서 형성되므로 원자는 이온일 때보다 전자가 1개 적다.

답 ①

1 그림은 이온 결합이 형성될 때 이온 사이의 거리에 따른 에너지 변화를 나타낸 것이다.

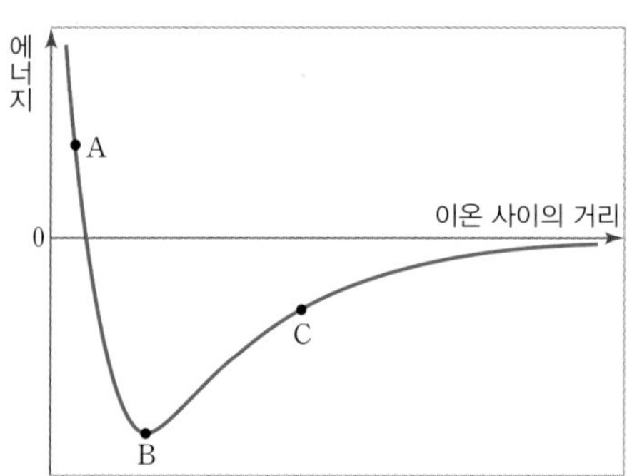

A~C 중 이온 결합이 형성되는 지점을 고르고, 그 까닭을 서술하시오.

2 표는 몇 가지 이온 결합 물질의 이온 사이의 거리를 나타낸 것이다.

물질	이온 사이의 거리(pm)	물질	이온 사이의 거리(pm)
NaF	235	MgO	212
NaCl	283	CaO	240
NaBr	298	SrO	258

(1) NaF과 CaO의 녹는점을 비교하시오.

(2) MgO, CaO, SrO의 녹는점을 비교하시오.

정답과 해설 18쪽

2020학년도 수능 2번 변형

3 그림은 산소와 수소가 결합하여 물 분자가 형성되는 과정을 모형으로 나타낸 것이다.

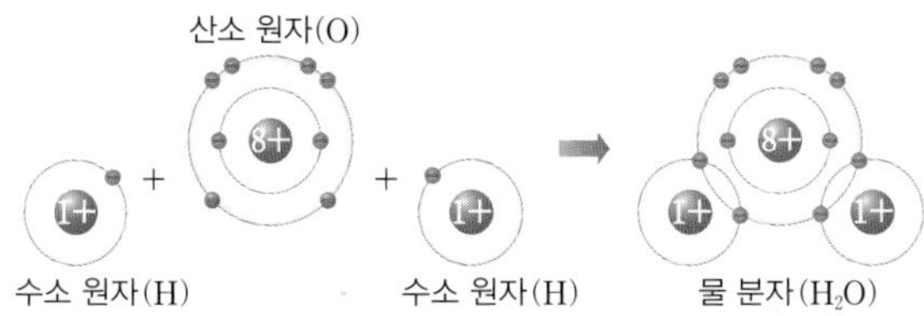

이에 대한 설명으로 옳은 것만을 ⟨보기⟩에서 있는 대로 고른 것은?

보기
ㄱ. 물 분자에는 단일 결합이 2개 있다.
ㄴ. 물 분자 내에서 산소는 옥텟 규칙을 만족한다.
ㄷ. 물 분자 내에서 수소와 산소의 결합은 공유 결합이다.

① ㄱ ② ㄷ ③ ㄱ, ㄴ
④ ㄴ, ㄷ ⑤ ㄱ, ㄴ, ㄷ

5 그림은 원자 A~C의 전자 배치를 모형으로 나타낸 것이다.

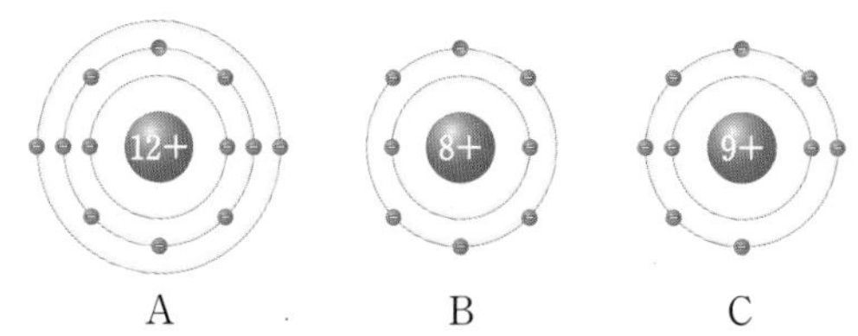

이에 대한 설명으로 옳은 것만을 ⟨보기⟩에서 있는 대로 고른 것은? (단, A~C는 임의의 원소 기호이다.)

보기
ㄱ. B_2에는 다중 결합이 존재한다.
ㄴ. BC_2는 액체 상태에서 전기 전도성이 있다.
ㄷ. A와 C는 이온 결합을 통해 화합물 AC_2를 형성한다.

① ㄱ ② ㄴ ③ ㄷ
④ ㄱ, ㄷ ⑤ ㄴ, ㄷ

4 그림은 고체 (가)~(다)의 결정 구조를 모형으로 나타낸 것이다.

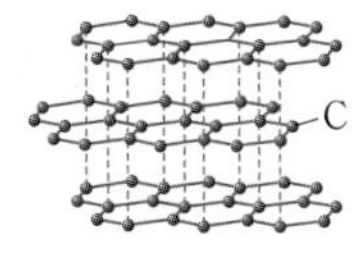

(가) 흑연

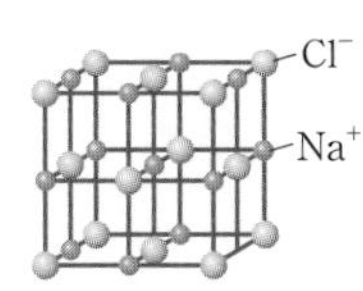

(나) 염화 나트륨

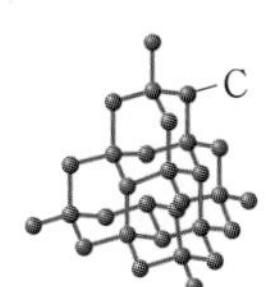

(다) 다이아몬드

(1) 공유 결합 물질을 모두 고르시오.

(2) 고체 상태에서 전기 전도성이 있는 물질을 모두 고르시오.

(3) 수용액 상태에서 전기 전도성이 있는 물질을 모두 고르시오.

6 그림은 물질 A와 B의 결정 구조를 나타낸 것이다.

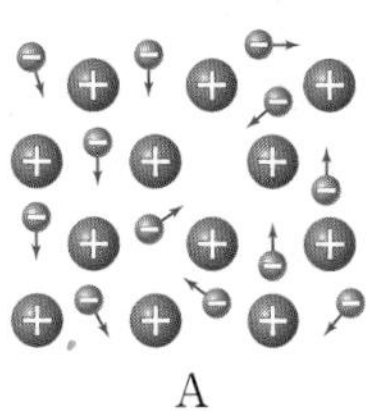
A

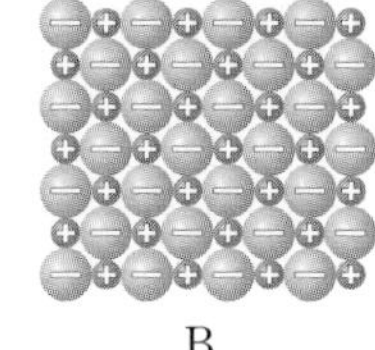
B

A와 B의 공통적인 성질로 옳은 것은? (단, A와 B는 각각 염화 나트륨과 나트륨 중 하나이다.)

① 물에 잘 녹는다.
② 연성과 전성이 크다.
③ 힘을 가하면 쉽게 부서진다.
④ 액체 상태에서 전기 전도성이 있다.
⑤ 금속 양이온과 자유 전자로 이루어져 있다.

3일 결합의 극성

핵심 개념

1 전기 음성도

- **전기 음성도**: 공유 결합을 형성한 두 원자가 공유 전자쌍을 끌어당기는 힘의 크기를 상대적인 값으로 정한 것

① ❶ ______ 의 전기 음성도를 4.0으로 정하고, 이 값을 기준으로 다른 원소들의 전기 음성도를 상대적으로 정하였다.

② 전기 음성도가 클수록 공유 전자쌍을 더 강하게 끌어당긴다.

- **전기 음성도의 주기적 변화**

같은 주기	같은 족
원자 번호가 커질수록 대체로 커진다. ➡ 원자 반지름이 작아지고, 유효 핵전하가 증가하여 원자핵과 전자 사이의 인력이 증가하기 때문	원자 번호가 커질수록 대체로 작아진다. ➡ 전자 껍질 수가 증가하여 원자핵과 전자 사이의 인력이 감소하기 때문

2 결합의 극성

- ❷ ______ **공유 결합**: 서로 다른 원자 사이에 형성되는 공유 결합으로, 전기 음성도 차이에 의해 공유 전자쌍이 한쪽으로 치우치는 결합 예 HCl, H_2O, NH_3 등
  - 전기 음성도가 큰 원자는 부분적인 음전하(δ^-)를, 전기 음성도가 작은 원자는 부분적인 양전하(δ^+)를 띤다.
- ❸ ______ **공유 결합**: 같은 원자 사이에 형성되는 공유 결합으로, 두 원자의 전기 음성도가 같아 공유 전자쌍의 치우침이 없는 결합 예 H_2, O_2, Cl_2 등
  - 부분적인 전하를 띠지 않는다.
- **전기 음성도 차와 결합의 극성**: 결합한 두 원자 사이의 전기 음성도 차가 클수록 공유 결합의 극성이 커진다.

답 ❶ 플루오린(F) ❷ 극성 ❸ 무극성

개념 확인

정답과 해설 19쪽

1-1

다음 원소의 전기 음성도를 비교하시오.

(1) Be (　　　) Mg

(2) B (　　　) C

(3) Cl (　　　) I

(4) Na (　　　) O

1-2

그림은 임의의 원소 A~D의 전기 음성도를 상댓값으로 나타낸 것이다. A~D는 각각 O, F, Na, Mg 중 하나이다.

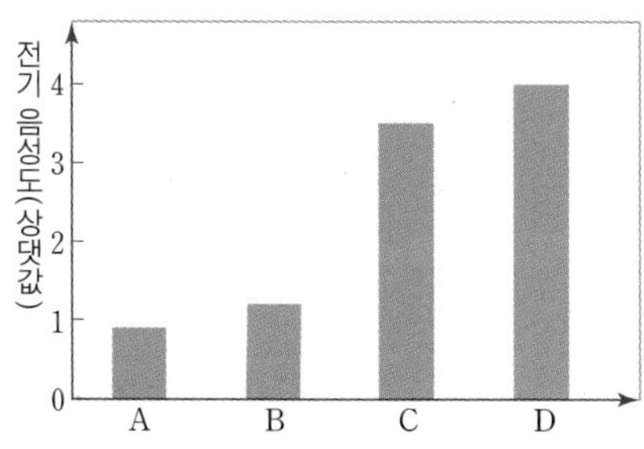

A~D는 각각 무엇인지 쓰시오.

Hint 전기 음성도는 같은 주기에서는 원자 번호가 클수록 대체로 크고, 같은 족에서는 원자 번호가 클수록 대체로 작다.

2-1

다음 분자 모형의 각 원자에 부분 전하를 표시하고, 이에 대한 설명에서 빈칸에 들어갈 알맞은 말을 쓰시오.

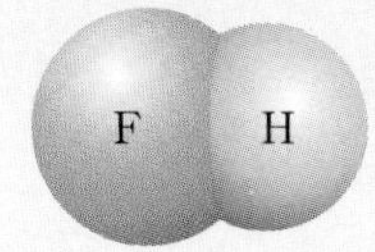

플루오린(F) 원자는 수소(H) 원자보다 전기 음성도가 크므로 공유 전자쌍은 ❶ (　　　) 원자에 치우친 상태로 분포하게 된다. 따라서 플루오린(F) 원자는 부분적인 ❷ (　　　) 전하, 수소(H) 원자는 부분적인 ❸ (　　　) 전하를 띤다. 이러한 결합을 ❹ (　　　) 이라고 한다.

2-2

다음 공유 결합에서 밑줄 친 원자의 부분 전하를 δ^+, δ^-로 표시하시오.

(1) H−<u>C</u>　　(2) <u>C</u>−F

(3) C−<u>Cl</u>　　(4) H−<u>O</u>

(5) <u>C</u>−O　　(6) N−<u>H</u>

3일 결합의 극성

핵심 개념

3 쌍극자와 쌍극자 모멘트

- **쌍극자**: 두 원자가 극성 공유 결합을 할 때 크기가 같고 부호는 반대인 부분 전하를 띠는 두 전하가 결합 길이만큼 떨어져 있는 것
- **쌍극자 모멘트**: 공유 결합에서 ❶ ______ 의 정도를 나타내는 척도

① **쌍극자 모멘트(μ)의 크기**: 결합하는 두 원자의 전하량(q)과 두 전하 사이의 거리(r)를 곱한 값으로 나타낸다.

② **쌍극자 모멘트의 표시**: 전기 음성도가 작은 원자에서 전기 음성도가 큰 원자로 향하는 화살표로 표시한다. ➡ 화살표 방향: 공유 전자쌍이 치우친 방향

$$\overset{\delta^+}{H} - \overset{\delta^-}{Cl}$$
(화살표: H → Cl)

4 쌍극자 모멘트와 결합의 극성

- **무극성 공유 결합**: 쌍극자 모멘트가 ❷ ______ 이다.
- **극성 공유 결합**: 쌍극자 모멘트가 0이 아니며, 쌍극자 모멘트 값이 클수록 대체로 극성이 ❸ ______ .

• 전기 음성도 차와 쌍극자 모멘트

구분	HF	HCl	HBr	HI
전기 음성도 차	1.9	0.9	0.7	0.4
쌍극자 모멘트 ($\times 10^{-30}$ C·m)	6.37	3.60	2.67	1.40

➡ 전기 음성도 차가 클수록 쌍극자 모멘트가 크고 결합의 극성이 크다. ➡ HF가 결합의 극성이 가장 크다.

답 ❶ 극성 ❷ 0 ❸ 크다(강하다)

개념 확인

정답과 해설 19쪽

3-1

그림은 물 분자를 모형으로 나타낸 것이다.

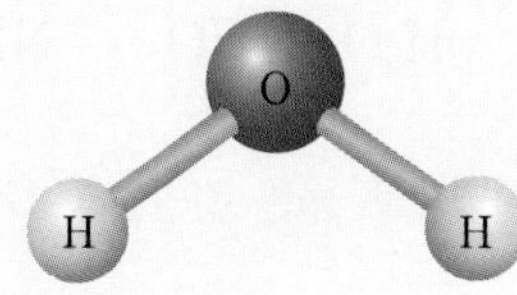

(1) 산소(O) 원자와 수소(H) 원자의 전기 음성도 크기를 비교하시오.

(2) 위 그림에 H−O 결합의 쌍극자 모멘트를 표시하시오.

3-2

그림은 메테인(CH_4)과 사염화 탄소(CCl_4)의 분자 모형을 나타낸 것이다.

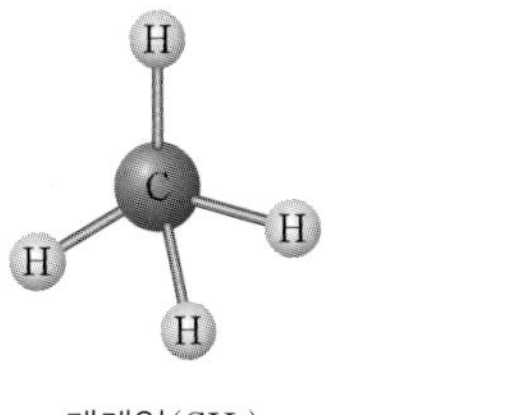

메테인(CH_4)

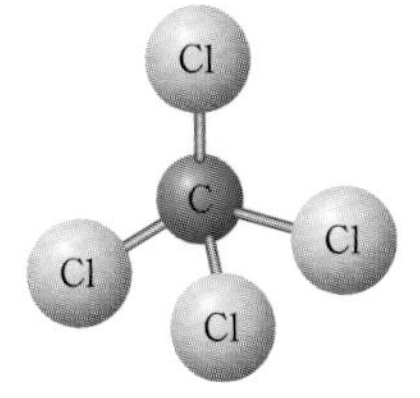

사염화 탄소(CCl_4)

(1) 위 그림에 C−H 결합과 C−Cl 결합에서 각 원자의 부분 전하를 표시하시오.

(2) 위 그림에 C−H 결합과 C−Cl 결합의 쌍극자 모멘트를 표시하시오.

Hint 쌍극자 모멘트는 전기 음성도가 작은 원자에서 큰 원자로 향하는 화살표로 표시한다.

4-1

표는 17족 원소들의 전기 음성도를 나타낸 것이다.

원소	F	Cl	Br	I
전기 음성도	4.0	3.0	2.8	2.5

할로젠화 수소 화합물(HF, HCl, HBr, HI)의 극성의 크기를 비교하시오. (단, H의 전기 음성도는 2.1이다.)

4-2

다음 두 원자 사이의 결합 중 극성이 가장 큰 결합과 가장 작은 결합을 고르시오.

N−H　C−H　O−H　F−H

(1) 극성이 가장 큰 결합

(2) 극성이 가장 작은 결합

3주 3일

기초 유형 연습 | 결합의 극성

대표 기출 유형

그림은 분자 (가)와 (나)의 화학 결합 모형을 나타낸 것이다.

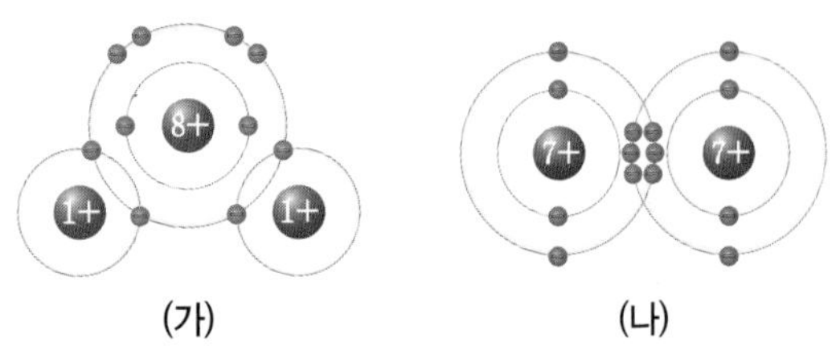

(가) (나)

이에 대한 설명으로 옳은 것만을 〈보기〉에서 있는 대로 고른 것은?

보기
ㄱ. (가)에는 무극성 공유 결합이 존재한다.
ㄴ. (나)는 쌍극자 모멘트가 0이다.
ㄷ. 공유 전자쌍 수는 (가)$<$(나)이다.

① ㄱ ② ㄴ ③ ㄷ
④ ㄱ, ㄷ ⑤ ㄴ, ㄷ

개념 point

무극성 공유 결합: 같은 원자 사이에 형성되는 공유 결합으로, 두 원자의 전기 음성도가 같아 공유 전자쌍의 치우침이 없는 결합 ➡ 같은 원자 사이에 형성되는 공유 결합은 무극성 공유 결합, 서로 다른 원자 사이에 형성되는 공유 결합은 극성 공유 결합이다.

쌍극자 모멘트: 공유 결합에서 극성의 정도를 나타내는 척도 ➡ 무극성 공유 결합의 쌍극자 모멘트는 0이다.

|보기| 풀이

ㄱ (가)는 O−H 사이의 극성 공유 결합 2개가 존재한다.

ㄴ (나)의 결합은 같은 원자(질소) 사이의 결합이므로 무극성 공유 결합이다. 따라서 쌍극자 모멘트가 0이다.

ㄷ (가)의 공유 전자쌍 수는 2, (나)의 공유 전자쌍 수는 3이므로 공유 전자쌍 수는 (가)$<$(나)이다.

함정 탈출

서로 다른 두 원자는 전기 음성도가 다르므로 두 원자 사이의 결합은 무극성 공유 결합이 될 수 없다.

답 ⑤

1 다음은 5가지 분자의 화학식을 나타낸 것이다.

Cl_2 H_2O CO_2 NH_3 O_2

이에 대한 설명으로 옳은 것만을 〈보기〉에서 있는 대로 고른 것은?

보기
ㄱ. 다중 결합이 있는 분자는 2가지이다.
ㄴ. 극성 공유 결합으로 이루어진 분자는 2가지이다.
ㄷ. 무극성 공유 결합으로 이루어진 분자는 2가지이다.

① ㄱ ② ㄴ ③ ㄷ
④ ㄱ, ㄷ ⑤ ㄴ, ㄷ

2 그림은 수소(H_2) 분자와 염화 수소(HCl) 분자를 모형으로 나타낸 것이다.

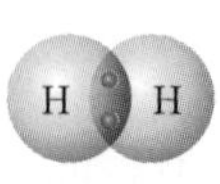

(가) (나)

(가)와 (나) 중 극성 공유 결합을 고르고, 그 까닭을 전기 음성도를 이용하여 서술하시오.

3 그림은 주기율표의 일부를 나타낸 것이다.

주기 \ 족	1	2	13	14	15	16	17	18
1	A							
2				B		C	D	

이에 대한 설명으로 옳은 것만을 〈보기〉에서 있는 대로 고른 것은? (단, A~D는 임의의 원소 기호이다.)

보기
ㄱ. A와 C는 극성 공유 결합을 한다.
ㄴ. BA_4에서 B는 부분적인 양전하를 띤다.
ㄷ. A~D 중 전기 음성도가 가장 큰 것은 D이다.

① ㄱ ② ㄴ ③ ㄷ
④ ㄱ, ㄷ ⑤ ㄴ, ㄷ

4 다음은 원자 또는 이온의 전자 배치를 나타낸 것이다.

- A: $1s^2 2s^2 2p^2$
- B: $1s^2 2s^2 2p^4$
- C^-: $1s^2 2s^2 2p^6$

이에 대한 설명으로 옳은 것은? (단, A~C는 임의의 원소 기호이다.)

① C_2에서 공유 전자쌍 수는 2이다.
② AC_4에는 무극성 공유 결합이 있다.
③ AB_2에서 A는 부분적인 양전하를 띤다.
④ A~C 중 전기 음성도가 가장 큰 것은 A이다.
⑤ A−B 결합이 A−C 결합보다 극성이 크다.

2013학년도 3월 학평 12번 변형

5 표는 3가지 분자에서 원자 사이의 전기 음성도 차를 나타낸 것이다. X~Z는 각각 H, F, Cl 중 하나이다. (단, X~Z는 임의의 원소 기호이며, X의 전기 음성도가 가장 크다.)

분자	X−X	X−Y	X−Z
전기 음성도 차	0	1.9	0.9

(1) 위 분자의 결합 중 무극성 공유 결합을 고르시오.

(2) X−Y 결합과 X−Z 결합의 극성의 크기를 비교하시오.

(3) Y−Z 결합의 쌍극자 모멘트를 표시하시오.

6 그림은 분자 (가)와 (나)의 쌍극자 모멘트를 나타낸 것이다.

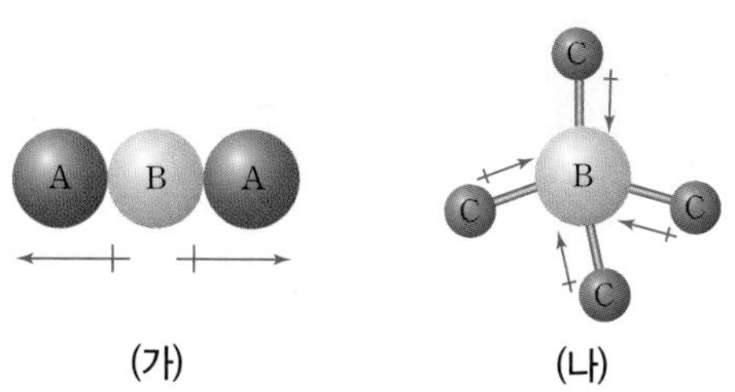

(가) (나)

이에 대한 설명으로 옳은 것만을 〈보기〉에서 있는 대로 고른 것은? (단, A~C는 임의의 원소 기호이다.)

보기
ㄱ. A~C 중 전기 음성도가 가장 큰 것은 C이다.
ㄴ. (가)와 (나) 모두 극성 공유 결합이 있다.
ㄷ. (가)에서 A, (나)에서 B는 부분적인 양전하를 띤다.

① ㄱ ② ㄴ ③ ㄷ
④ ㄱ, ㄷ ⑤ ㄴ, ㄷ

3주 3일

4일

루이스 전자점식, 전자쌍 반발 이론

핵심 개념

1 루이스 전자점식

- **루이스 전자점식**: 원자 사이의 결합을 나타내기 위해 원소 기호 주위에 ❶ ____ 를 점으로 표시하여 나타낸 식
  - • **홀전자**: 원자가 전자 중 쌍을 이루지 않은 전자
- **분자의 루이스 전자점식**: 공유 전자쌍은 두 원자의 원소 기호 사이에 표시하고, 비공유 전자쌍은 각 원소 기호 주위에 표시한다.

① **공유 전자쌍**: 두 원자 사이에 공유되어 공유 결합에 참여하는 전자쌍

② **비공유 전자쌍**: 공유 결합에 참여하지 않고 한 원자에만 속해 있는 전자쌍

- **이온의 루이스 전자점식**: 양이온은 잃은 전자 수만큼 원자의 루이스 전자점식에서 원자가 전자를 빼고, 음이온은 얻은 전자 수만큼 원자의 루이스 전자점식에서 원자가 전자를 더해서 표시한다.

2 루이스 구조식

- **루이스 구조식**: 루이스 전자점식에서 ❷ ____ 전자쌍을 선(−)으로 나타내고, 비공유 전자쌍은 그대로 나타내거나 생략한 식
- 단일 결합은 결합선 ❸ ____ 개, 2중 결합은 결합선 2개, 3중 결합은 결합선 3개로 나타낸다.

답 ❶ 원자가 전자 ❷ 공유 ❸ 1

개념 확인

정답과 해설 20쪽

1-1

다음 원자의 루이스 전자점식을 그리시오.

(1) 탄소(C)

(2) 질소(N)

(3) 황(S)

(4) 플루오린(F)

1-2

다음 물질의 루이스 전자점식을 그리고, 공유 전자쌍 수와 비공유 전자쌍 수를 쓰시오.

(1) NH_3	(2) CH_4
㉠ 공유 전자쌍 수 ㉡ 비공유 전자쌍 수	㉠ 공유 전자쌍 수 ㉡ 비공유 전자쌍 수
(3) HCN	(4) H_2O_2
㉠ 공유 전자쌍 수 ㉡ 비공유 전자쌍 수	㉠ 공유 전자쌍 수 ㉡ 비공유 전자쌍 수

3주 4일

2-1

다음 물질의 루이스 구조식을 그리시오.

(1) HCl	(2) H_2O
(3) N_2	(4) CO_2

2-2

다음은 2주기에 속하는 임의의 원소 A와 B의 루이스 전자점식을 나타낸 것이다.

:A· (위 2개, 아래 1개)　　:B· (위 2개, 아래 2개)

A와 B로 이루어진 안정한 화합물의 화학식을 쓰고, 루이스 구조식으로 나타내시오.

Hint 옥텟 규칙을 만족하기 위해 A는 2개의 전자가 필요하고, B는 1개의 전자가 필요하다.

4일 루이스 전자점식, 전자쌍 반발 이론

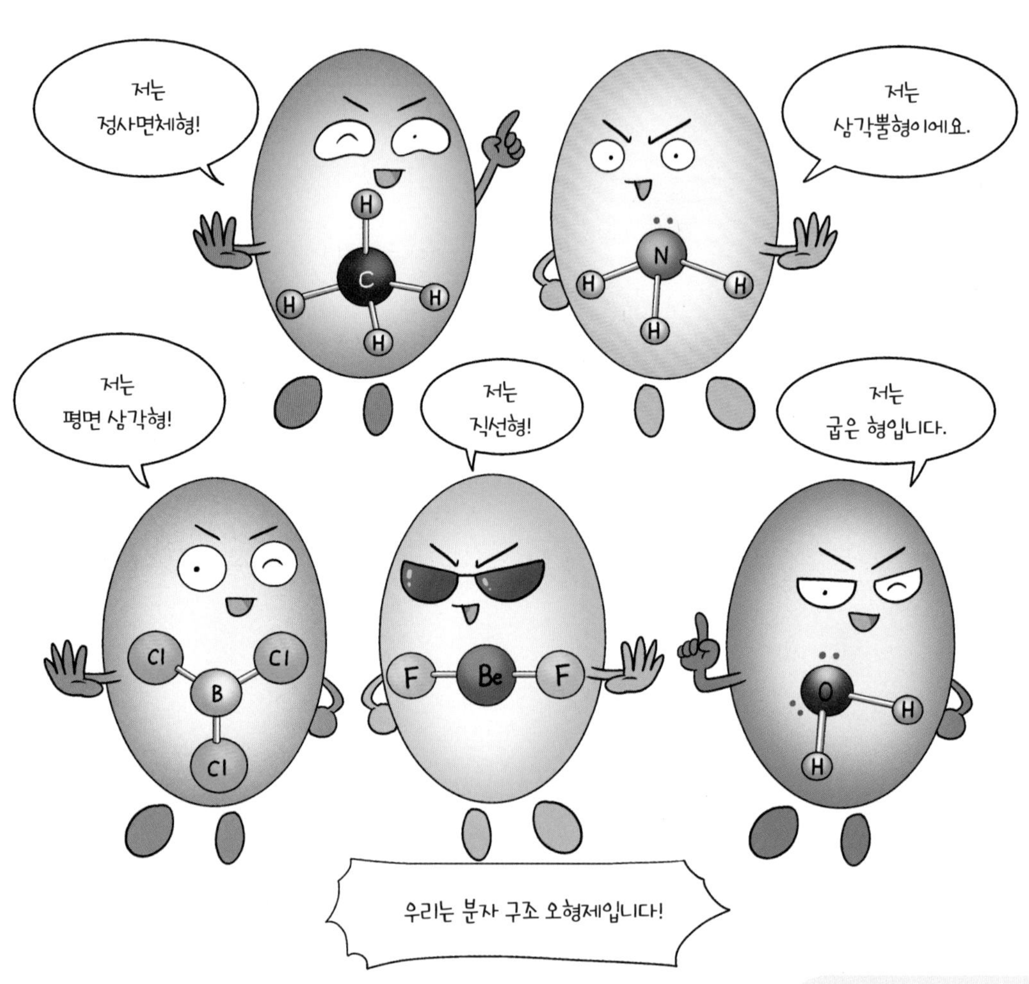

핵심 개념

3 전자쌍 반발 이론

- **전자쌍 반발 이론**: 중심 원자의 전자쌍들은 서로 같은 전하를 띠고 있어 반발력이 작용하므로 정전기적 반발력을 최소화하기 위해 가능한 한 멀리 떨어져 있으려고 한다는 이론
- **전자쌍 반발 이론에 따른 전자쌍의 배치**

전자쌍 수	2개	3개	4개
전자쌍의 배치	직선형	평면 삼각형	정사면체형
결합각	180°	120°	109.5°

- **전자쌍 사이의 반발력 비교**: ❶ [　　] 전자쌍 사이의 반발력 > 비공유 전자쌍과 공유 전자쌍 사이의 반발력 > ❷ [　　] 전자쌍 사이의 반발력

4 분자의 구조

- **이원자 분자**: 원자가 2개이므로 항상 직선형 구조이다.
- **다원자 분자**: 중심 원자 주위에 공유 전자쌍만 있는 경우는 공유 전자쌍 수에 따라 분자의 구조가 달라지고, 중심 원자 주위에 비공유 전자쌍이 있는 경우는 비공유 전자쌍이 많을수록 결합각이 ❸ [　　].

분자식	BeF_2	BCl_3	CH_4	NH_3	H_2O
공유 전자쌍 수	2	3	4	3	2
비공유 전자쌍 수	0	0	0	1	2
결합각	180°	120°	109.5°	107°	104.5°
분자 구조	직선형	평면 삼각형	정사 면체형	삼각 뿔형	굽은 형

답 ❶ 비공유 ❷ 공유 ❸ 작다

개념 확인

정답과 해설 20쪽

3-1

표는 몇 가지 분자에 대한 자료이다. (가)~(바)에 알맞은 말을 쓰시오.

루이스 구조식	H−Be−H	BCl₃ 루이스 구조식	CH₄ 루이스 구조식
공유 전자쌍 수	2	3	4
분자 구조	(가)	(나)	(다)
결합각	(라)	(마)	(바)

3-2

다음 분자와 분자 구조를 옳게 연결하시오.

(1) HCl •

(2) BCl_3 •

(3) CF_4 •

(4) HCN •

• ㉠ 직선형

• ㉡ 정사면체형

• ㉢ 평면 삼각형

4-1

다음은 분자의 구조에 대한 설명이다. 빈칸에 들어갈 알맞은 말을 쓰시오.

(1) CH_4은 중심 원자 주위의 공유 전자쌍이 ❶ ____ 개, 비공유 전자쌍이 ❷ ____ 개이므로 분자의 구조는 ❸ ____ 이다.

(2) NH_3는 중심 원자 주위의 공유 전자쌍이 ❶ ____ 개, 비공유 전자쌍이 ❷ ____ 개이므로 분자의 구조는 ❸ ____ 이다.

(3) H_2O은 중심 원자 주위의 공유 전자쌍이 ❶ ____ 개, 비공유 전자쌍이 ❷ ____ 개이므로 분자의 구조는 ❸ ____ 이다.

4-2

다음은 몇 가지 물질의 화학식을 나타낸 것이다.

CCl_4	BeF_2	CO_2
BCl_3	H_2S	NF_3

(1) 분자 구조가 같은 분자를 고르고, 그 분자들의 분자 구조를 쓰시오.

(2) 구성 원자가 모두 한 평면에 존재하는 분자를 모두 고르시오.

Hint 직선형, 평면 삼각형, 굽은 형 구조는 구성 원자가 모두 한 평면에 존재한다.

3주 4일

기초 유형 연습 | 루이스 전자점식, 전자쌍 반발 이론

대표 기출 유형 2019학년도 수능 2번 변형

그림은 분자 (가)~(다)의 루이스 전자점식을 나타낸 것이다.

(가)	(나)	(다)
H:C:H (위아래 H)	H:N:H (아래 H, 비공유 전자쌍 1개)	H:O: (아래 H, 비공유 전자쌍 2개)

이에 대한 설명으로 옳은 것만을 <보기>에서 있는 대로 고른 것은?

> 보기
> ㄱ. (가)에는 극성 공유 결합이 있다.
> ㄴ. (나)의 구조는 평면 삼각형이다.
> ㄷ. 결합각은 (가) < (나) < (다)이다.

① ㄱ ② ㄴ ③ ㄷ
④ ㄱ, ㄷ ⑤ ㄴ, ㄷ

개념 point

극성 공유 결합: 서로 다른 원자 사이에 형성되는 공유 결합으로, 전기 음성도 차이에 의해 공유 전자쌍이 한쪽으로 치우치는 결합

다원자 분자에서 중심 원자 주위에 비공유 전자쌍이 있는 경우의 결합각: 비공유 전자쌍에 의한 반발력이 더 크므로 중심 원자에 비공유 전자쌍이 많을수록 결합각이 작다.

|보기| 풀이

ㄱ (가)의 C−H 결합은 극성 공유 결합이다.
ㄴ (나)는 공유 전자쌍이 3개, 비공유 전자쌍이 1개 있으므로 분자 구조는 삼각뿔형이다.
ㄷ (가)는 정사면체형 구조로 결합각은 109.5°, (나)는 삼각뿔형 구조로 결합각은 107°, (다)는 굽은 형 구조로 결합각은 104.5°이다. 따라서 결합각은 (가) > (나) > (다)이다.

함정 탈출

(가)~(다) 모두 중심 원자 주위에 전자쌍이 4개 존재하지만 비공유 전자쌍이 많을수록 결합각이 작아지고, 분자의 구조도 달라진다.

답 ①

1 다음은 이산화 탄소(CO_2) 분자의 루이스 전자점식을 나타낸 것이다.

:Ö::C::Ö:

이에 대한 설명으로 옳지 않은 것은?

① 다중 결합이 있다.
② 탄소가 중심 원자이다.
③ 모든 원자는 한 평면에 존재한다.
④ 모든 원자는 옥텟 규칙을 만족한다.
⑤ 공유 전자쌍 수보다 비공유 전자쌍 수가 많다.

2 그림은 분자 (가)~(다)의 루이스 구조식을 나타낸 것이다.

(가)	(나)	(다)
H−C−H (C=O)	F−B−F (B−F)	H−N−H (N−H)

(1) (가)~(다) 중 비공유 전자쌍 수가 가장 많은 것을 쓰시오.

(2) (가)~(다) 중 공유 전자쌍 수가 가장 많은 것을 쓰시오.

(3) (가)~(다) 중 입체 구조인 것을 쓰시오.

정답과 해설 20쪽

3 전자쌍 반발 이론과 분자의 구조에 대한 설명으로 옳은 것만을 〈보기〉에서 있는 대로 고른 것은?

보기

ㄱ. 전자쌍들은 인력이 작용하여 가능한 가까이 있으려고 한다.

ㄴ. 2중 결합은 1개의 전자쌍으로 취급하여 분자의 구조를 결정한다.

ㄷ. 공유 전자쌍 사이의 반발력은 비공유 전자쌍 사이의 반발력보다 크다.

① ㄱ ② ㄴ ③ ㄷ
④ ㄱ, ㄷ ⑤ ㄴ, ㄷ

4 그림은 2주기 원소 A~C의 수소 화합물의 분자 구조를 나타낸 것이다.

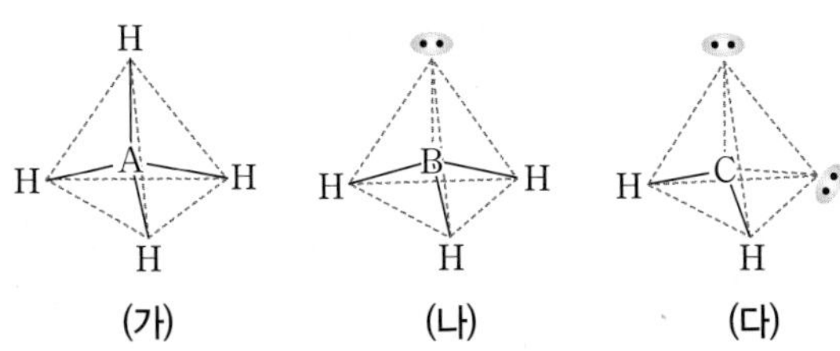

(가)~(다)의 결합각의 크기를 비교하고, 그 까닭을 서술하시오. (단, A~C는 임의의 원소 기호이다.)

5 다음은 어떤 분자의 특성을 나타낸 것이다.

- 입체 구조이다.
- 공유 전자쌍 수는 3이다.

위의 특성을 모두 가지고 있는 분자는?

① O_2 ② HCl ③ BCl_3
④ NF_3 ⑤ CF_4

6 그림은 1, 2주기 비금속 원소 A~C의 루이스 전자점식을 나타낸 것이다.

A ·B· ·C·

이에 대한 설명으로 옳은 것만을 〈보기〉에서 있는 대로 고른 것은? (단, A~C는 임의의 원소 기호이다.)

보기

ㄱ. C_2에는 2중 결합이 있다.

ㄴ. BA_4의 결합각은 109.5°이다.

ㄷ. 공유 전자쌍 수는 $BA_4 < CA_3$이다.

① ㄱ ② ㄴ ③ ㄷ
④ ㄱ, ㄷ ⑤ ㄴ, ㄷ

분자의 구조(극성)와 물질의 성질

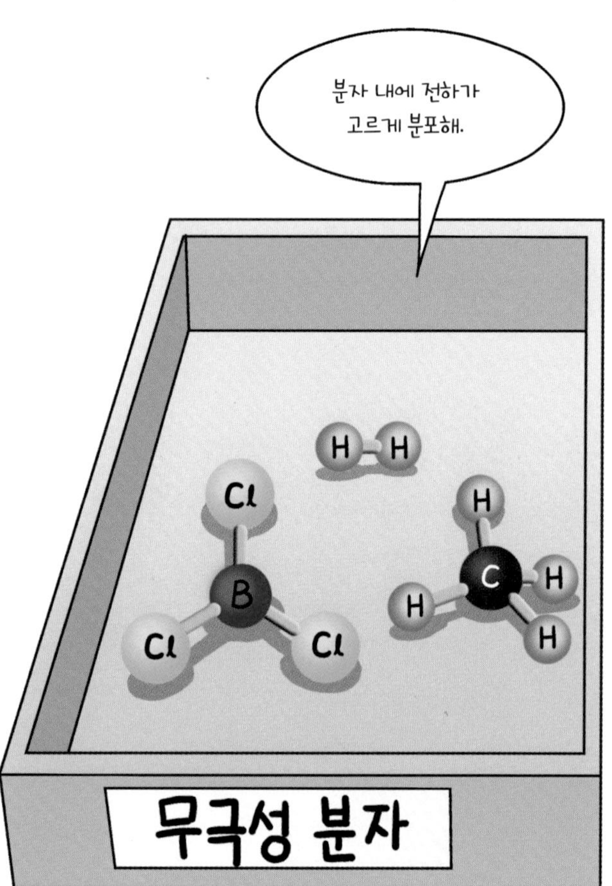

핵심 개념

1 무극성 분자

- **무극성 분자**: 분자 내에 전하가 고르게 분포하여 부분적인 전하를 띠지 않는 분자

이원자 분자	다원자 분자
전기 음성도가 ❶ ( ) 두 원자가 결합한 분자	분자 구조가 대칭을 이루어 결합의 쌍극자 모멘트 합이 ❷ ( )이 되는 분자
같은 원자끼리는 무극성 공유 결합을 하여 결합의 쌍극자 모멘트가 0이므로 무극성 분자이다.	서로 다른 원자끼리는 극성 공유 결합을 하지만, 대칭 구조를 이루면 결합의 쌍극자 모멘트 합이 0이 되므로 무극성 분자이다.
예 H_2, O_2, Cl_2	예 CO_2, BeF_2, BCl_3, CH_4

2 극성 분자

- **극성 분자**: 분자 내에 전하가 고르게 분포하지 않고 한쪽으로 치우쳐서 부분적인 전하를 띠는 분자

이원자 분자	다원자 분자
전기 음성도가 ❸ ( ) 두 원자가 결합한 분자	분자 구조가 비대칭을 이루어 결합의 쌍극자 모멘트 합이 0이 아닌 분자
서로 다른 원자끼리는 극성 공유 결합을 하여 결합의 쌍극자 모멘트가 0이 아니므로 극성 분자이다.	원자들이 비대칭 구조를 이루면 결합의 쌍극자 모멘트 합이 0이 아니므로 극성 분자이다.
예 HCl, HF	예 NH_3, H_2O, HCN, CH_3Cl

답 ❶ 같은 ❷ 0 ❸ 다른

개념 확인

정답과 해설 21쪽

1-1

다음은 분자의 극성에 대한 설명이다. (   ) 안에 알맞은 말을 고르시오.

(1) Cl_2는 두 원자 사이의 결합이 (❶ 극성 , 무극성) 공유 결합이므로 (❷ 극성 , 무극성) 분자이며, 각 원자는 부분적인 전하를 (❸ 띤다 , 띠지 않는다).

(2) CH_4에서 C−H 결합은 (❶ 극성 , 무극성) 공유 결합이지만 분자의 구조가 (❷ 대칭 , 비대칭)이므로 쌍극자 모멘트가 상쇄되어 (❸ 극성 , 무극성) 분자이다.

1-2

그림은 H_2O과 BCl_3의 분자 모형을 나타낸 것이다.

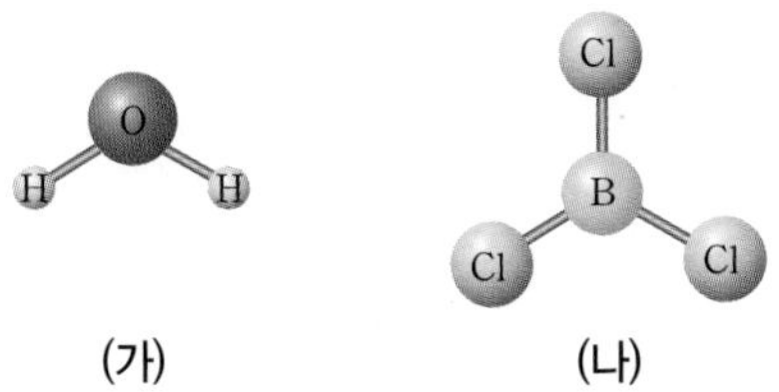

(가) (나)

(1) 위 분자 모형에 쌍극자 모멘트를 각각 표시하시오.

(2) (가)와 (나) 중 결합의 쌍극자 모멘트 합이 0인 분자를 고르시오.

3 주

5일

2-1

다음은 분자의 극성에 대한 설명이다. (   ) 안에 알맞은 말을 고르시오.

(1) HCl는 두 원자 사이의 결합이 (❶ 극성 , 무극성) 공유 결합이므로 (❷ 극성 , 무극성) 분자이다.

(2) H_2S는 (❶ 직선형 , 굽은 형) 구조이므로 결합의 쌍극자 모멘트가 상쇄되지 않아 (❷ 극성 , 무극성) 분자이다.

2-2

다음은 몇 가지 물질의 화학식을 나타낸 것이다.

HF NH_3 HCN O_2 CH_4 CH_3Cl

(1) 분자의 구조가 직선형인 분자를 모두 고르시오.

(2) 결합의 쌍극자 모멘트 합이 0이 아닌 분자를 모두 고르시오.

Hint 대칭 구조의 다원자 분자는 쌍극자 모멘트 합이 0이다.

(3) 무극성 공유 결합으로만 이루어진 분자를 모두 고르시오.

5일 분자의 구조(극성)와 물질의 성질

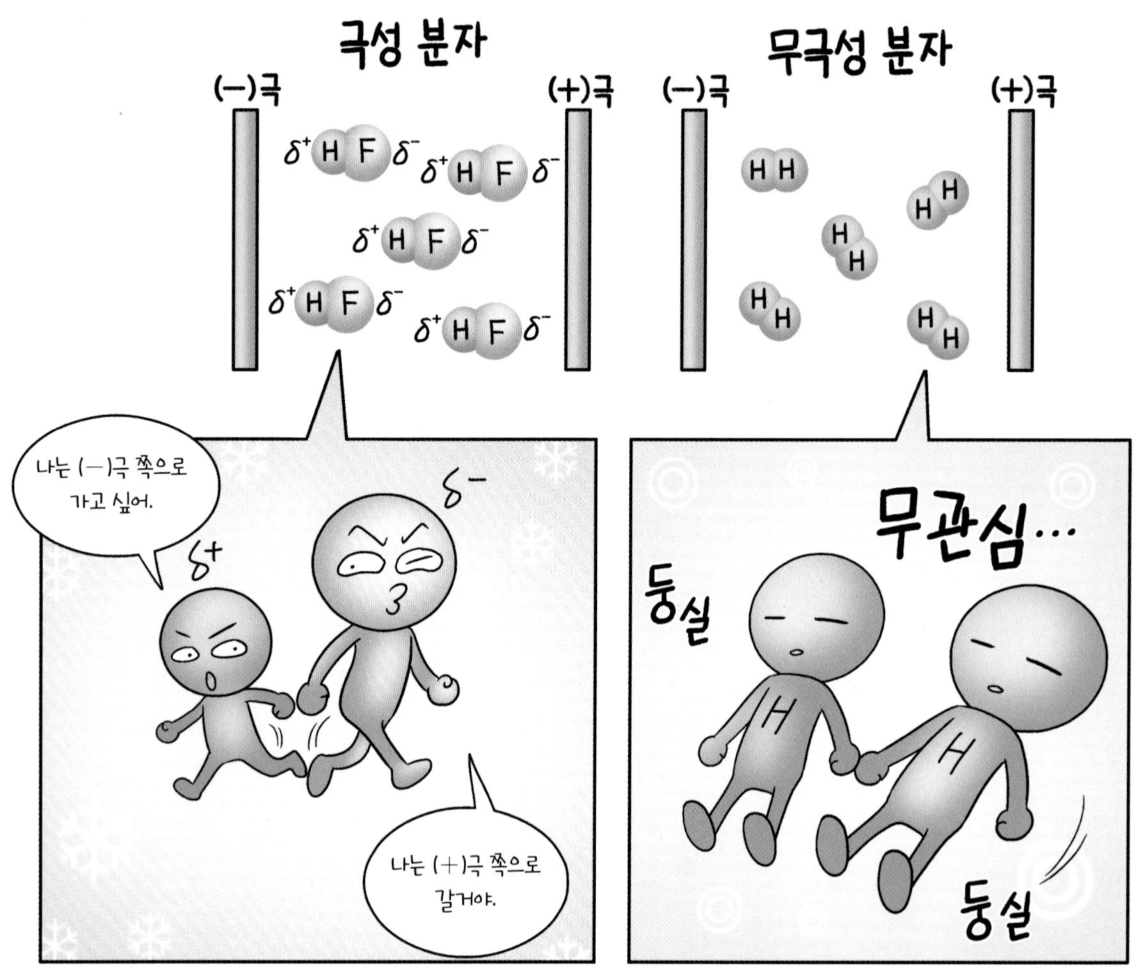

핵심 개념

3 분자의 구조와 성질

- 분자 구조로 알 수 있는 분자의 극성은 분자의 물리적, 화학적 성질에 영향을 미친다.
- **녹는점과 끓는점**: 분자량이 비슷할 때 무극성 분자보다 극성 분자의 녹는점이나 끓는점이 ❶ ____. ➡ 극성 분자 사이에는 강한 정전기적 인력이 작용하기 때문
- **용해도**

① 극성 물질은 ❷ ____ 용매에 잘 용해되고, 무극성 물질은 ❸ ____ 용매에 잘 용해된다.

예 극성 물질인 물(H_2O)과 에탄올(C_2H_5OH)은 잘 섞이고, 무극성 물질인 사염화 탄소(CCl_4)와 벤젠(C_6H_6)은 잘 섞인다.

② 극성 물질과 무극성 물질은 서로 섞이지 않는다.

4 극성에 따른 물질의 전기적 성질

- 전기장 속에서의 배열

극성 분자	무극성 분자
일정한 방향으로 배열한다. ➡ 기체 상태의 극성 분자는 부분적인 전하를 가지기 때문	무질서하게 배열한다. ➡ 무극성 분자는 부분적인 전하를 가지지 않기 때문

- 대전체의 영향

극성 분자	무극성 분자
대전체로 끌려간다. ➡ 극성 분자는 부분적인 양전하와 부분적인 음전하를 가지기 때문	대전체에 끌리지 않는다. ➡ 무극성 분자는 부분적인 전하를 가지지 않기 때문

답 ❶ 높다 ❷ 극성 ❸ 무극성

개념 확인

정답과 해설 21쪽

3-1

표는 O_2와 H_2S의 분자량을 나타낸 것이다.

물질	O_2	H_2S
루이스 구조식	O=O	H–S–H (굽은 형)
분자량	32	34

(1) 두 분자의 극성 여부를 쓰시오.

(2) 두 분자의 끓는점의 크기를 비교하시오.

3-2

다음은 몇 가지 물질의 화학식을 나타낸 것이다.

I_2 C_6H_6(벤젠) CO_2
HCl C_2H_5OH(에탄올) NH_3

(1) 극성 용매에 잘 녹는 물질을 모두 고르시오.

(2) 무극성 용매에 잘 녹는 물질을 모두 고르시오.

4-1

그림은 뷰렛에 각각 액체 A와 B를 넣고 꼭지를 열어 가늘게 흐르게 한 다음, 대전체를 가까이했을 때의 결과를 나타낸 것이다. (단, A와 B는 물과 노말헥세인 중 하나이다.)

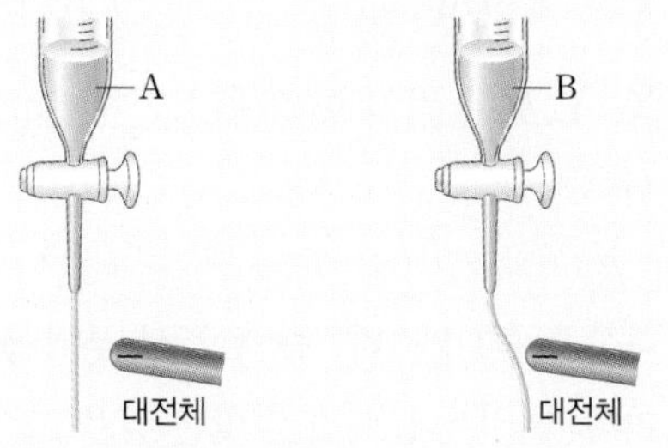

(1) A와 B의 극성 여부를 쓰시오.

(2) A와 B는 각각 무엇인지 쓰시오.

4-2

다음 중 기체 상태로 전기장 안에 넣을 때 일정한 방향으로 배열하는 분자를 모두 고르시오.

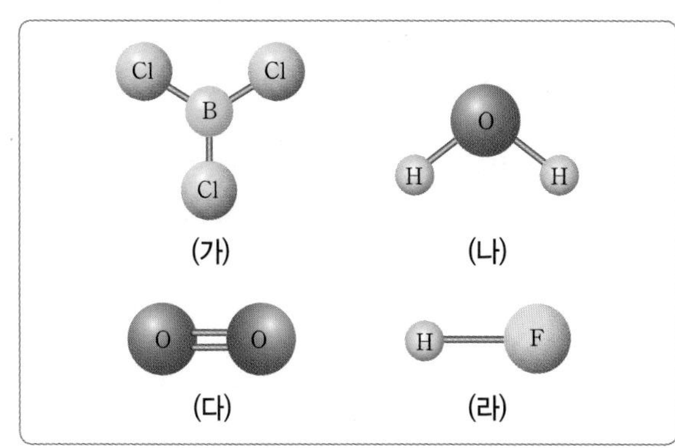

Hint 극성 분자를 이루는 각 원자는 부분적인 전하를 갖는다.

3주 5일

기초 유형 연습 | 분자의 구조(극성)와 물질의 성질

대표 기출 유형

그림은 화합물 (가)~(다)의 분자의 구조를 모형으로 나타낸 것이다.

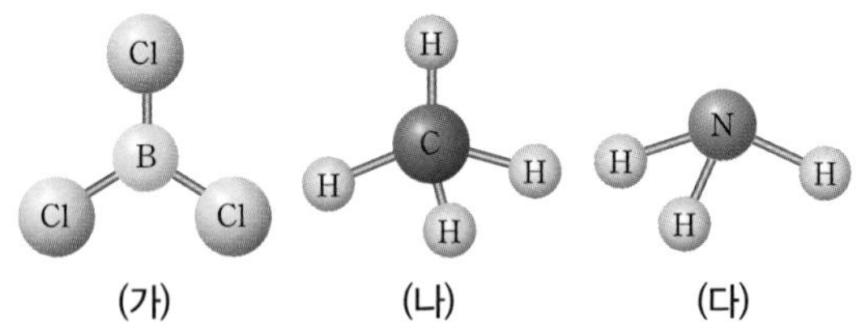

(가) (나) (다)

이에 대한 설명으로 옳은 것만을 <보기>에서 있는 대로 고른 것은?

보기

ㄱ. 결합각은 (다)가 (가)보다 크다.
ㄴ. (가)~(다) 모두 극성 공유 결합이 있다.
ㄷ. 물에 대한 용해도는 (나)가 (다)보다 크다.

① ㄱ ② ㄴ ③ ㄷ
④ ㄱ, ㄷ ⑤ ㄴ, ㄷ

개념 point

극성 공유 결합: 서로 다른 원자 사이에 형성되는 공유 결합으로, 전기 음성도 차이에 의해 공유 전자쌍이 한쪽으로 치우치는 결합
물에 대한 용해도: 극성 물질은 극성 용매에 잘 용해되고, 무극성 물질은 무극성 용매에 잘 용해된다.

|보기| 풀이

ㄱ (가)는 평면 삼각형(결합각: 120°), (다)는 삼각뿔형(결합각: 107°)이므로 결합각은 (가)>(다)이다.
ㄴ B−Cl 결합, C−H 결합, N−H 결합은 모두 극성 공유 결합이다.
ㄷ (나)는 무극성 분자, (다)는 극성 분자이며, 물에 대한 용해도는 극성 분자인 (다)가 무극성 분자인 (나)보다 더 크다.

함정 탈출

극성 공유 결합이 있어도 분자의 구조에 따라 쌍극자 모멘트의 합이 0이 되어 무극성 분자가 될 수 있다. (가)와 (나)는 극성 공유 결합이 있지만 무극성 분자이다.

답 ②

1 다음은 몇 가지 분자의 화학식을 나타낸 것이다.

BeF_2 H_2O CO_2 NH_3 CF_4

이에 대한 설명으로 옳은 것만을 <보기>에서 있는 대로 고른 것은?

보기

ㄱ. 극성 분자는 2가지이다.
ㄴ. 모두 극성 공유 결합이 있다.
ㄷ. 대칭 구조를 갖는 분자는 2가지이다.

① ㄱ ② ㄴ ③ ㄷ
④ ㄱ, ㄴ ⑤ ㄴ, ㄷ

2014학년도 9월 모평 4번 변형

2 그림은 2주기 원소 X~Z로 구성된 분자 (가), (나)의 루이스 전자점식을 나타낸 것이다. (단, X~Z는 임의의 원소 기호이다.)

:Y:X:Y: :X::Z::X:

(가) (나)

(1) X, Y, Z는 각각 어떤 원소인지 원소 기호를 쓰시오.

(2) 다음은 (가)와 (나) 중 무극성 분자에 대한 설명이다. 빈칸에 들어갈 알맞은 말을 쓰시오.

❶ ____ 는 분자 구조가 ❷ ____ 으로 대칭이므로 결합의 쌍극자 모멘트 합이 ❸ ____ 이기 때문에 무극성 분자이다.

정답과 해설 21쪽

2020학년도 수능 11번 변형

3 그림은 4가지 분자를 분류 기준에 따라 분류한 것이다. (가)~(라)에 해당하는 물질을 쓰시오.

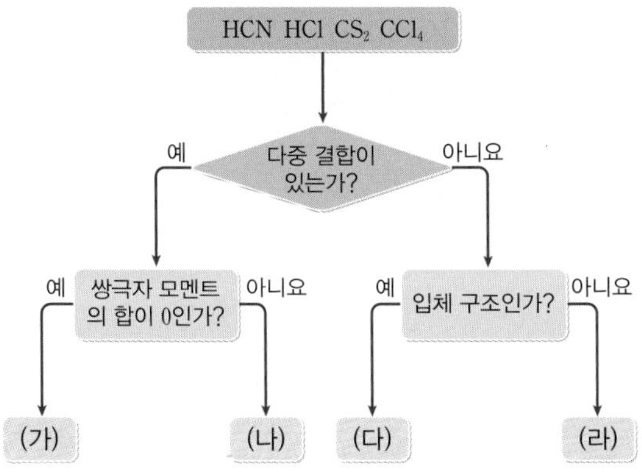

2019학년도 3월 학평 3번 변형

4 표는 원소 X~Z로 이루어진 분자 (가)~(다)에 대한 자료이다. (단, X~Z는 H, C, O 중 하나이며, 1분자당 원자 수는 5 이하이다.)

분자	(가)	(나)	(다)
구성 원소	Y, Z	X, Y	X, Z
구성 원자 수	3	3	5
비공유 전자쌍 수	4	2	0
분자의 구조	㉠	굽은 형	㉡

(1) ㉠, ㉡에 알맞은 구조를 쓰시오.

(2) (가)~(다) 중 극성 물질을 모두 쓰시오.

5 그림은 액체 A와 B를 가늘게 흐르게 한 다음, 대전체를 가까이 가져갔을 때의 모습을 나타낸 것이다.

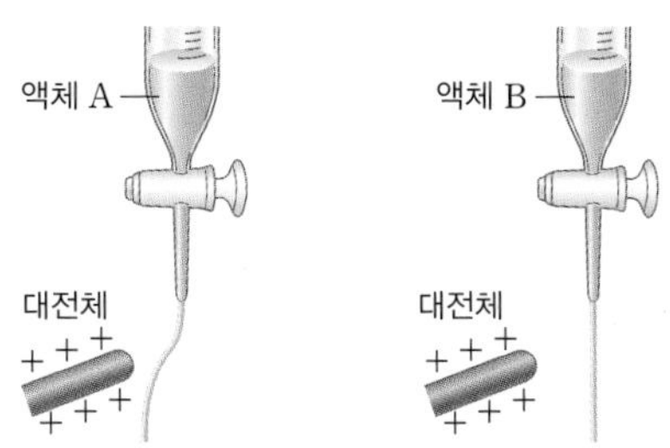

A와 B 중 물에 더 잘 녹는 물질은 무엇인지 고르고, 그 까닭을 서술하시오.

6 표는 3가지 물질 (가)~(다)의 화학식과 분자량을 나타낸 것이다.

물질	(가)	(나)	(다)
화학식	NH_3	CH_3Cl	CH_4
분자량	17	50.5	16

이에 대한 설명으로 옳은 것만을 <보기>에서 있는 대로 고른 것은?

보기
ㄱ. 끓는점은 (가)가 (다)보다 높다.
ㄴ. 분자의 쌍극자 모멘트는 (나)가 (다)보다 크다.
ㄷ. 기체 상태로 전기장에 넣었을 때 일정한 방향으로 배열되는 분자는 1가지이다.

① ㄱ ② ㄴ ③ ㄷ
④ ㄱ, ㄴ ⑤ ㄴ, ㄷ

3주 누구나 100점 테스트

1 이온 결합 물질과 공유 결합 물질을 옳게 짝 지은 것은?

	이온 결합 물질	공유 결합 물질
①	HF	H_2
②	CF_4	CO_2
③	H_2O	MgO
④	NaF	BF_3
⑤	NaCl	$CuSO_4$

2 표는 원자 A~D가 안정한 이온이 되었을 때의 이온식과 전자 수를 나타낸 것이다.

이온식	A^+	B^{2+}	C^-	D^-
전자 수	10	10	10	18

이에 대한 설명으로 옳은 것만을 〈보기〉에서 있는 대로 고른 것은? (단, A~D는 임의의 원소 기호이다.)

보기
ㄱ. A와 B는 금속 원소이다.
ㄴ. AC보다 AD의 녹는점이 더 높다.
ㄷ. B와 D의 안정한 화합물은 B_2D이다.

① ㄱ ② ㄷ ③ ㄱ, ㄴ
④ ㄴ, ㄷ ⑤ ㄱ, ㄴ, ㄷ

3 그림은 2가지 분자의 루이스 구조식을 나타낸 것이다.

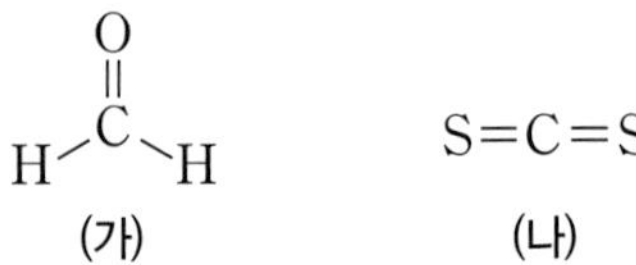

(가) (나)

(가)와 (나)의 공통점으로 옳은 것만을 〈보기〉에서 있는 대로 고른 것은?

보기
ㄱ. 극성 분자이다.
ㄴ. 공유 전자쌍 수는 4이다.
ㄷ. 무극성 공유 결합이 있다.

① ㄱ ② ㄴ ③ ㄱ, ㄷ
④ ㄴ, ㄷ ⑤ ㄱ, ㄴ, ㄷ

4 그림은 주기율표의 일부를, 표는 안정한 화합물 (가)~(라)의 화학식을 나타낸 것이다.

주기 \ 족	1	2	13	14	15	16	17	18
1	A							
2	B		C		D		E	

구분	(가)	(나)	(다)	(라)
화학식	AE	BE	CE_3	DE_3

이에 대한 설명으로 옳은 것만을 〈보기〉에서 있는 대로 고른 것은? (단, A~E는 임의의 원소 기호이다.)

보기
ㄱ. 이온 결합 물질은 2가지이다.
ㄴ. 결합각은 (다)가 (라)보다 크다.
ㄷ. (다)의 모든 원자는 옥텟 규칙을 만족한다.

① ㄱ ② ㄴ ③ ㄱ, ㄷ
④ ㄴ, ㄷ ⑤ ㄱ, ㄴ, ㄷ

2021학년도 수능 9번 변형

5 그림은 화합물 WX와 XYZ를 화학 결합 모형으로 나타낸 것이다.

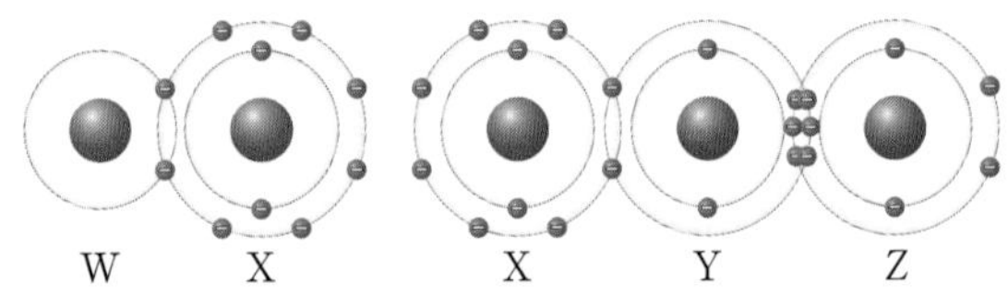

이에 대한 설명으로 옳은 것만을 〈보기〉에서 있는 대로 고른 것은? (단, W~Z는 임의의 원소 기호이다.)

보기
ㄱ. 전기 음성도는 X>Z>Y이다.
ㄴ. YX_4에는 비공유 전자쌍이 없다.
ㄷ. WX에서 X는 부분적인 음전하(δ^-)를 띤다.

① ㄱ ② ㄴ ③ ㄱ, ㄷ
④ ㄴ, ㄷ ⑤ ㄱ, ㄴ, ㄷ

정답과 해설 22쪽

2020학년도 7월 학평 14번 변형

6 표는 임의의 원소 X~Z로 이루어진 분자 (가)~(다)에 대한 자료이다. X~Z는 각각 C, O, F 중 하나이며, 분자당 구성 원자 수는 4 이하이다.

분자	구성 원소	공유 전자쌍 수	비공유 전자쌍 수	분자의 쌍극자 모멘트
(가)	X, Y	5	6	0
(나)	X, Z	2	8	–
(다)	Y, Z	4	4	–

이에 대한 설명으로 옳은 것만을 <보기>에서 있는 대로 고른 것은? (단, (가)~(다)의 모든 원자는 옥텟 규칙을 만족한다.)

보기
ㄱ. 다중 결합이 있는 분자는 2가지이다.
ㄴ. 쌍극자 모멘트는 (다)가 (나)보다 크다.
ㄷ. 모든 구성 원자가 동일 평면에 있는 분자는 1가지이다.

① ㄱ ② ㄴ ③ ㄱ, ㄷ
④ ㄴ, ㄷ ⑤ ㄱ, ㄴ, ㄷ

[7~8] 그림은 1, 2주기에 속하는 임의의 원소 A~C의 루이스 전자점식을 나타낸 것이고, 표는 안정한 화합물 (가)~(다)의 화학식을 나타낸 것이다.

A· ·B· ·C·

화합물	(가)	(나)	(다)
화학식	BA_4	C_2	CA_3

7 (가)~(다)의 분자 구조를 각각 쓰고, 결합각을 비교하시오.

8 (가)와 (다)를 극성 분자와 무극성 분자로 구분하고, 그 까닭을 서술하시오.

2020학년도 6월 모평 9번 변형

9 그림은 화합물 AB와 CDB를 화학 결합 모형으로 나타낸 것이다.

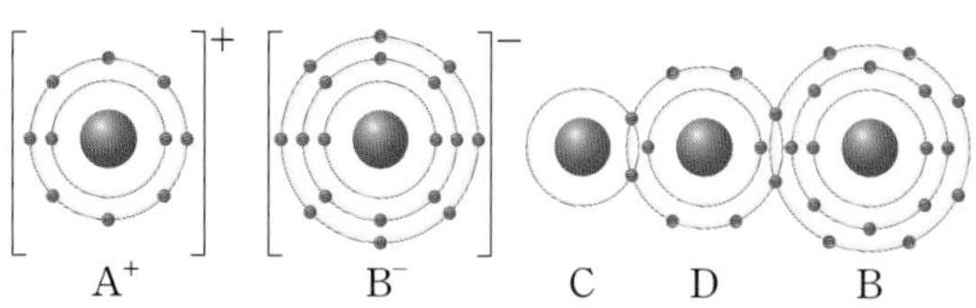

이에 대한 설명으로 옳지 않은 것은? (단, A~D는 임의의 원소 기호이다.)

① D_2에는 2중 결합이 있다.
② A와 D는 같은 주기 원소이다.
③ 비공유 전자쌍 수는 $B_2 > C_2D$이다.
④ AB는 액체 상태에서 전기 전도성이 있다.
⑤ A(*s*)는 외부에서 힘을 가하면 넓게 펴지는 성질이 있다.

10 그림 (가)는 분자 AB의 모형을, (나)는 기체 상태의 분자 AB를 전기장에 넣었을 때의 모습을 나타낸 것이다.

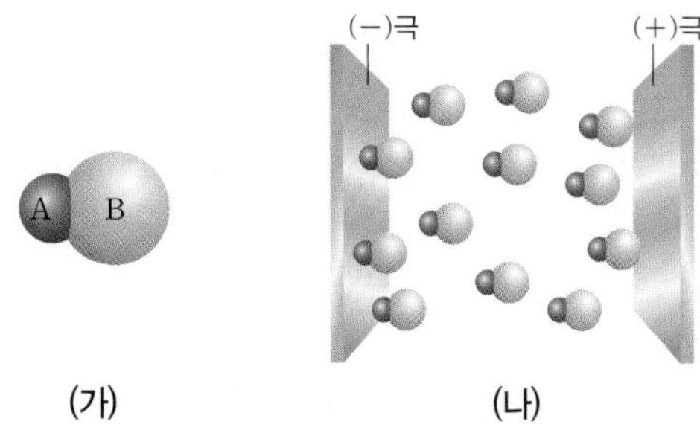

(가) (나)

이에 대한 설명으로 옳은 것만을 <보기>에서 있는 대로 고른 것은? (단, A, B는 임의의 원소 기호이다.)

보기
ㄱ. AB는 극성 분자이다.
ㄴ. 전기 음성도는 A<B이다.
ㄷ. AB에서 A는 부분적인 양전하(δ^+)를 띤다.

① ㄱ ② ㄴ ③ ㄱ, ㄷ
④ ㄴ, ㄷ ⑤ ㄱ, ㄴ, ㄷ

나트륨 원자와 염소 원자가 이온 결합을 할 때 어떤 일이 벌어질까?

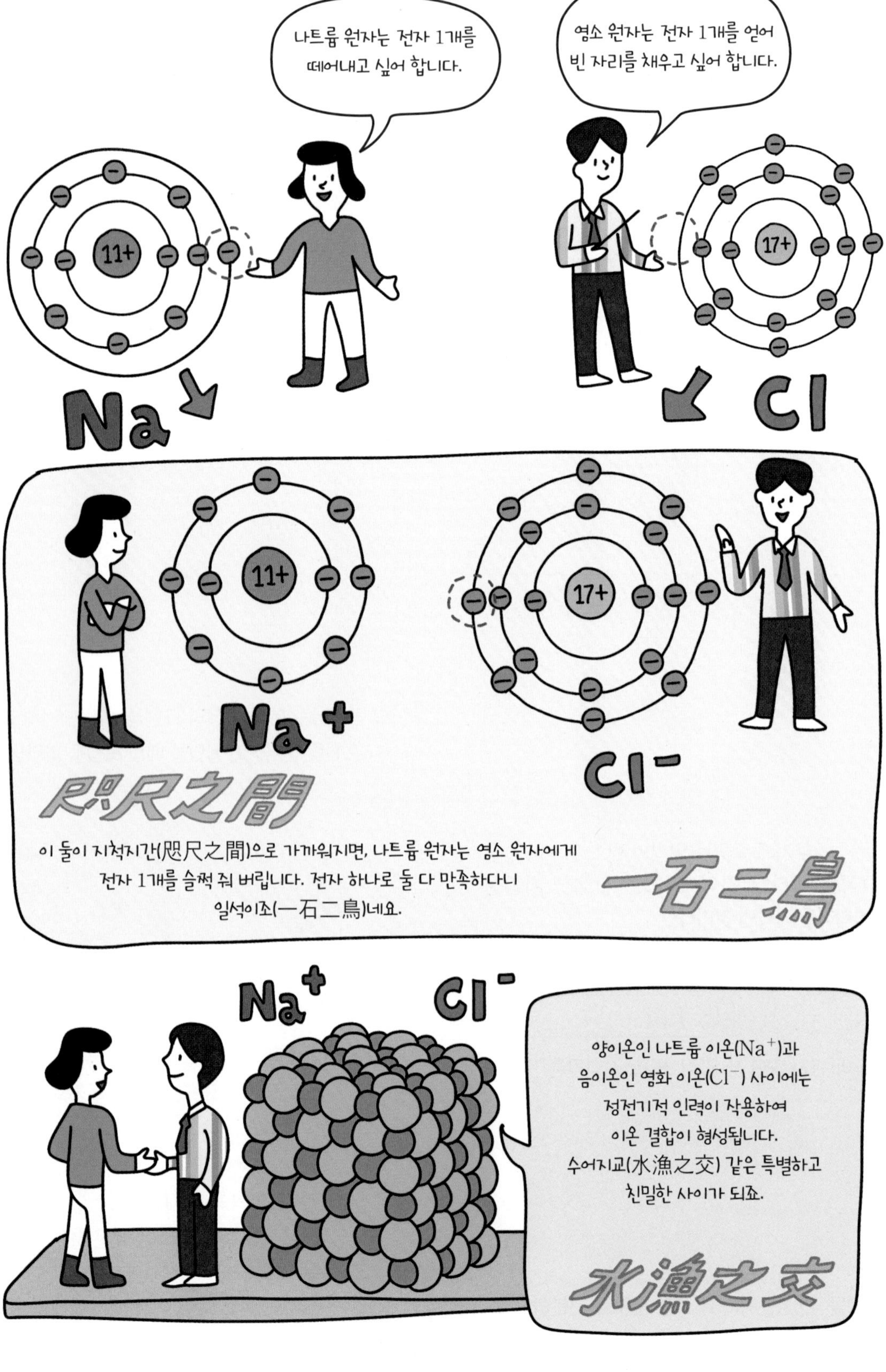

나트륨 원자는 전자 1개를 떼어내고 싶어 합니다.

염소 원자는 전자 1개를 얻어 빈 자리를 채우고 싶어 합니다.

11+

17+

Na

Cl

11+

17+

Na^+

Cl^-

咫尺之間

이 둘이 지척지간(咫尺之間)으로 가까워지면, 나트륨 원자는 염소 원자에게 전자 1개를 슬쩍 줘 버립니다. 전자 하나로 둘 다 만족하다니 일석이조(一石二鳥)네요.

一石二鳥

양이온인 나트륨 이온(Na^+)과 음이온인 염화 이온(Cl^-) 사이에는 정전기적 인력이 작용하여 이온 결합이 형성됩니다. 수어지교(水漁之交) 같은 특별하고 친밀한 사이가 되죠.

水漁之交

| 2020학년도 수능 2번 변형 |

다음은 염화 나트륨의 화학 결합 모형과 이에 대한 세 학생의 대화이다.

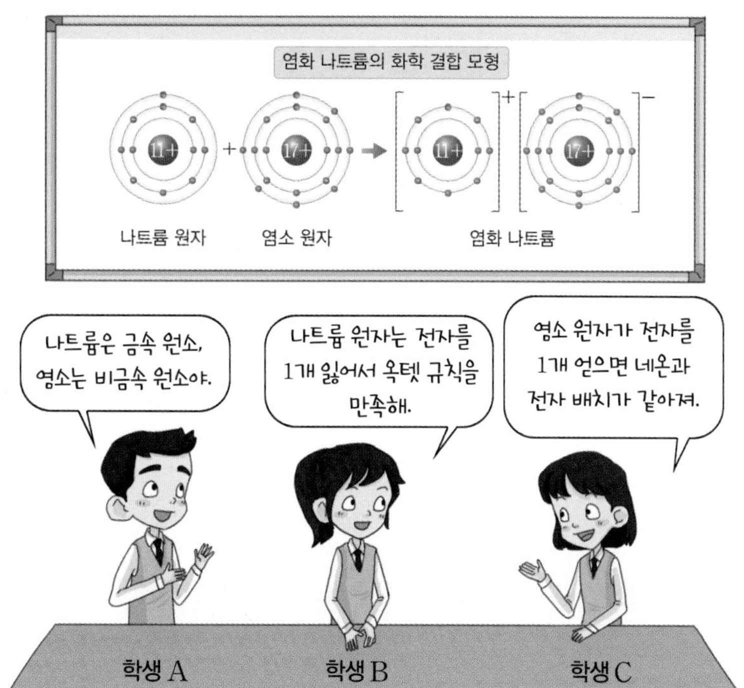

제시한 내용이 옳은 학생만을 있는 대로 고른 것은?

① A ② C ③ A, B ④ B, C ⑤ A, B, C

특강 이온 결합의 형성과 이온 결합 물질의 화학식

- 이온 결합의 형성

① **금속 원소**: 원자가 전자를 잃어 양이온을 형성하여 비활성 기체와 같은 전자 배치를 이룬다.

② **비금속 원소**: 원자가 전자를 얻어 음이온을 형성하여 비활성 기체와 같은 전자 배치를 이룬다.

③ 금속 원소의 원자에서 비금속 원소의 원자로 전자가 이동하여 양이온과 음이온이 형성된 후, 이들 이온 사이의 정전기적 인력에 의해 결합이 형성된다.

- 이온 결합 물질의 화학식

① 양이온을 앞에 쓰고, 음이온을 뒤에 쓴다.

② 양이온과 음이온의 전하량 총합이 0이 되도록 이온의 개수비를 맞춘다.

(양이온의 전하) × (양이온의 수) + (음이온의 전하) × (음이온의 수) = 0

예 Ca^{2+}과 Cl^{-}이 결합할 때 전하량 총합이 0이 되려면 $(+2)\times1+(-1)\times2=0$이므로 1 : 2의 개수비로 결합해야 한다. ➡ 화학식은 $CaCl_2$이다.

M^{a+}과 X^{b-}이 결합하여 생성되는 화합물의 화학식은 다음과 같이 나타낸다. 단, a와 b가 1인 경우 1은 생략한다.

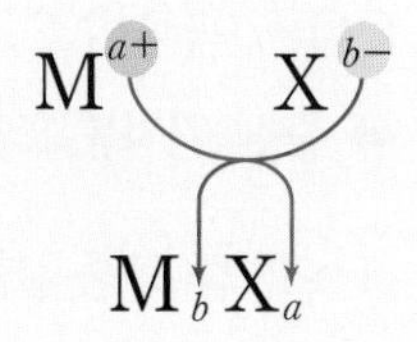

1 2020학년도 9월 모평 11번 변형

루이스 구조식

다음은 2주기 원소 X~Z로 구성된 3가지 분자 Ⅰ~Ⅲ의 루이스 구조식과 관련된 탐구 활동이다.

[탐구 과정]

(가) 중심 원자와 주변 원자들을 각각 하나의 선으로 연결한다. 하나의 선은 하나의 공유 전자쌍을 의미한다.

(나) 각 원자의 원자가 전자 수를 고려하여 모든 원자가 옥텟 규칙을 만족하도록 비공유 전자쌍과 다중 결합을 그린다.

[탐구 결과]

분자	Ⅰ	Ⅱ	Ⅲ
분자식	XY_2	XYZ_2	YZ_2
중심 원자의 비공유 전자쌍 수	0	a	2

이에 대한 설명으로 옳은 것만을 〈보기〉에서 있는 대로 고른 것은? (단, X~Z는 임의의 원소 기호이다.)

보기

ㄱ. Y는 산소(O)이다.

ㄴ. $a=0$이다.

ㄷ. Ⅰ~Ⅲ 중 다중 결합이 있는 것은 1가지이다.

① ㄱ ② ㄷ ③ ㄱ, ㄴ ④ ㄴ, ㄷ ⑤ ㄱ, ㄴ, ㄷ

ㄱ. Y는 산소(O)이다. (○)

분자 Ⅰ(XY_2)은 중심 원자 X에 2개의 원자 Y가 결합한 분자이며, 중심 원자의 비공유 전자쌍 수가 0이므로 직선형 구조이다. ➡ X는 비공유 전자쌍이 없으면서 옥텟 규칙을 만족하기 위해 2개의 Y와 각각 2중 결합으로 결합한다. ➡ XY_2는 CO_2이므로 X는 탄소(C), Y는 산소(O)이다.

ㄴ. $a=0$이다. (○)

분자 Ⅲ(YZ_2)은 중심 원자 Y(O)에 2개의 원자 Z가 결합한 분자이며, 중심 원자의 비공유 전자쌍 수가 2이므로 굽은 형 구조이다. ➡ Y(O)는 비공유 전자쌍이 2개이면서 옥텟 규칙을 만족하기 위해 2개의 Z와 각각 단일 결합으로 결합한다. ➡ YZ_2는 OF_2이므로 Z는 플루오린(F)이다.

분자 Ⅱ(XYZ_2)는 X는 탄소(C), Y는 산소(O), Z는 플루오린(F)이므로 COF_2이다. COF_2의 루이스 구조식은 오른쪽과 같다.

:Ö:
‖
:F̤−C−F̤:

➡ 중심 원자(C)의 비공유 전자쌍 수는 0이므로 $a=0$이다.

ㄷ. Ⅰ~Ⅲ 중 다중 결합이 있는 것은 1가지이다. (×)

분자 Ⅰ(CO_2)과 분자 Ⅱ(COF_2)에는 2중 결합이 있으므로 다중 결합이 있는 것은 2가지이다. 답 ③

2 화학 결합의 종류

다음은 물질 (가)~(다)에 대한 자료이다.

물질	녹는점(℃)	끓는점(℃)	전기 전도성	
			고체	액체
(가)	801	1465	없음	있음
(나)	−182	−164	없음	없음
(다)	97.8	882	있음	있음

이에 대한 설명으로 옳지 않은 것은?

① 25 ℃에서 고체로 존재하는 물질은 2가지이다.
② (가)는 힘을 가하면 쉽게 부스러진다.
③ (가)는 펴짐성과 뽑힘성이 있다.
④ (나)는 비금속 원자들이 전자쌍을 공유해서 형성된 물질이다.
⑤ (다)는 자유 전자가 존재한다.

» 자료 분석 Tip

녹는점과 끓는점을 이용하여 25 ℃에서 물질의 상태를 예측할 수 있다. 전기 전도성은 이온 결합 물질, 공유 결합 물질, 금속 결합 물질을 구분할 수 있는 자료이다.

» 문제 해결 Tip

전하를 띤 입자가 움직일 수 있어야 전류가 흐를 수 있다는 기본 원리로부터 이온 결합, 공유 결합, 금속 결합의 특성을 비교하여 기억해야 한다.

3 화학 결합과 물질의 성질

그림은 4가지 분자를 분류 기준 (가)~(다)로 분류한 것이다.

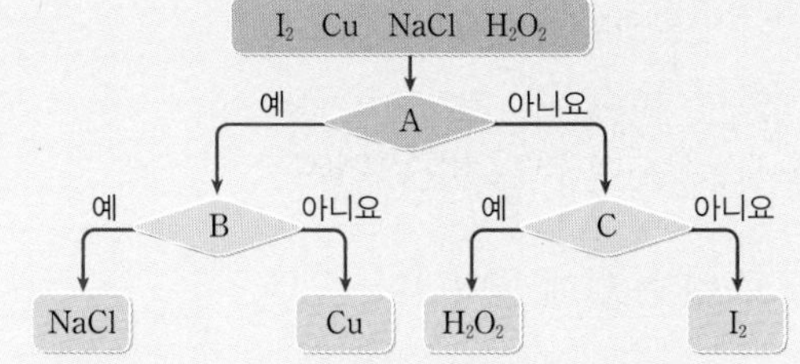

분류 기준
(가) 물에 잘 용해되는가? (나) 이온 결합 물질인가? (다) 액체 상태에서 전기 전도성이 있는가?

A~C에 들어갈 기준을 옳게 짝 지은 것은?

	A	B	C		A	B	C
①	(가)	(나)	(다)	②	(나)	(가)	(다)
③	(나)	(다)	(가)	④	(다)	(가)	(나)
⑤	(다)	(나)	(가)				

» 자료 분석 Tip

(가)는 물질의 극성을 묻는 질문이다.
(나)는 화합 결합의 종류를 묻는 질문이다.
(다)는 화학 결합의 종류에 따른 물질의 성질을 묻는 질문이다.

» 문제 해결 Tip

먼저 4가지 분자를 (가)~(다)에 따라 분류해 보고, A~C에 들어갈 기준을 찾는다. 주어진 물질들을 이온 결합 물질, 공유 결합 물질, 금속 결합 물질로 구분할 수 있어야 하며, 화학 결합의 종류에 따른 물질의 성질을 암기해야 한다.

4 2014학년도 수능 7번 변형

분자의 구조

표는 화합물 NH_3, CO_2, BF_3, CH_3Cl, O_2를 분류하기 위한 기준을 나타낸 것이고, 그림은 이 기준에 따라 주어진 화합물을 분류한 벤다이어그램이다.

분류 기준
(가) 중심 원자의 공유 전자쌍 수는 3이다.
(나) 입체 구조이다.
(다) 다중 결합이 존재한다.

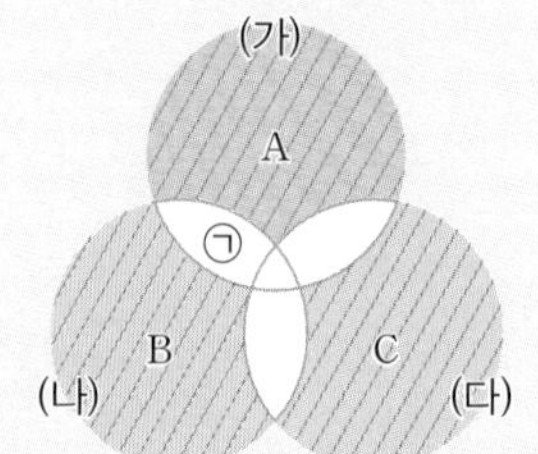

이에 대한 설명으로 옳은 것만을 〈보기〉에서 있는 대로 고른 것은?

보기
ㄱ. O_2는 C에 들어간다.
ㄴ. ㉠에 들어갈 화합물은 1가지이다.
ㄷ. 빗금 친 부분 A, B, C에 들어갈 화합물의 수를 더하면 3이다.

① ㄱ ② ㄷ ③ ㄱ, ㄴ ④ ㄴ, ㄷ ⑤ ㄱ, ㄴ, ㄷ

(가) 중심 원자의 공유 전자쌍 수는 3이다.

➡ NH_3, BF_3: 3 / CO_2, CH_3Cl: 4, O_2: 2

(나) 입체 구조이다.

➡ NH_3는 삼각뿔형, CH_3Cl는 사면체형으로 입체 구조이다. / CO_2, O_2는 직선형, BF_3는 평면 삼각형으로 평면 구조이다.

(다) 다중 결합이 존재한다.

➡ CO_2(O=C=O), O_2(O=O)

ㄱ. O_2는 C에 들어간다. (○)

(다)는 CO_2, O_2이며, 이는 (가)와 (나)에는 해당하지 않으므로 O_2는 C에 들어간다.

ㄴ. ㉠에 들어갈 화합물은 1가지이다. (○)

(가)는 NH_3, BF_3, (나)는 NH_3, CH_3Cl이며, ㉠은 (가)와 (나)에 모두 포함되는 것이므로 ㉠에 들어갈 화합물은 NH_3 1가지이다.

ㄷ. 빗금 친 부분 A, B, C에 들어갈 화합물의 수를 더하면 3이다. (×)

A에 들어갈 화합물은 BF_3, B에 들어갈 화합물은 CH_3Cl, C에 들어갈 화합물은 CO_2, O_2이므로 각 화합물의 수를 더하면 4이다.

답 ③

5 분자의 극성

다음은 물질의 극성과 용해도의 관계를 알아보기 위하여 학생 A가 작성한 탐구 보고서의 일부이다.

[가설]

㉠

[실험 과정]

(가) 시험관 Ⅰ~Ⅳ를 준비하여 Ⅰ과 Ⅱ에는 물 20 mL씩, Ⅲ과 Ⅳ에는 노말헥세인 20 mL씩을 넣는다.

(나) 시험관 Ⅰ과 Ⅲ에는 $CuCl_2$ 1 g씩, Ⅱ와 Ⅳ에는 I_2 1 g씩을 넣고 잘 흔든 후, 용해된 정도를 관찰한다.

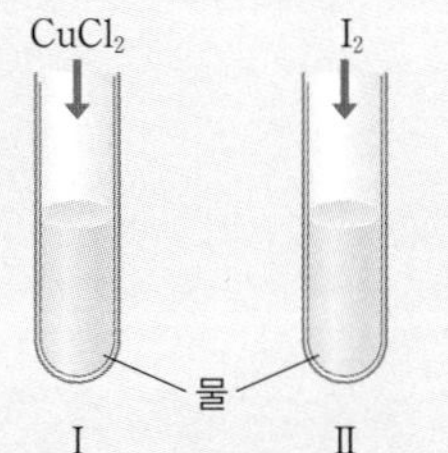

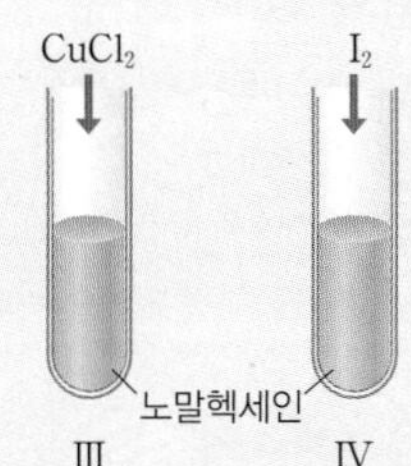

[실험 결과]

시험관	Ⅰ	Ⅱ	Ⅲ	Ⅳ
결과	$CuCl_2$가 잘 녹음	I_2이 잘 녹지 않음	$CuCl_2$가 잘 녹지 않음	I_2이 잘 녹음

[결론]

가설이 옳다.

이에 대한 설명으로 옳은 것만을 〈보기〉에서 있는 대로 고른 것은?

보기

ㄱ. '극성 물질은 극성 용매에 잘 용해된다.'는 ㉠으로 적절하다.

ㄴ. I_2은 쌍극자 모멘트가 0이다.

ㄷ. 물과 노말헥세인은 잘 섞인다.

① ㄱ　② ㄱ, ㄴ　③ ㄱ, ㄷ　④ ㄴ, ㄷ　⑤ ㄱ, ㄴ, ㄷ

자료 분석 Tip

용해도와 관련된 실험이므로 실험에 사용된 물질들이 극성인지 무극성인지를 먼저 판단해야 한다.

문제 해결 Tip

물은 극성 용매이고, 노말헥세인은 무극성 용매이다. 극성 용매에는 극성 물질이 잘 용해되고, 무극성 용매에는 무극성 물질이 잘 용해된다.

이번 주에는 무엇을 공부할까? ①

Ⅳ. 역동적인 화학 반응

배울 내용

Week 4

이번 주에는 무엇을 공부할까? ❷

중학 기초 개념

1 화학 변화

어떤 물질이 본래의 성질과는 전혀 다른 새로운 물질로 변하는 현상이다.

Quiz 철이 녹슬거나 양초가 연소하는 것처럼 물질이 가진 본래의 ❶ ______ 이 달라져 새로운 물질로 변하는 현상을 화학 변화라고 한다.

2 산

수용액에서 수소 이온(H^+)을 내놓는 물질을 산이라고 하며, 산의 공통적인 성질을 산성이라고 한다.

Quiz 식초, 요구르트, 신맛이 나는 과일 등에는 산이 포함되어 있기 때문에 푸른색 리트머스 종이를 ❷ ______ 으로 변화시키는 성질이 있다.

3 염기

수용액에서 수산화 이온(OH^-)을 내놓는 물질을 염기라고 하며, 염기의 공통적인 성질을 염기성이라고 한다.

Quiz 비누, 하수구 세정제, 유리 세정제 등에는 염기가 포함되어 있기 때문에 붉은색 리트머스 종이를 ❸ ______ 으로 변화시키는 성질이 있다.

4 지시약

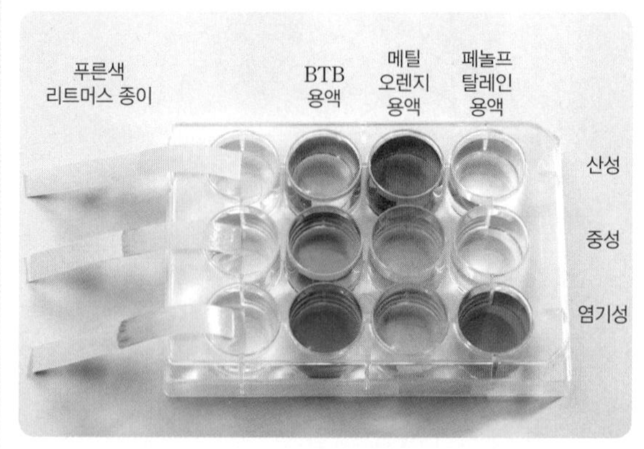

용액의 액성을 구별하기 위해 사용하는 물질로, 종류에 따라 산성, 중성, 염기성에서 나타내는 색깔이 다르다.

Quiz 페놀프탈레인 용액은 산성에서 무색, 염기성에서 ❹ ______ 을 나타내고, BTB 용액은 산성에서 ❺ ______, 염기성에서 ❻ ______ 을 나타낸다.

답 ❶ 성질 ❷ 붉은색 ❸ 푸른색 ❹ 붉은색 ❺ 노란색 ❻ 파란색

5 중화 반응

산과 염기가 만나서 물을 생성하는 반응으로, 중화 반응이 일어날 때 열이 발생한다.

Quiz 생선구이에 ❶ [　　] 인 레몬즙을 뿌리면 비린내의 원인인 염기성 물질이 중화된다. 또, 속이 쓰릴 때 ❷ [　　] 물질이 들어 있는 제산제를 먹으면 위산이 중화된다.

6 산화, 환원

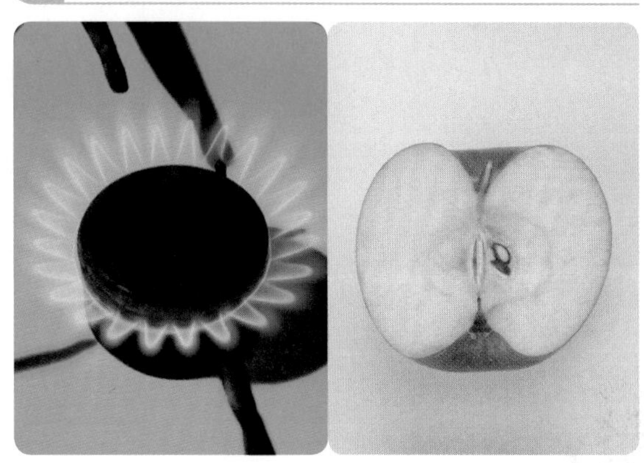

어떤 물질이 산소를 얻는 반응을 산화, 반대로 산소를 잃는 반응을 환원이라고 한다.

Quiz 도시가스가 연소하거나 껍질을 깎아 놓은 과일의 색이 갈색으로 변하는 현상은 물질이 공기 중의 ❸ [　　] 와 결합하는 산화 반응이다.

7 열에너지를 흡수하는 상태 변화

융해, 기화, 고체에서 기체로의 승화가 일어날 때는 주위에서 열에너지를 흡수하므로, 주위의 온도가 낮아진다.

Quiz 수영을 한 후 물 밖으로 나오면 추위를 느끼게 되는데, 이것은 몸에 묻은 물이 ❹ [　　] 하면서 주변에서 열에너지를 ❺ [　　] 하기 때문이다.

8 열에너지를 방출하는 상태 변화

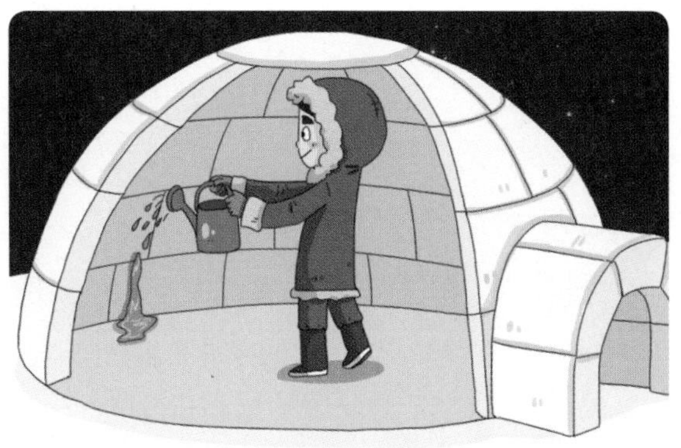

응고, 액화, 기체에서 고체로의 승화가 일어날 때는 주위로 열에너지를 방출하므로, 주위의 온도가 높아진다.

Quiz 얼음집 안쪽에 물을 뿌리면 얼음집 내부의 온도가 높아지는데, 이것은 물이 ❻ [　　] 하면서 주위로 열에너지를 ❼ [　　] 하기 때문이다.

답 ❶ 산성 ❷ 염기성 ❸ 산소 ❹ 기화 ❺ 흡수 ❻ 응고 ❼ 방출

4주

1 일

동적 평형과 pH

물
물의 표면에서 끊임없이 증발과 응축이 일어나지만, 동적 평형 상태이므로 물의 양이 변하지 않아.

핵심 개념

1 가역 반응

- 가역 반응과 비가역 반응

구분	내용
가역 반응	반응 조건에 따라 정반응과 역반응이 모두 일어날 수 있는 반응 예 물의 증발과 응축, 황산 구리(Ⅱ) 오수화물의 분해와 생성 등
비가역 반응	정반응만 일어나거나 역반응이 거의 일어나지 않는 반응 예 연소 반응, 기체 발생 반응, 산 염기 중화 반응, 앙금 생성 반응 등

- **정반응과 역반응**: 화학 반응식에서 ❶ ______ 쪽으로 진행되는 반응을 정반응, ❷ ______ 쪽으로 진행되는 반응을 역반응이라고 한다.

2 동적 평형

- **동적 평형**: 가역 반응에서 정반응 속도와 역반응 속도가 같아서 겉보기에는 변화가 일어나지 않는 것처럼 보이는 상태 ➡ 동적 평형에서는 반응물과 생성물의 농도가 일정하게 유지된다.
- **상평형**: 물질의 세 가지 상태 중 두 가지 이상의 상태가 동적 평형을 유지하는 것
  예 물의 증발과 응축: $H_2O(l) \rightleftarrows H_2O(g)$
- **용해 평형**: 용질의 용해 속도와 ❸ ______ 속도가 같아서 겉보기에는 변화가 일어나지 않는 것처럼 보이는 상태
- **화학 평형**: 화학 반응에서 정반응 속도와 역반응 속도가 같아서 반응물과 생성물의 농도가 일정하게 유지되는 상태

답 ❶ 오른 ❷ 왼 ❸ 석출

개념 확인

정답과 해설 24쪽

1-1

다음 ㉠~㉢에 들어갈 알맞은 말을 쓰시오.

> 화학 반응식에서 오른쪽으로 진행되는 반응을 [㉠], 왼쪽으로 진행되는 반응을 [㉡]이라고 한다.
> [㉠]과 [㉡]이 모두 일어날 수 있는 반응을 [㉢]이라고 하며, 화학 반응식에서 $\rightleftarrows$ 로 나타낸다.

1-2

다음 (가)~(마)를 가역 반응과 비가역 반응으로 구분하여 쓰시오.

> (가) 물의 증발과 응축
> (나) 메테인의 연소 반응
> (다) 마그네슘과 염산의 기체 발생 반응
> (라) 황산 구리(Ⅱ) 오수화물의 분해와 생성 반응
> (마) 염산과 수산화 나트륨 수용액의 중화 반응

(1) 가역 반응: ____________________

(2) 비가역 반응: ____________________

2-1

그림은 일정한 온도에서 밀폐된 용기에 일정량의 물을 넣었을 때 시간에 따라 물 표면에서 일어나는 변화를 모형으로 나타낸 것이다.

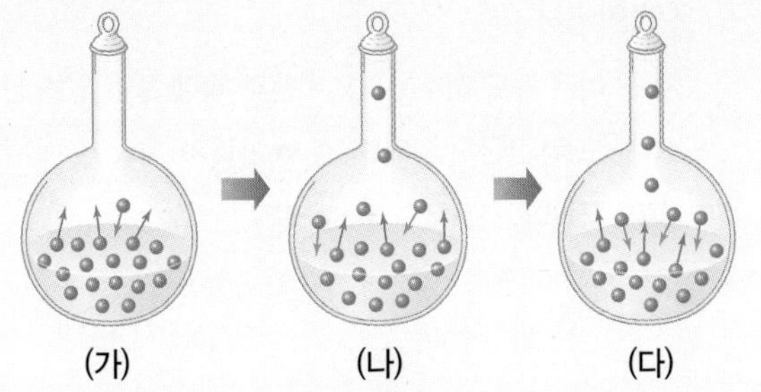

(1) (가)에서 물의 증발 속도와 수증기의 응축 속도를 비교하시오.

(2) (가)~(다)에서 물의 증발 속도를 비교하시오.

(3) (가)~(다) 중 동적 평형에 도달한 것을 쓰시오.

2-2

일정한 온도에서 설탕을 물에 녹여 동적 평형에 도달했을 때, 그 값이 일정한 것을 〈보기〉에서 있는 대로 고르시오.

> 보기
> ㄱ. 설탕물의 농도
> ㄴ. 설탕의 용해 속도
> ㄷ. 설탕의 석출 속도
> ㄹ. 석출되는 설탕 분자 수

Hint 동적 평형에서는 설탕의 용해 속도와 석출 속도가 같다.

일

1 동적 평형과 pH

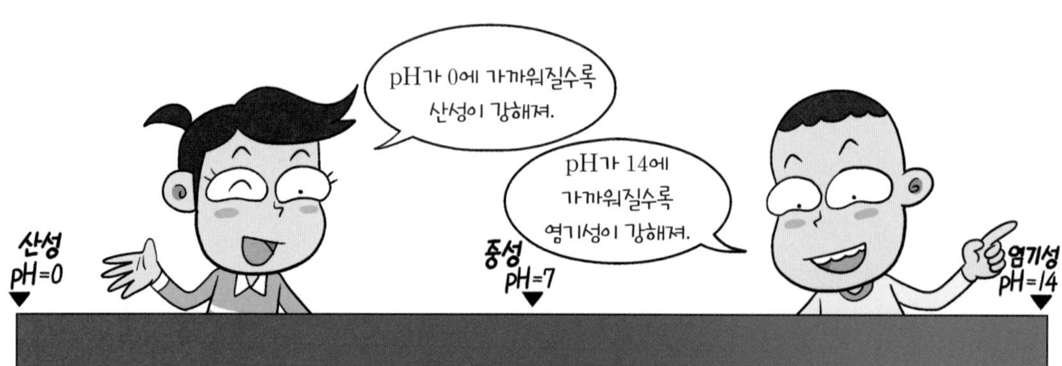

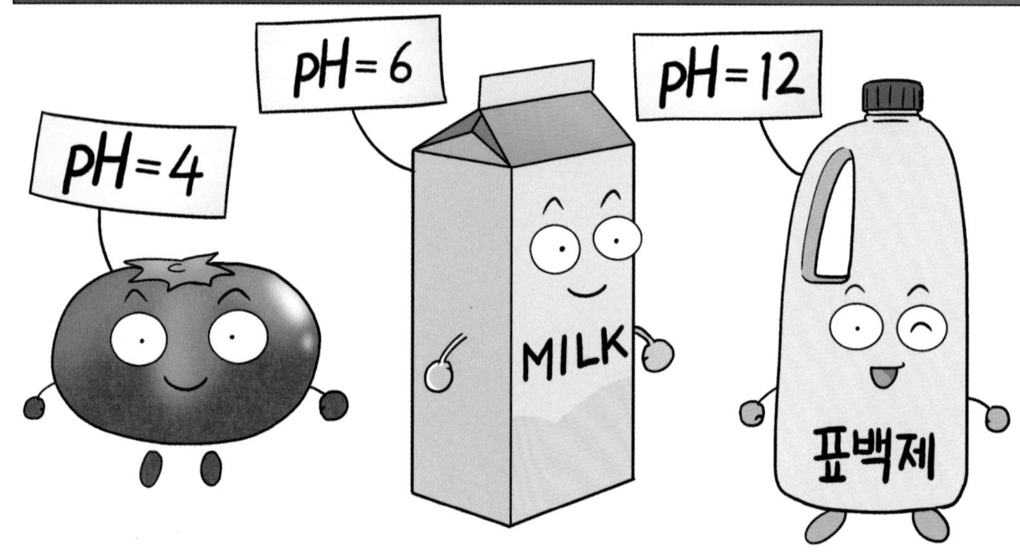

핵심 개념

3 물의 자동 이온화

- **물의 자동 이온화**: 순수한 물에서 매우 적은 양의 물 분자끼리 수소 이온(H^+)을 주고받아 ❶ ___ 과 수산화 이온(OH^-)으로 이온화하는 현상

$$H_2O(l)+H_2O(l) \rightleftharpoons H_3O^+(aq)+OH^-(aq)$$

- **물의 이온화 상수(K_w)**: 물의 자동 이온화 과정에서 생성된 H_3O^+의 농도와 OH^-의 농도를 곱한 값
  - ❷ ___ 가 일정하면 순수한 물뿐만 아니라 수용액에서도 일정한 값을 가진다.
  - 순수한 물에서 H_3O^+의 농도와 OH^-의 농도는 같다.
    ➡ 25 ℃의 순수한 물에서
    $K_w=[H_3O^+][OH^-]=1.0\times10^{-14}$이므로
    $[H_3O^+]=[OH^-]=1.0\times10^{-7}$ M이다.

4 용액의 pH

- **수소 이온 농도 지수(pH)**: 수용액 속에 들어 있는 H_3O^+의 농도를 간단히 나타낸 것 ➡ pH가 ❸ ___ 수록 산성이 강하다.

$$pH=\log\frac{1}{[H_3O^+]}=-\log[H_3O^+]$$

- **수용액의 액성과 pH, pOH의 관계**(25 ℃)

산성	$[H_3O^+]>1.0\times10^{-7}$ M $>[OH^-]$ ➡ pH$<$7, pOH$>$7
중성	$[H_3O^+]=1.0\times10^{-7}$ M $=[OH^-]$ ➡ pH$=$7, pOH$=$7
염기성	$[H_3O^+]<1.0\times10^{-7}$ M $<[OH^-]$ ➡ pH$>$7, pOH$<$7

답 ❶ 하이드로늄 이온(H_3O^+) ❷ 온도 ❸ 작을

개념 확인

정답과 해설 24쪽

3-1

다음은 물의 자동 이온화에 대한 학생 A~C의 대화이다.

물의 자동 이온화는 가역 반응이야.
순수한 물에서 H_3O^+의 농도와 OH^-의 농도는 같아.
물의 이온화 상수는 온도에 관계없이 항상 일정한 값을 가져.
학생 A
학생 B
학생 C

제시한 내용이 옳은 학생만을 있는 대로 고르시오.

3-2

표는 온도에 따른 순수한 물의 이온화 상수(K_w)를 나타낸 것이다.

온도(℃)	물의 이온화 상수(K_w)
0	1.1×10^{-15}
10	2.9×10^{-15}
25	1.0×10^{-14}

(1) 25 ℃에서 순수한 물의 $[H_3O^+]$와 $[OH^-]$를 각각 쓰시오.

(2) 온도와 물의 이온화 상수 사이의 관계를 서술하시오.

4-1

다음은 25 ℃에서 수용액의 pH에 대한 설명이다. 빈칸에 들어갈 알맞은 말이나 수를 쓰시오.

(1) 수용액의 $[H_3O^+]$가 클수록 pH는 (   )진다.

(2) 수용액의 pH+pOH= (   )이다.

(3) pH<pOH일 때 수용액의 액성은 (   )이다.

(4) 수용액의 $[H_3O^+]<1.0\times10^{-7}$ M일 때 수용액의 액성은 (   )이다.

(5) 0.1 M HCl(aq)의 pH는 (   ), pOH는 (   )이다.

4-2

그림은 25 ℃에서 4가지 물질의 pH를 나타낸 것이다. (단, 25 ℃에서 $K_w=1.0\times10^{-14}$이다.)

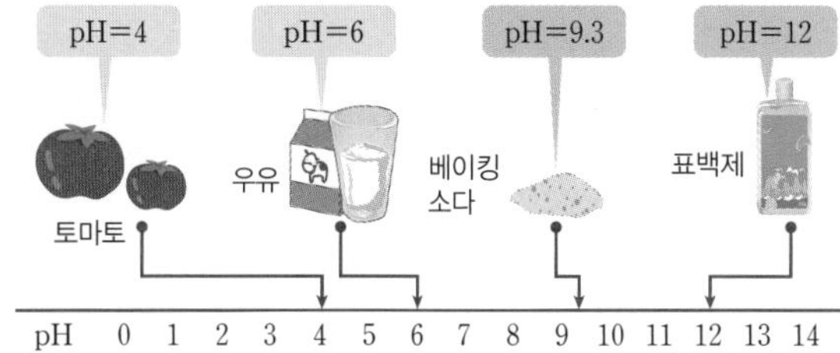

(1) 토마토의 $[H_3O^+]$는 우유의 $[H_3O^+]$의 몇 배인지 쓰시오.

Hint pH가 1만큼 작아지면 수용액의 $[H_3O^+]$는 10배 커진다.

(2) 베이킹 소다의 pOH를 구하시오.

Hint pH+pOH=14이다.

(3) 표백제의 $[OH^-]$를 구하시오.

1일 기초 유형 연습 | 동적 평형과 pH

대표 기출 유형

그림은 25 ℃에서 일정량의 물에 용질을 계속 넣었을 때, 충분한 시간이 지난 후 더 이상 용질이 녹지 않는 순간까지의 변화를 모형으로 나타낸 것이다.

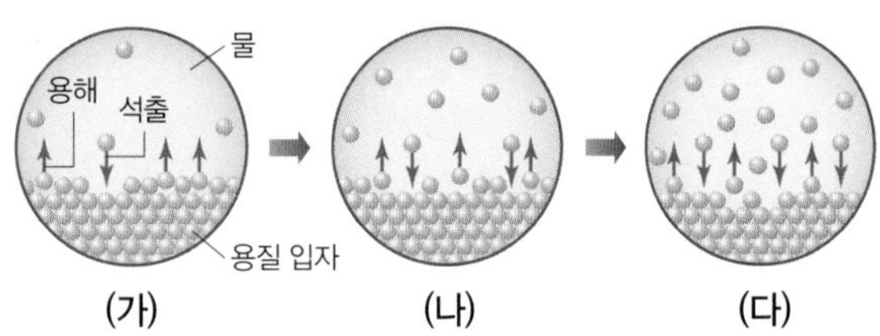

이에 대한 설명으로 옳은 것만을 〈보기〉에서 있는 대로 고른 것은?

보기
ㄱ. (가)에서 용해 속도는 석출 속도보다 느리다.
ㄴ. 물에 용해된 용질의 양은 (나)<(다)이다.
ㄷ. (다)에서 용액의 농도는 일정하게 유지된다.

① ㄱ ② ㄴ ③ ㄷ
④ ㄱ, ㄴ ⑤ ㄴ, ㄷ

개념 point

용해 평형 : 용질의 용해 속도와 석출 속도가 같아서 겉보기에는 변화가 일어나지 않는 것처럼 보이는 상태

|보기| 풀이

일정한 온도에서 일정량의 물에 용질을 계속 넣으면 처음에는 용질의 용해 속도가 석출 속도보다 빠르지만, 점점 석출 속도가 빨라져 용해 속도와 석출 속도가 같은 동적 평형에 도달한다.

ㄱ (가)에서는 용해 속도가 석출 속도보다 빠르다.
ㄴ 물에 용해된 용질의 양은 동적 평형에 도달했을 때 가장 많고, 이후로는 일정하다.
ㄷ (다)에서는 용해 속도와 석출 속도가 같으므로 용액의 농도는 일정하게 유지된다.

함정 탈출

용해 평형에 도달하면 겉보기에는 변화가 일어나지 않는 것처럼 보이지만, 용해와 석출은 계속 일어나고 있다.

답 ⑤

1 그림 (가)와 같이 밀폐 용기에 액체 브로민(Br_2)을 넣었더니 적갈색의 기체 브로민이 생성되었다. (나)는 충분한 시간이 흐른 후 동적 평형에 도달한 상태를 나타낸 것이다.

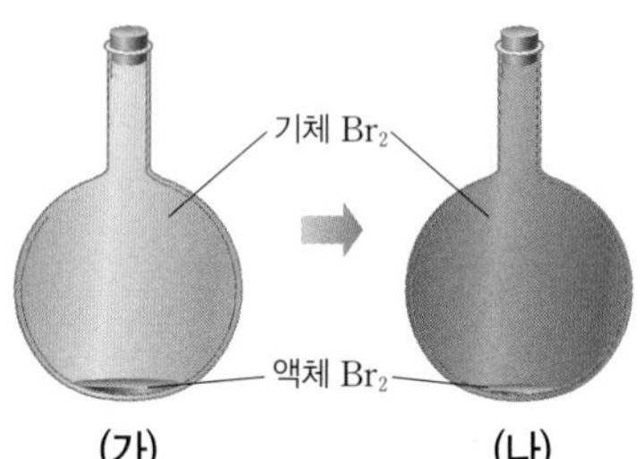

이에 대한 설명으로 옳은 것만을 〈보기〉에서 있는 대로 고른 것은? (단, 온도는 일정하다.)

보기
ㄱ. (가)에서 Br_2의 증발 속도는 응축 속도보다 빠르다.
ㄴ. (나)에서 Br_2의 증발 속도와 응축 속도는 같다.
ㄷ. $Br_2(g)$ 분자의 수는 (가)>(나)이다.

① ㄱ ② ㄷ ③ ㄱ, ㄴ
④ ㄴ, ㄷ ⑤ ㄱ, ㄴ, ㄷ

2 그림은 일정한 온도에서 밀폐 용기에 액체 A를 넣었을 때 시간에 따른 증발 속도와 응축 속도를 나타낸 것이다.

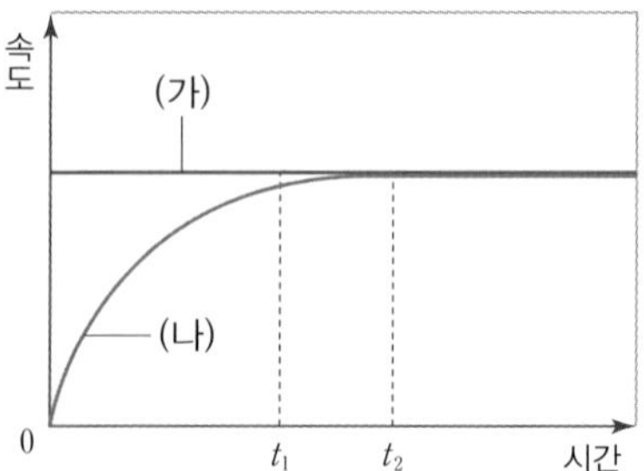

이에 대한 설명으로 옳지 않은 것은?

① (가)는 증발 속도이다.
② t_2 전까지 액체 A의 양은 줄어든다.
③ t_2 이후에도 증발은 계속 일어난다.
④ 용기 속 액체 A 분자의 수는 $t_1 < t_2$이다.
⑤ t_2 이후 기체 A의 양은 일정하게 유지된다.

정답과 해설 24쪽

3 다음은 물의 자동 이온화 반응과 물의 이온화 상수(K_w)를 나타낸 것이다.

$$H_2O(l)+H_2O(l) \rightleftarrows H_3O^+(aq)+OH^-(aq)$$

온도(℃)	0	10	25
K_w	1.1×10^{-15}	2.9×10^{-15}	1.0×10^{-14}

이에 대한 설명으로 옳은 것만을 <보기>에서 있는 대로 고른 것은?

보기
ㄱ. 25 ℃에서 순수한 물의 pOH는 7이다.
ㄴ. 물의 자동화 이온화 반응은 가역 반응이다.
ㄷ. 온도가 높아지면 순수한 물의 pH는 커진다.

① ㄱ ② ㄷ ③ ㄱ, ㄴ
④ ㄴ, ㄷ ⑤ ㄱ, ㄴ, ㄷ

4 다음은 25 ℃에서 (가)~(다)에 대한 자료이다.

(가) 순수한 물
(나) 0.01 M 염산($HCl(aq)$)
(다) 물 100 mL에 $NaOH(s)$ 0.01 mol을 녹여 만든 수산화 나트륨($NaOH$) 수용액

(가)~(다)의 pH를 옳게 비교한 것은? (단, 25 ℃에서 $K_w=1.0\times10^{-14}$이며, $NaOH(s)$은 수용액에서 완전히 이온화한다.)

① (가)>(나)>(다) ② (가)>(다)>(나)
③ (나)>(가)>(다) ④ (다)>(가)>(나)
⑤ (다)>(나)>(가)

5 표는 25 ℃에서 수용액 (가)~(다)의 pOH를 나타낸 것이다. (단, 25 ℃에서 $K_w=1.0\times10^{-14}$이다.)

수용액	(가)	(나)	(다)
pOH	4	6	10

(1) (가)의 $[OH^-]$를 구하시오.

(2) (나)의 $[H_3O^+]$와 $[OH^-]$를 비교하시오.

(3) (가)~(다) 중 산성 용액을 쓰시오.

6 그림은 25 ℃에서 2가지 산 수용액에 들어 있는 이온을 모형으로 나타낸 것이다. HA와 HB는 수용액에서 완전히 이온화한다.

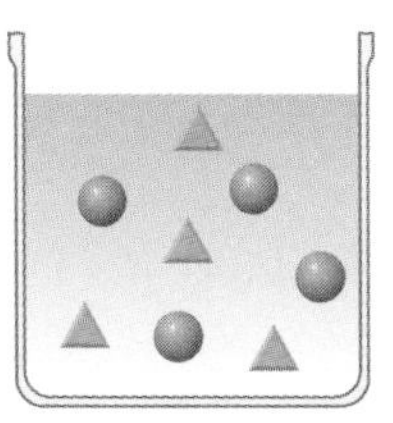
HA(*aq*)

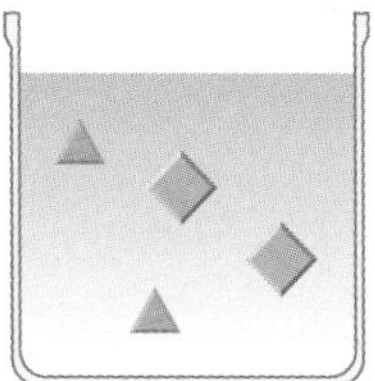
HB(*aq*)

이에 대한 설명으로 옳은 것만을 <보기>에서 있는 대로 고른 것은? (단, 1개의 이온은 0.1몰에 해당하고, 수용액의 부피는 각각 2 L이다.)

보기
ㄱ. ◆는 B^-이다.
ㄴ. $HB(aq)$의 pH는 1이다.
ㄷ. pOH는 $HA(aq)<HB(aq)$이다.

① ㄱ ② ㄷ ③ ㄱ, ㄴ
④ ㄴ, ㄷ ⑤ ㄱ, ㄴ, ㄷ

2일 산 염기와 중화 반응

핵심 개념

1 산과 염기의 성질

산성 (산의 공통적인 성질)	염기성 (염기의 공통적인 성질)
• 신맛이 난다. • 수용액은 전류가 흐른다. • 금속과 반응하여 ❶ [ ] 기체를 발생시킨다. • 탄산 칼슘과 반응하여 이산화 탄소 기체를 발생시킨다. • 푸른색 리트머스 종이를 붉게 변화시킨다.	• 쓴맛이 난다. • 수용액은 전류가 흐른다. • 단백질을 녹이는 성질이 있다. • 붉은색 리트머스 종이를 푸르게 변화시킨다. • 페놀프탈레인 용액을 붉게 변화시킨다.

2 산과 염기의 정의

- **아레니우스 산 염기**
  - **산**: 수용액에서 수소 이온(H^+)을 내놓는 물질
  - **염기**: 수용액에서 ❷ [ ] 을 내놓는 물질
- **브뢴스테드·로리 산 염기**
  - **산**: 다른 물질에게 H^+을 내놓는 물질
  - **염기**: 다른 물질로부터 H^+을 받는 물질
  - **짝산과 짝염기**: ❸ [ ] 의 이동으로 산과 염기가 되는 한 쌍의 물질
- **양쪽성 물질**: 산으로도 작용할 수 있고, 염기로도 작용할 수 있는 물질

답 ❶ 수소(H_2) ❷ 수산화 이온(OH^-) ❸ 수소 이온(H^+)

개념 확인

정답과 해설 25쪽

1-1

산과 염기에 대한 설명으로 옳은 것은 ○, 옳지 않은 것은 ×표 하시오.

(1) 산 수용액과 염기 수용액은 모두 전류가 흐른다. (　　)

(2) 산 수용액은 붉은색 리트머스 종이를 푸르게 변화시킨다. (　　)

(3) 산 수용액은 금속과 반응하여 이산화 탄소 기체를 발생시킨다. (　　)

(4) 염기 수용액에 페놀프탈레인 용액을 떨어뜨리면 붉은색으로 변한다. (　　)

1-2

표는 A~C 수용액을 이용한 실험 결과를 나타낸 것이다.

수용액	A	B	C
페놀프탈레인 용액을 떨어뜨렸을 때의 색 변화	무색	붉은색	무색
마그네슘 조각과의 반응	기체 발생	변화 없음	변화 없음

(1) A~C 중 산성을 띠는 물질을 쓰시오.

(2) A~C 중 단백질을 녹이는 성질이 있는 물질을 쓰시오.

Hint 단백질을 녹이는 성질이 있는 물질은 염기성을 띤다.

2-1

다음은 산과 염기에 대한 설명이다. 빈칸에 들어갈 알맞은 말을 쓰시오.

(1) 염화 수소(HCl)는 물에 녹아 [　　] 을 내놓으므로 아레니우스 [　　] 이다.

(2) 수산화 칼륨(KOH)은 물에 녹아 [　　] 을 내놓으므로 아레니우스 [　　] 이다.

(3) 브뢴스테드·로리 산 염기 정의에 의하면 H^+을 내놓는 물질은 [　　], H^+을 받는 물질은 [　　] 이다.

(4) 조건에 따라 산이나 염기로 모두 작용할 수 있는 물질을 [　　] 이라고 한다.

2-2

다음은 산 염기 반응의 화학 반응식을 나타낸 것이다. 빈칸에 브뢴스테드·로리 산 또는 염기를 옳게 쓰시오.

(1) $\underline{HF(g)} + \underline{H_2O(l)} \longrightarrow H_3O^+(aq) + F^-(aq)$

[　　] [　　]

(2) $\underline{H_2O(l)} + \underline{NH_3(g)} \longrightarrow NH_4^+(aq) + OH^-(aq)$

[　　] [　　]

(3) $\underline{HCl(g)} + \underline{NH_3(g)} \longrightarrow NH_4^+(aq) + Cl^-(aq)$

[　　] [　　]

Hint H^+을 내놓으면 산, H^+을 받으면 염기이다.

4주
2일

2일 산 염기와 중화 반응

식초에 아세트산이 얼마나 들어 있는지 알고 싶다면,

식초

식초에 페놀프탈레인 용액을 몇 방울 넣고 염기를 넣어 봐!

OH^- OH^-

중화점에 도달하면 색이 변하니까 넣어 준 염기의 부피를 이용하면 식초에 들어 있는 아세트산의 양을 알 수 있어.

핵심 개념

3 산 염기 중화 반응

- **중화 반응**: 산과 염기가 반응하여 물과 ❶ (   )을 생성하는 반응
- **중화 반응의 알짜 이온 반응식**: 산의 H^+과 염기의 OH^-이 1 : 1의 몰비로 반응하여 ❷ (   )을 생성한다.

$$H^+(aq)+OH^-(aq) \longrightarrow H_2O(l)$$

- **중화 반응의 양적 관계**: 산과 염기가 완전히 중화하려면 산이 내놓은 H^+의 양(mol)과 염기가 내놓은 OH^-의 양(mol)이 같아야 한다.

$$n_1M_1V_1=n_2M_2V_2$$
(n: 가수, M: 몰 농도, V: 부피)

4 중화 적정

- **중화 적정**: 중화 반응의 양적 관계를 이용하여 농도를 모르는 산 또는 염기의 농도를 알아내는 방법
  - ❸ (   ): 중화 적정에서 농도를 알고 있는 산 수용액이나 염기 수용액
  - **중화점**: 산이 내놓은 H^+의 양(mol)과 염기가 내놓은 OH^-의 양(mol)이 같아져 산과 염기가 완전히 중화되는 지점

➡ 중화점을 찾아내는 데 일반적으로 지시약을 사용하며, 지시약의 종류에 따라 색이 변하는 pH 범위가 다르다.

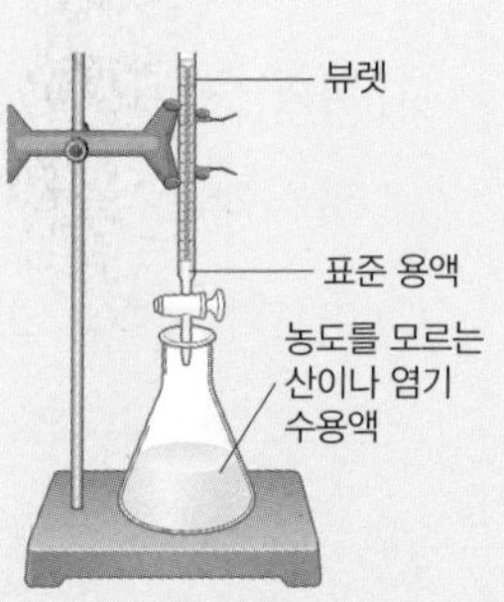

▲ 중화 적정

답 ❶ 염 ❷ 물(H_2O) ❸ 표준 용액

개념 확인

정답과 해설 25쪽

3-1

그림은 염산(HCl)과 수산화 나트륨(NaOH) 수용액의 반응을 입자 모형으로 나타낸 것이다.

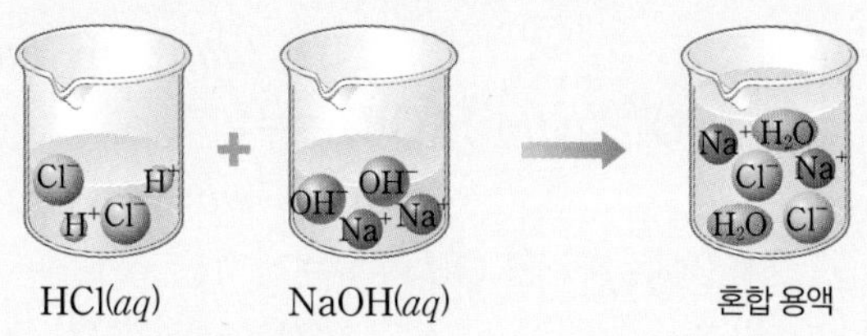

이에 대한 설명으로 옳은 것은 ○, 옳지 않은 것은 ×표 하시오.

(1) H^+과 OH^-은 1 : 1의 몰비로 반응한다. (　　　)

(2) 혼합 용액의 액성은 중성이다. (　　　)

(3) Cl^-과 Na^+은 알짜 이온이다. (　　　)

(4) NaOH 수용액 대신 KOH 수용액을 사용해도 알짜 이온 반응식은 같다. (　　　)

3-2

0.1 M 염산(HCl) 200 mL를 완전히 중화하는 데 필요한 0.2 M 수산화 나트륨(NaOH) 수용액의 최소 부피(mL)를 구하시오.

Hint 완전히 중화하려면 산이 내놓은 H^+의 양(mol)과 염기가 내놓은 OH^-의 양(mol)이 같아야 한다.

4-1

그림과 같이 농도를 모르는 염산(HCl) 40 mL에 페놀프탈레인 용액을 떨어뜨리고, 0.2 M 수산화 나트륨(NaOH) 수용액을 조금씩 넣었더니 완전히 중화하는 데 NaOH 수용액 10 mL가 사용되었다.

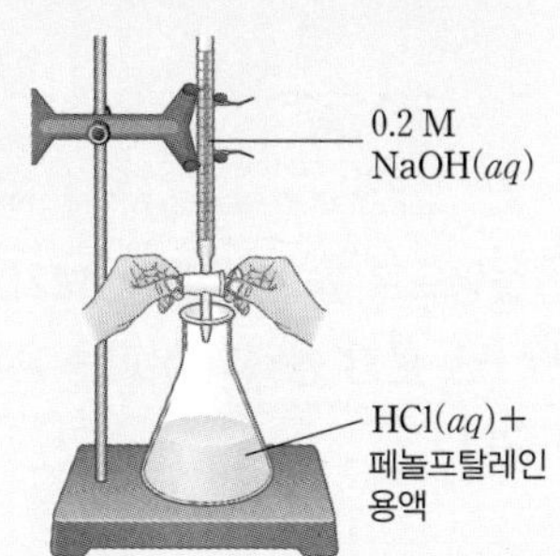

HCl의 몰 농도(M)를 구하시오.

4-2

그림은 0.1 M 수산화 나트륨(NaOH) 수용액 30 mL에 염산(HCl)을 10 mL씩 차례대로 넣을 때 용액에 존재하는 입자를 모형으로 나타낸 것이다.

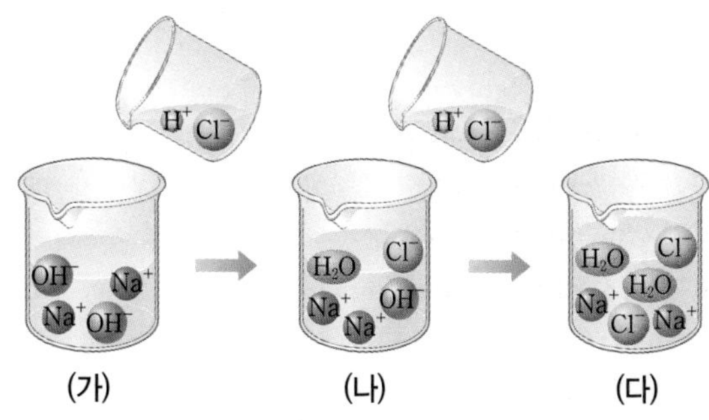

(1) 중화 반응이 일어나는 동안 개수가 변하지 않고 일정한 이온을 쓰시오.

(2) (가)~(다) 중 BTB 용액을 떨어뜨렸을 때 파란색으로 변하는 것을 있는 대로 쓰시오.

(3) (가)~(다) 중 생성된 물 분자 수가 가장 많은 것을 쓰시오.

4 주 2일

2일 기초 유형 연습 | 산 염기와 중화 반응

대표 기출 유형

표는 몰 농도가 같은 염산(HCl)과 수산화 나트륨(NaOH) 수용액을 부피를 달리하여 혼합한 용액에 대한 자료이다.

혼합 용액	(가)	(나)	(다)	(라)	(마)
$HCl(aq)$의 부피(mL)	10	15	20	25	30
$NaOH(aq)$의 부피(mL)	30	25	20	15	10

이에 대한 설명으로 옳은 것만을 〈보기〉에서 있는 대로 고른 것은? (단, 혼합 용액의 부피는 혼합 전 각 용액의 부피 합과 같다.)

보기
ㄱ. pH가 가장 큰 용액은 (가)이다.
ㄴ. 생성된 물 분자 수는 (다) < (라)이다.
ㄷ. 전체 이온 수가 가장 많은 용액은 (다)이다.

① ㄱ ② ㄴ ③ ㄷ
④ ㄱ, ㄴ ⑤ ㄴ, ㄷ

개념 point

중화 반응: 산과 염기가 반응하여 물과 염을 생성하는 반응 ➡ H^+과 OH^-이 1 : 1의 몰비로 반응한다.

|보기| 풀이

ㄱ 염기성 용액인 (가)와 (나) 중 중화 반응 후 남아 있는 NaOH 수용액이 더 많은 (가)의 pH가 더 크다.

ㄴ 반응한 H^+과 OH^- 수가 가장 많은 (다)에서 생성된 물 분자 수가 가장 많다.

ㄷ HCl 5 mL에 들어 있는 H^+ 수를 N이라고 가정하면 혼합 용액에 들어 있는 전체 이온 수는 다음과 같다.

혼합 용액	(가)	(나)	(다)	(라)	(마)
전체 이온 수	$12N$	$10N$	$8N$	$10N$	$12N$

함정 탈출

(가)~(마)의 전체 부피는 같고, (다)에서 생성된 물 분자 수가 가장 많으므로 전체 이온 수는 (다)에서 가장 적다.

답 ①

1 다음은 3가지 반응의 화학 반응식을 나타낸 것이다.

(가) $NH_3(g)+H_2O(l) \rightleftharpoons NH_4^+(aq)+OH^-(aq)$
(나) $CO_3^{2-}(aq)+H_2O(l) \rightleftharpoons HCO_3^-(aq)+OH^-(aq)$
(다) $F^-(aq)+H_2O(l) \rightleftharpoons HF(aq)+OH^-(aq)$

이에 대한 설명으로 옳은 것만을 〈보기〉에서 있는 대로 고른 것은?

보기
ㄱ. (가)에서 NH_3는 브뢴스테드·로리 염기이다.
ㄴ. (나)에서 CO_3^{2-}의 짝산은 HCO_3^-이다.
ㄷ. (다)에서 H_2O은 브뢴스테드·로리 염기이다.

① ㄱ ② ㄴ ③ ㄷ
④ ㄱ, ㄴ ⑤ ㄴ, ㄷ

2 그림은 0.1 M 수산화 나트륨(NaOH) 수용액 10 mL와 x M 염산(HCl) 20 mL를 혼합한 용액에 들어 있는 이온을 모형으로 나타낸 것이다.

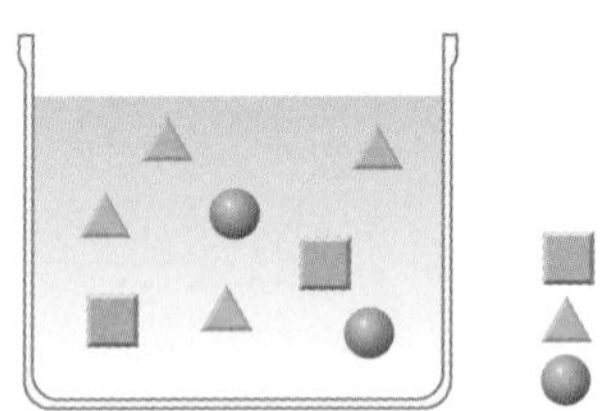

이에 대한 설명으로 옳은 것만을 〈보기〉에서 있는 대로 고른 것은? (단, 혼합 용액의 부피는 혼합 전 각 용액의 부피 합과 같다.)

보기
ㄱ. $x=0.1$이다.
ㄴ. 혼합 용액의 pH는 7보다 작다.
ㄷ. 혼합 용액에 0.2 M NaOH 수용액 10 mL를 넣으면 중성이 된다.

① ㄱ ② ㄷ ③ ㄱ, ㄴ
④ ㄴ, ㄷ ⑤ ㄱ, ㄴ, ㄷ

정답과 해설 25쪽

3 0.2 M 염산(HCl) 300 mL와 0.1 M 수산화 나트륨(NaOH) 수용액 400 mL를 혼합하였다. 혼합 용액에서 생성된 물의 양(mol)을 구하시오. (단, 혼합 용액의 부피는 혼합 전 각 용액의 부피 합과 같다.)

2016학년도 수능 17번 변형

4 표는 염산(HCl)과 수산화 나트륨(NaOH) 수용액의 부피를 달리하여 혼합한 용액에 대한 자료이다.

혼합 용액	혼합 전 용액의 부피(mL)		단위 부피당 생성된 물 분자 수
	HCl(*aq*)	NaOH(*aq*)	
(가)	10	5	$2N$
(나)	5	15	$3N$
(다)	10	10	$3N$

이에 대한 설명으로 옳은 것만을 〈보기〉에서 있는 대로 고른 것은? (단, 혼합 용액의 부피는 혼합 전 각 용액의 부피 합과 같다.)

보기

ㄱ. (가)는 산성이다.

ㄴ. 몰 농도는 HCl(*aq*)이 NaOH(*aq*)보다 크다.

ㄷ. (다)에 들어 있는 전체 양이온 수는 $60N$이다.

① ㄱ ② ㄷ ③ ㄱ, ㄴ ④ ㄴ, ㄷ ⑤ ㄱ, ㄴ, ㄷ

5 그림은 25 ℃에서 0.3 M 수산화 나트륨(NaOH) 수용액 20 mL에 x M 염산(HCl)을 조금씩 넣을 때 용액에 들어 있는 이온 수를 나타낸 것이다.

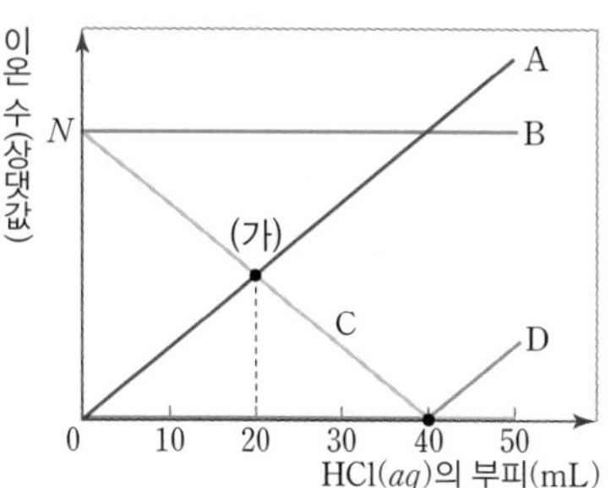

(1) A~D에 해당하는 이온을 각각 쓰시오.

(2) (가)에서 용액의 액성을 쓰시오.

(3) 염산의 몰 농도(x)를 구하시오.

6 다음은 식초 속 아세트산(CH_3COOH)의 몰 농도를 알아내기 위한 실험이다. (단, 식초에 산은 CH_3COOH만 있다고 가정한다.)

(가) 식초 10 mL를 [ ](으)로 정확하게 취해 삼각 플라스크에 넣고 페놀프탈레인 용액을 1~2방울 떨어뜨린다.

(나) 0.2 M 수산화 나트륨(NaOH) 수용액을 뷰렛에 넣고 식초가 들어 있는 삼각 플라스크에 NaOH 수용액을 조금씩 떨어뜨린다.

(다) 삼각 플라스크 속 용액 전체가 붉은색으로 변하는 순간 뷰렛의 꼭지를 잠그고 사용한 NaOH 수용액의 부피를 측정하였더니 40 mL이었다.

(1) 빈칸에 들어갈 실험 기구를 쓰시오.

(2) 식초 속 CH_3COOH의 몰 농도(M)를 구하시오.

4주 2일

3일 산화 환원과 산화수

핵심 개념

1 산소의 이동에 의한 산화 환원

구분	산화	환원
정의	산소를 얻는 반응	산소를 잃는 반응
예	• 산화 구리(Ⅱ)(CuO)와 탄소(C)의 반응 (산소를 얻음: 산화 / 산소를 잃음: 환원) $2CuO(s)+C(s) \longrightarrow 2Cu(s)+CO_2(g)$ • 철의 제련 (산소를 얻음: 산화 / 산소를 잃음: 환원) $Fe_2O_3(s)+3CO(g) \longrightarrow 2Fe(s)+3CO_2(g)$	

2 전자의 이동에 의한 산화 환원

- 전자의 이동에 의한 산화 환원 반응

구분	❶	❷
정의	전자를 잃는 반응	전자를 얻는 반응
예	• 아연(Zn)과 황산 구리(Ⅱ)($CuSO_4$) 수용액의 반응 (전자를 잃음: 산화 / 전자를 얻음: 환원) $Zn(s)+Cu^{2+}(aq) \longrightarrow Zn^{2+}(aq)+Cu(s)$	

- **산화 환원 반응의 동시성**: 산화 환원 반응에서 산소를 얻거나 전자를 잃는 물질이 있으면 반드시 산소를 잃거나 전자를 얻는 물질이 있다.

답 ❶ 산화 ❷ 환원

개념 확인

정답과 해설 26쪽

1-1

다음은 산화 환원 반응에 대한 설명이다. (   ) 안에 알맞은 말을 고르시오.

(1) 어떤 물질이 산소를 얻는 반응을 (산화 , 환원)(이)라고 한다.

(2) 철의 제련 과정에서 산화 철(Ⅲ)(Fe_2O_3)은 산소를 잃고 철(Fe)로 (산화 , 환원)되고, 코크스(C)는 산소를 얻어 이산화 탄소(CO_2)로 (산화 , 환원)된다.

(3) 마그네슘(Mg)이 공기 중에서 연소하여 산화 마그네슘(MgO)이 생성되는 반응에서 마그네슘은 (산화 , 환원)된다.

1-2

다음은 산화 구리(Ⅱ)(CuO)와 탄소(C) 가루를 혼합하여 가열할 때 구리(Cu)와 이산화 탄소(CO_2)가 생성되는 반응을 화학 반응식으로 나타낸 것이다.

$$2CuO(s)+C(s) \longrightarrow 2Cu(s)+CO_2(g)$$

산화되는 물질과 환원되는 물질을 각각 쓰시오.

Hint 산소를 얻는 물질은 산화되고, 산소를 잃는 물질은 환원된다.

2-1

다음은 나트륨(Na)을 염소 기체(Cl_2)가 들어 있는 용기에 넣었을 때 일어나는 반응을 나타낸 것이다.

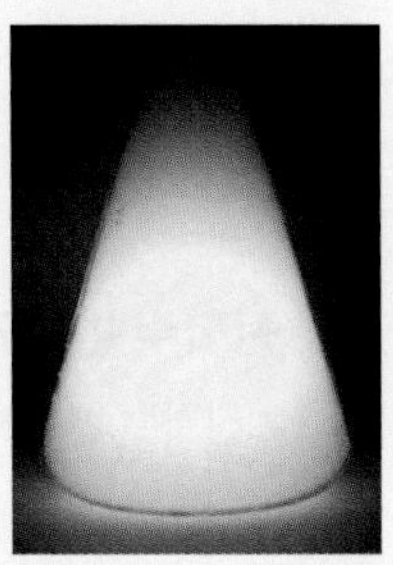

$$2Na+Cl_2 \longrightarrow 2Na^++2Cl^-$$

이에 대한 설명으로 옳은 것은 ○, 옳지 않은 것은 ×표 하시오.

(1) Na은 전자를 잃어 Na^+으로 산화된다. (   )

(2) Cl_2는 전자를 얻어 Cl^-으로 환원된다. (   )

(3) 전자는 Cl에서 Na으로 이동한다. (   )

2-2

다음 반응에서 산화 또는 환원을 옳게 쓰시오.

(1) ❶ [   ]

$$Mg(s)+2HCl(aq) \longrightarrow MgCl_2(aq)+H_2(g)$$

❷ [   ]

(2)

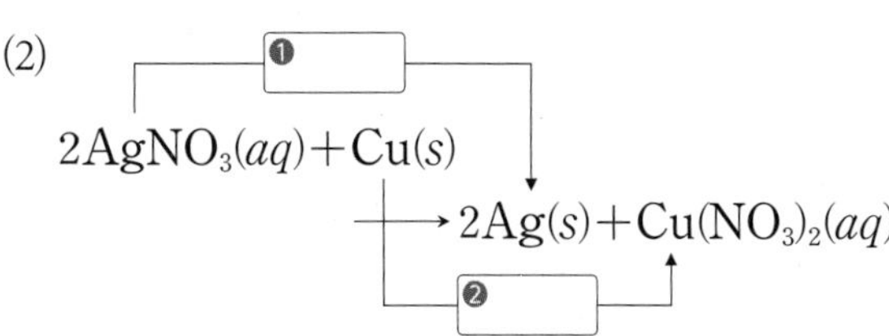

❶ [   ]

$$2AgNO_3(aq)+Cu(s) \longrightarrow 2Ag(s)+Cu(NO_3)_2(aq)$$

❷ [   ]

Hint $MgCl_2$은 수용액에서 Mg^{2+}과 Cl^-으로 이온화하여 존재하고, $Cu(NO_3)_2$는 수용액에서 Cu^{2+}과 NO_3^-으로 이온화하여 존재한다.

4주 3일

3일 산화 환원과 산화수

핵심 개념

3 산화수

- **산화수**: 어떤 물질에서 각 원자가 어느 정도 산화되었는지를 나타내는 가상적인 전하
- **이온 결합 물질과 공유 결합 물질의 산화수**
  - **이온 결합 물질의 산화수**: 물질을 구성하고 있는 각 이온의 전하와 같다.
    - 예 NaCl ➡ Na의 산화수: +1, Cl의 산화수: −1
  - **공유 결합 물질의 산화수**: ❶ [ ]가 큰 원자 쪽으로 공유 전자쌍이 모두 이동한다고 가정할 때, 각 원자가 가지는 전하이다.
    - 예 H_2O ➡ H의 산화수: +1, O의 산화수: −2
- 같은 원자라도 화합물에서 결합하는 원자의 종류에 따라 여러 가지 산화수를 가질 수 있다.

4 산화수 변화와 산화제, 환원제

- **산화수 변화와 산화 환원 반응**

구분	산화	환원
정의	산화수가 증가하는 반응	산화수가 감소하는 반응
예	$\overset{+3}{2Fe_2}O_3(s)+3\overset{0}{C}(s) \longrightarrow 4\overset{0}{Fe}(s)+3\overset{+4}{C}O_2(g)$ 산화수 증가: 산화 (C: 0 → +4) 산화수 감소: 환원 (Fe: +3 → 0)	

- **산화제와 환원제**: 자신은 환원되면서 다른 물질을 산화시키는 물질을 ❷ [ ], 자신은 산화되면서 다른 물질을 환원시키는 물질을 ❸ [ ]라고 한다.

답 ❶ 전기 음성도 ❷ 산화제 ❸ 환원제

개념 확인

정답과 해설 26쪽

3-1

산화수에 대한 설명으로 옳은 것은 ○, 옳지 않은 것은 × 표 하시오.

(1) NaCl에서 Na의 산화수는 +1이다. (　　　)

(2) H_2O에서 O의 산화수는 −1이다. (　　　)

(3) O_2에서 O의 산화수는 0이다. (　　　)

(4) NaH에서 H의 산화수는 +1이다. (　　　)

(5) 다원자 이온에서 각 원자의 산화수 합은 그 이온의 전하와 같다. (　　　)

3-2

각 물질에서 밑줄 친 원자의 산화수를 쓰시오.

(1) $\underline{Na}$　　(2) $H\underline{N}O_3$

(3) $\underline{C}O_2$　　(4) $Li\underline{H}$

(5) $H_2\underline{O}$　　(6) $K\underline{Mn}O_4$

(7) $H_2\underline{O}_2$　　(8) $\underline{S}O_4^{2-}$

Hint 화합물을 이루는 원자들의 산화수 합은 0이다.

4-1

다음은 질소(N_2) 기체와 수소(H_2) 기체가 반응하여 암모니아(NH_3) 기체가 생성되는 반응을 화학 반응식으로 나타낸 것이다.

$$N_2(g)+3H_2(g) \longrightarrow 2NH_3(g)$$

이에 대한 설명에서 (　　) 안에 알맞은 말을 고르시오.

(1) N의 산화수가 (증가 , 감소)하므로 N_2는 (산화, 환원)된다.

(2) H의 산화수가 (증가 , 감소)하므로 H_2는 (산화 , 환원)된다.

(3) N_2는 (산화제 , 환원제)이다.

4-2

다음 반응에서 산화제와 환원제를 각각 쓰시오.

(1) $2KI(aq)+Cl_2(g) \longrightarrow 2KCl(aq)+I_2(s)$

(2) $2H_2(g)+O_2(g) \longrightarrow 2H_2O(g)$

(3) $2AgNO_3(aq)+Fe(s) \longrightarrow 2Ag(s)+Fe(NO_3)_2(aq)$

Hint 산화제는 다른 물질을 산화시키는 물질이고, 환원제는 다른 물질을 환원시키는 물질이다.

4주 3일

기초 유형 연습 | 산화 환원과 산화수

대표 기출 유형 2020학년도 수능 8번 변형

다음은 산화 환원 반응 (가)~(다)의 화학 반응식이다.

(가) $CuO+H_2 \longrightarrow Cu+H_2O$
(나) $2NaCl+F_2 \longrightarrow 2NaF+Cl_2$
(다) $MnO_2+4HCl \longrightarrow MnCl_2+2H_2O+Cl_2$

이에 대한 설명으로 옳은 것만을 〈보기〉에서 있는 대로 고른 것은?

보기
ㄱ. (가)에서 CuO는 환원된다.
ㄴ. (나)에서 F_2은 산화제이다.
ㄷ. (다)에서 Mn의 산화수는 감소한다.

① ㄱ ② ㄴ ③ ㄱ, ㄷ
④ ㄴ, ㄷ ⑤ ㄱ, ㄴ, ㄷ

개념 point

산화: 산소를 얻거나 전자를 잃거나 산화수가 증가하는 반응
환원: 산소를 잃거나 전자를 얻거나 산화수가 감소하는 반응
산화제: 자신은 환원되면서 다른 물질을 산화시키는 물질
환원제: 자신은 산화되면서 다른 물질을 환원시키는 물질

|보기| 풀이

ㄱ (가)에서 CuO는 산소를 잃고 Cu로 환원된다.
ㄴ (나)에서 F_2은 전자를 얻어 환원되면서 NaCl을 산화시키는 산화제로 작용한다.
ㄷ (다)에서 Mn의 산화수는 +4에서 +2로 감소한다.

함정 탈출

화합물에서 대체로 H의 산화수는 +1, O의 산화수는 −2이며, 금속 염화물에서 Cl의 산화수는 −1이다.

답 ⑤

1 그림과 같이 황산 구리(Ⅱ)($CuSO_4$) 수용액에 아연(Zn)판을 넣었더니, 수용액의 푸른색이 점차 옅어졌다.

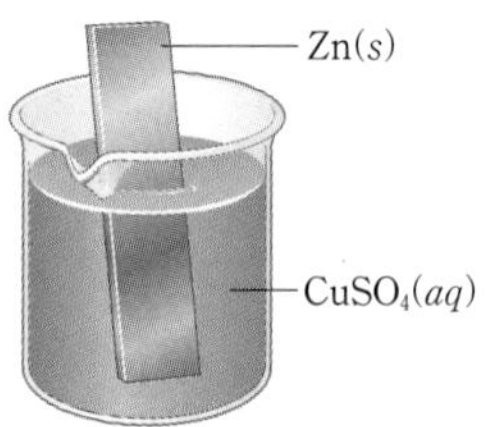

이에 대한 설명으로 옳은 것만을 〈보기〉에서 있는 대로 고른 것은?

보기
ㄱ. Cu^{2+}은 산화된다.
ㄴ. Zn의 산화수는 증가한다.
ㄷ. 수용액 속 양이온 수는 감소한다.

① ㄱ ② ㄴ ③ ㄱ, ㄷ
④ ㄴ, ㄷ ⑤ ㄱ, ㄴ, ㄷ

2 다음은 3가지 화학 반응식이다.

(가) $\underline{C}H_4+2O_2 \longrightarrow CO_2+2H_2O$
(나) $Cl_2+H_2O \longrightarrow HCl+H\underline{Cl}O$
(다) $2Na+2H_2O \longrightarrow 2NaOH+\underline{H}_2$

(가)~(다)에서 밑줄 친 원자들의 산화수의 합은?

① −5 ② −3 ③ 0
④ 3 ⑤ 5

정답과 해설 27쪽

3 다음은 4가지 반응의 화학 반응식을 나타낸 것이다.

(가) $2SO_2+O_2 \longrightarrow 2SO_3$
(나) $SO_3+H_2O \longrightarrow H_2SO_4$
(다) $N_2H_4+2I_2 \longrightarrow 4HI+N_2$
(라) $Ca(OH)_2+CO_2 \longrightarrow CaCO_3+H_2O$

(가)~(라) 중 산화 환원 반응만을 있는 대로 고른 것은?

① (가), (다) ② (나), (다)
③ (나), (라) ④ (가), (나), (다)
⑤ (나), (다), (라)

2019학년도 6월 모평 2번 변형

4 다음은 구리(Cu)와 관련된 2가지 반응을 화학 반응식으로 나타낸 것이다.

(가) $2Cu+O_2 \longrightarrow 2CuO$
(나) $CuO+$ ㉠ $\longrightarrow Cu+H_2O$

이에 대한 설명으로 옳은 것만을 <보기>에서 있는 대로 고른 것은?

보기
ㄱ. (가)에서 Cu의 산화수는 증가한다.
ㄴ. (나)에서 ㉠은 산화제로 작용한다.
ㄷ. CuO와 H_2O에서 O의 산화수는 같다.

① ㄱ ② ㄴ ③ ㄱ, ㄷ
④ ㄴ, ㄷ ⑤ ㄱ, ㄴ, ㄷ

5 다음은 이산화 황(SO_2)과 관련된 2가지 반응을 화학 반응식으로 나타낸 것이다.

(가) $2H_2S(g)+SO_2(g) \longrightarrow 2H_2O(l)+3S(s)$
(나) $SO_2(g)+2H_2O(l)+Cl_2(g) \longrightarrow H_2SO_4(aq)+2HCl(aq)$

(1) (가)에서 S의 산화수를 순서대로 쓰시오.

(2) (가)와 (나)에서 산화제로 작용하는 물질을 각각 쓰시오.

6 다음은 철의 제련 과정에서 일어나는 반응을 화학 반응식으로 나타낸 것이다.

(가) $2C+O_2 \longrightarrow 2CO$
(나) $Fe_2O_3+3CO \longrightarrow 2Fe+3CO_2$
(다) $CaCO_3+SiO_2 \longrightarrow CaSiO_3+CO_2$

이에 대한 설명으로 옳은 것만을 <보기>에서 있는 대로 고른 것은?

보기
ㄱ. (가)에서 C는 산화된다.
ㄴ. (나)에서 CO는 환원제이다.
ㄷ. (다)에서 C의 산화수는 변하지 않는다.

① ㄱ ② ㄴ ③ ㄱ, ㄷ
④ ㄴ, ㄷ ⑤ ㄱ, ㄴ, ㄷ

4일 산화 환원 반응의 양적 관계

핵심 개념

1 산화 환원 반응식

- **산화 환원 반응식 완성하기(산화수법)**: 산화 환원 반응에서 증가한 산화수와 ❶ ______ 한 산화수는 항상 같다는 것을 이용하여 산화 환원 반응식을 완성한다.

  예 산성 용액에서 옥살산 이온($C_2O_4^{2-}$)과 과망가니즈산 이온(MnO_4^{-})의 반응

  [1단계] 반응 전후 각 원자의 산화수 변화를 확인한다.

  산화수 1 증가 (C: +3 → +4), 산화수 5 감소 (Mn: +7 → +2)

  $$\overset{+3}{C}_2O_4^{2-} + \overset{+7}{Mn}O_4^{-} + H^{+} \longrightarrow \overset{+4}{C}O_2 + \overset{+2}{Mn}{}^{2+} + H_2O$$

  [2단계] 산화되는 원자 수와 환원되는 원자 수를 맞추고, 증가한 산화수와 감소한 산화수를 계산한다.

  증가한 산화수: $1 \times 2 = 2$, 감소한 산화수: 5

  $$C_2O_4^{2-} + MnO_4^{-} + H^{+} \longrightarrow 2CO_2 + Mn^{2+} + H_2O$$

  [3단계] 증가한 산화수와 감소한 산화수가 같도록 계수를 맞춘다.

  산화수 2×5 증가, 산화수 5×2 감소

  $$5\overset{+3}{C}_2O_4^{2-} + 2\overset{+7}{Mn}O_4^{-} + H^{+} \longrightarrow 10\overset{+4}{C}O_2 + 2\overset{+2}{Mn}{}^{2+} + H_2O$$

  [4단계] 산화수가 변하지 않는 원자들의 수가 같도록 계수를 맞추어 산화 환원 반응식을 완성한다.

  $$5C_2O_4^{2-} + 2MnO_4^{-} + 16H^{+} \longrightarrow 10CO_2 + 2Mn^{2+} + 8H_2O$$

- **이온-전자법**: 산화 환원 반응을 산화 반응과 환원 반응으로 분리하여 나타낸 반쪽 반응을 이용한다. 두 반쪽 반응에서 잃거나 얻은 ❷ ______ 수가 같아지도록 계수를 맞추어 산화 환원 반응식을 완성한다.

답 ❶ 감소 ❷ 전자

개념 확인

정답과 해설 27쪽

1-1

다음은 산성 용액에서 옥살산 이온($C_2O_4^{2-}$)과 과망가니즈산 이온(MnO_4^-)의 반응을 화학 반응식으로 나타낸 것이다.

$$5C_2O_4^{2-}(aq)+2MnO_4^-(aq)+16H^+(aq) \longrightarrow 10CO_2(g)+2Mn^{2+}(aq)+8H_2O(l)$$

이에 대한 설명으로 옳은 것은 ○, 옳지 않은 것은 ×표 하시오.

(1) Mn의 산화수는 증가한다. (　　　)

(2) H와 O의 산화수는 변하지 않는다. (　　　)

(3) C의 산화수는 +3에서 +4로 증가한다. (　　　)

(4) 증가한 산화수와 감소한 산화수는 같다. (　　　)

1-2

다음 화학 반응식에 대한 설명에서 빈칸에 들어갈 알맞은 수를 쓰시오. (단, a, b는 반응 계수이다.)

산화수 ㉠ 증가

$$SO_2+aH_2O+Cl_2 \longrightarrow H_2SO_4+bHCl$$

산화수 ㉡ 감소

(1) SO_2에서 S의 산화수는 [　　　]이다.

(2) ㉠은 [　　　], ㉡은 [　　　]이다.

(3) 계수 a와 b의 합은 [　　　]이다.

Hint 산화 환원 반응식을 완성할 때 증가한 산화수와 감소한 산화수는 항상 같다는 것을 이용한다.

1-3

다음은 질산(HNO_3)이 생성되는 반응의 화학 반응식을 나타낸 것이다. (단, a~d는 반응 계수이다.)

$$aNO_2(g)+bH_2O(l) \longrightarrow cHNO_3(aq)+dNO(g)$$

계수 a~d를 각각 구하시오.

Hint NO_2, HNO_3, NO에서 N의 산화수는 각각 다르다.

1-4

다음은 철 이온(Fe^{2+})과 과망가니즈산 이온(MnO_4^-)의 반응을 나타낸 것이다. (단, a~e는 반응 계수이다.)

$$aFe^{2+}+bMnO_4^-+8H^+ \longrightarrow cFe^{3+}+dMn^{2+}+eH_2O$$

(1) Fe의 산화수 변화를 쓰시오.

(2) Mn의 산화수 변화를 쓰시오.

(3) 계수 a~e를 구해 화학 반응식을 완성하시오.

4일 산화 환원 반응의 양적 관계

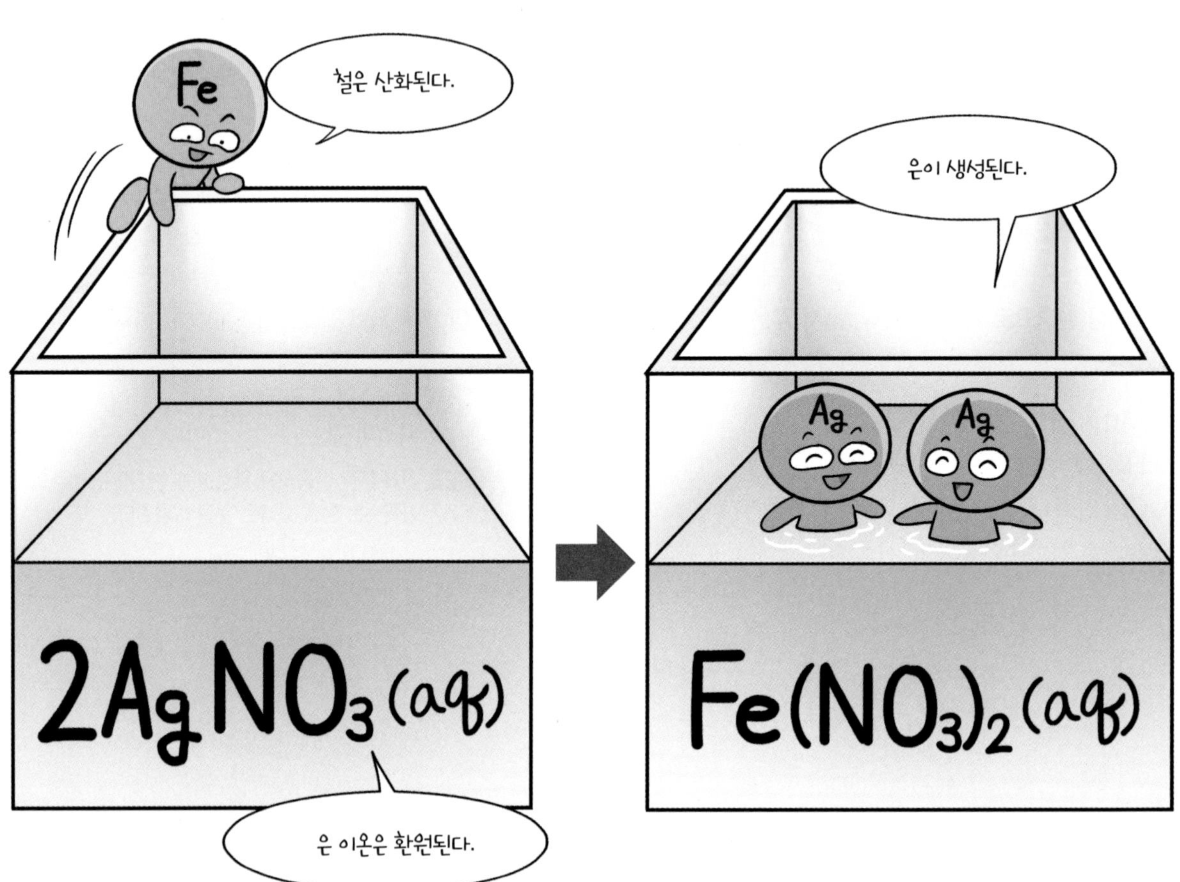

핵심 개념

2 산화 환원 반응의 양적 관계

- **산화 환원 반응의 양적 관계**: 완성된 산화 환원 반응식으로부터 산화나 환원에 필요한 물질(산화제, 환원제)의 양을 알 수 있다.

  예 철의 제련 과정에서 산화 철(Ⅲ)과 코크스(C)의 반응

  $$\overset{+3}{2Fe_2O_3(s)} + \overset{0}{3C(s)} \longrightarrow \overset{0}{4Fe(s)} + \overset{+4}{3CO_2(g)}$$

  (산화: C → CO_2, 환원: Fe_2O_3 → Fe; Fe_2O_3: 산화제, C: 환원제)

- 화학 반응식에서 Fe_2O_3과 C가 2 : 3의 몰비로 반응한다. ➡ 산화 철(Ⅲ)(Fe_2O_3) 2몰을 제련할 때 환원제인 코크스(C) 3몰이 필요하다.
- 화학 반응식에서 Fe_2O_3과 Fe의 계수비가 ❶ [   ]이다. ➡ 산화 철(Ⅲ)(Fe_2O_3) 1몰을 제련하면 철(Fe) 2몰을 얻을 수 있다.

예 철(Fe)을 질산 은($AgNO_3$) 수용액에 넣었을 때 일어나는 반응

$$\overset{0}{Fe(s)} + \overset{+1}{2AgNO_3(aq)} \longrightarrow \overset{0}{2Ag(s)} + \overset{+2}{Fe(NO_3)_2(aq)}$$

(산화: Fe → $Fe(NO_3)_2$, 환원: $AgNO_3$ → Ag)

- 금속 이온의 산화수 비 ➡ $Fe^{2+} : Ag^{+} = 2 : 1$
- 화학 반응식에서 Fe과 $AgNO_3$은 1 : 2의 몰비로 반응한다. ➡ 철(Fe) 1몰을 모두 산화하는 데 필요한 $AgNO_3$의 최소 양(mol)은 ❷ [   ]몰이다.
- 화학 반응식에서 Fe과 Ag의 계수비가 1 : 2이다. ➡ 철(Fe) 1몰이 산화되면 은(Ag) 2몰이 생성된다.

답 ❶ 1 : 2 ❷ 2

개념 확인

정답과 해설 27쪽

2-1

다음은 철의 제련 과정에서 일어나는 반응 중 하나를 화학 반응식으로 나타낸 것이다.

$$Fe_2O_3(s)+3CO(g) \longrightarrow 2Fe(s)+3CO_2(g)$$

이에 대한 설명으로 빈칸에 들어갈 알맞은 말이나 수를 쓰시오.

(1) C의 산화수는 ☐ 한다.

(2) Fe_2O_3 2몰을 모두 환원하는 데 필요한 CO의 최소 양(mol)은 ☐ 몰이다.

(3) Fe_2O_3 1몰이 환원될 때 CO_2는 ☐ 몰 생성된다.

2-2

다음은 구리(Cu)줄을 0.1 M 질산 은($AgNO_3$) 수용액 100 mL에 넣었을 때 일어나는 반응을 화학 반응식으로 나타낸 것이다.

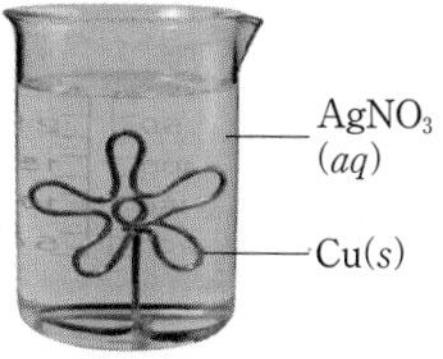

$$Cu(s)+2AgNO_3(aq) \longrightarrow Cu(NO_3)_2(aq)+2Ag(s)$$

이에 대한 설명으로 옳은 것은 ○, 옳지 않은 것은 ×표 하시오.

(1) 구리줄 표면에 은이 석출된다. (   )

(2) Ag의 산화수는 증가한다. (   )

(3) 수용액 속의 Ag^+을 모두 환원하는 데 필요한 Cu의 최소 양(mol)은 0.01몰이다. (   )

Hint 화학 반응식에서 계수비는 반응하는 몰비를 의미한다.

4주

4일

2-3

다음은 아연(Zn)과 염산(HCl)의 반응을 화학 반응식으로 나타낸 것이다.

$$Zn(s)+2HCl(aq) \longrightarrow ZnCl_2(aq)+H_2(g)$$

0.2 M HCl(*aq*) 100 mL를 모두 환원시키는 데 필요한 Zn의 최소 질량(g)을 구하시오. (단, Zn의 원자량은 65이다.)

2-4

다음은 과망가니즈산 칼륨($KMnO_4$)과 진한 염산(HCl)의 산화 환원 반응식이다. (단, 0 ℃, 1 기압에서 기체 1몰의 부피는 22.4 L이다.)

$$2KMnO_4(aq)+16HCl(aq) \longrightarrow 2KCl(aq)+2MnCl_2(aq)+8H_2O(l)+5Cl_2(g)$$

(1) 0 ℃, 1 기압에서 $KMnO_4$ 0.1몰이 반응할 때 발생하는 Cl_2의 부피(L)를 구하시오.

(2) $KMnO_4$ 1몰이 반응할 때 이동하는 전자의 양(mol)을 구하시오.

Hint 산화수가 증가하거나 감소하는 양만큼 전자가 이동한다.

기초 유형 연습 | 산화 환원 반응의 양적 관계

대표 기출 유형

그림과 같이 비커 바닥에 알루미늄박을 깔고 소금물을 넣은 다음 녹슨 은 숟가락을 넣고 가열하였더니 숟가락의 검은 녹이 제거되었다.

$$a\mathrm{Ag_2S}+b\mathrm{Al} \longrightarrow c\mathrm{Ag}+d\mathrm{Al_2S_3}$$

이에 대한 설명으로 옳은 것만을 〈보기〉에서 있는 대로 고른 것은? (단, a~d는 반응 계수이다.)

보기
ㄱ. $a+b<c+d$이다.
ㄴ. Al의 산화수는 증가한다.
ㄷ. Ag_2S 0.1몰을 모두 환원시키면 Ag을 0.1몰 얻을 수 있다.

① ㄱ ② ㄴ ③ ㄷ
④ ㄱ, ㄴ ⑤ ㄴ, ㄷ

개념 point

- **산화 환원 반응식 완성하기**: 산화 환원 반응에서 증가한 산화수와 감소한 산화수는 항상 같으므로 이를 이용하여 산화 환원 반응식을 완성한다.
- **산화 환원 반응의 양적 관계**: 산화 환원 반응식으로부터 산화된 물질과 환원된 물질의 양적 관계를 알 수 있다.

|보기| 풀이

ㄱ 증가한 산화수와 감소한 산화수가 같도록 계수를 맞추면 $a=3$, $b=2$, $c=6$, $d=1$이다. 따라서 $a+b<c+d$이다.
ㄴ Al의 산화수는 0에서 +3으로 증가한다.
ㄷ Ag_2S과 Ag의 계수비는 1 : 2이므로 Ag_2S 0.1몰을 모두 환원시키면 Ag은 0.2몰 생성된다.

함정 탈출

증가한 산화수와 감소한 산화수가 같도록 계수를 맞출 때 반응 전후 원자의 수가 같도록 한다.

답 ④

1 다음은 산화 환원 반응식을 단계적으로 완성하는 과정을 나타낸 것이다.

(가) 각 원자의 산화수 변화를 확인한다.

$$\underline{\mathrm{Fe}}_2\mathrm{O_3}(s)+\underline{\mathrm{C}}\mathrm{O}(g) \longrightarrow \underline{\mathrm{Fe}}(s)+\underline{\mathrm{C}}\mathrm{O_2}(g)$$

(Fe: ㉠ 감소, C: ㉡ 증가)

(나) 산화되는 원자 수와 환원되는 원자 수를 맞추고, 증가한 산화수와 감소한 산화수가 같도록 계수를 맞춘다.

$$\mathrm{Fe_2O_3}(s)+a\mathrm{CO}(g) \longrightarrow 2\mathrm{Fe}(s)+b\mathrm{CO_2}(g)$$

이에 대한 설명으로 옳은 것만을 〈보기〉에서 있는 대로 고른 것은? (단, a, b는 반응 계수이다.)

보기
ㄱ. ㉠<㉡이다.
ㄴ. $a+b=6$이다.
ㄷ. CO는 산화제로 작용한다.

① ㄱ ② ㄴ ③ ㄱ, ㄷ
④ ㄴ, ㄷ ⑤ ㄱ, ㄴ, ㄷ

2 다음은 산화 환원 반응식을 나타낸 것이다. (단, a~d는 반응 계수이다.)

$$5\mathrm{Sn^{2+}}+a\mathrm{MnO_4^-}+b\mathrm{H^+} \longrightarrow 5\mathrm{Sn^{4+}}+c\mathrm{Mn^{2+}}+d\mathrm{H_2O}$$

계수 a~d를 모두 더한 값($a+b+c+d$)은?

① 16 ② 20 ③ 28
④ 32 ⑤ 36

정답과 해설 28쪽

2021학년도 수능 16번

3 다음은 산화 환원 반응 (가)와 (나)의 화학 반응식이다.

(가) $O_2+2F_2 \longrightarrow 2OF_2$
(나) $BrO_3^-+aI^-+bH^+ \longrightarrow Br^-+cI_2+dH_2O$

이에 대한 설명으로 옳은 것만을 〈보기〉에서 있는 대로 고른 것은? (단, a~d는 반응 계수이다.)

보기
ㄱ. (가)에서 O의 산화수는 증가한다.
ㄴ. (나)에서 I^-은 산화제로 작용한다.
ㄷ. $a+b+c+d=12$이다.

① ㄱ ② ㄴ ③ ㄱ, ㄷ
④ ㄴ, ㄷ ⑤ ㄱ, ㄴ, ㄷ

4 다음은 구리(Cu)와 질산(HNO_3)의 산화 환원 반응식이다. (단, a~d는 반응 계수이다.)

$Cu(s)+aH^+(aq)+bNO_3^-(aq) \longrightarrow Cu^{2+}(aq)+cNO_2(g)+dH_2O(l)$

(1) 계수 a~d를 각각 구하시오.

(2) Cu 0.2몰이 충분한 양의 HNO_3과 완전히 반응했을 때 발생하는 이산화 질소(NO_2)의 질량을 구하시오. (단, N, O의 원자량은 각각 14, 16이다.)

5 다음은 마그네슘(Mg)과 질산 은($AgNO_3$) 수용액의 반응을 화학 반응식으로 나타낸 것이다.

$Mg(s)+2AgNO_3(aq) \longrightarrow Mg(NO_3)_2(aq)+2Ag(s)$

이에 대한 설명으로 옳은 것만을 〈보기〉에서 있는 대로 고른 것은?

보기
ㄱ. Ag의 산화수는 감소한다.
ㄴ. Mg 0.1몰이 반응할 때 이동하는 전자는 0.2몰이다.
ㄷ. 0.1 M $AgNO_3(aq)$ 200 mL를 모두 환원하는 데 필요한 Mg의 최소 양(mol)은 0.25몰이다.

① ㄱ ② ㄴ ③ ㄷ
④ ㄱ, ㄴ ⑤ ㄴ, ㄷ

2014학년도 수능 13번 변형

6 그림은 금속 X 이온이 들어 있는 수용액에 금속 Y와 Z를 순서대로 넣었을 때 수용액 속에 존재하는 금속 양이온만을 모형으로 나타낸 것이다.

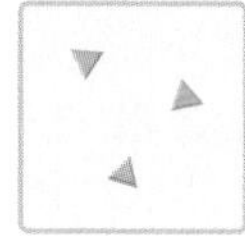
금속 Y

금속 Z
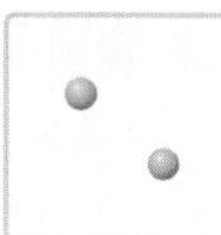

이에 대한 설명으로 옳은 것만을 〈보기〉에서 있는 대로 고른 것은? (단, X~Z는 임의의 금속 원소이며, 음이온은 반응에 참여하지 않는다.)

보기
ㄱ. ▲과 ●의 산화수비는 2 : 3이다.
ㄴ. 금속 Z는 금속 X보다 산화되기 쉽다.
ㄷ. ■이 들어 있는 수용액에 금속 X를 넣으면 금속 X는 산화된다.

① ㄱ ② ㄴ ③ ㄷ
④ ㄱ, ㄴ ⑤ ㄱ, ㄷ

5일 화학 반응과 열

따뜻한 손난로 안에는
무엇이 들어 있을까?
손난로 안에는 철가루가 들어 있는데,
철가루가 산소와 반응하면
열이 발생해서 따뜻해져.
손난로
$4Fe(s)+3O_2(g) \longrightarrow 2Fe_2O_3(s)+$ 열

핵심 개념

1 발열 반응

- **발열 반응**: 화학 반응이 일어날 때 열을 방출하는 반응
  - 생성물의 에너지 합이 반응물의 에너지 합보다 작다.
  - 반응이 일어날 때 반응물과 생성물의 에너지 차이만큼 열을 방출하므로 주위의 온도가 ❶ ______ 진다.

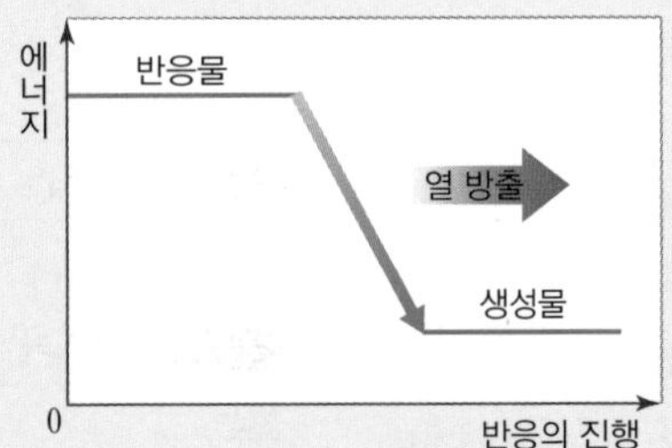

- **발열 반응의 예**: 연소, 금속의 산화, 금속과 산의 반응, 산과 염기의 중화 반응, 산의 용해, 수산화 나트륨의 용해 등

2 흡열 반응

- **흡열 반응**: 화학 반응이 일어날 때 열을 흡수하는 반응
  - 생성물의 에너지 합이 반응물의 에너지 합보다 크다.
  - 반응이 일어날 때 반응물과 생성물의 에너지 차이만큼 열을 흡수하므로 주위의 온도가 ❷ ______ 진다.

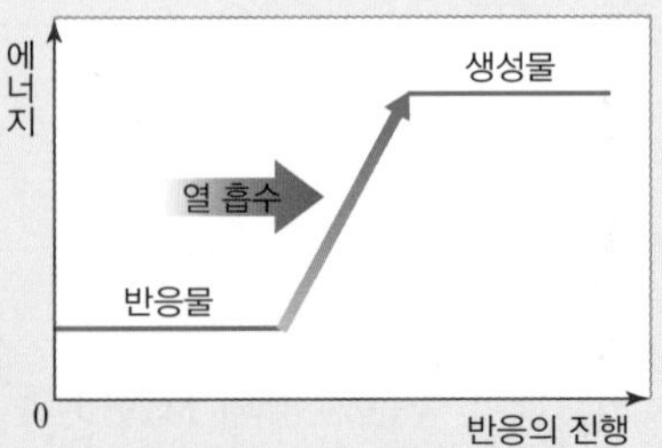

- **흡열 반응의 예**: 열분해, 광합성, 물의 전기 분해, 질산 암모늄의 용해, 수산화 바륨 팔수화물과 염화 암모늄(또는 질산 암모늄)의 반응 등

답 ❶ 높아 ❷ 낮아

개념 확인

정답과 해설 28쪽

1-1

다음 ( ) 안에 알맞은 말을 고르시오.

(1) 발열 반응에서 생성물의 에너지 합은 반응물의 에너지 합보다 (크다 , 작다).

(2) 발열 반응이 일어나면 열을 방출하므로 주위의 온도가 (높아 , 낮아)진다.

(3) 휴대용 손난로에서 철가루가 산화될 때 열을 (방출 , 흡수)한다.

(4) 산과 염기의 중화 반응은 (발열 , 흡열) 반응에 해당한다.

1-2

다음 (가)~(라) 반응 중 발열 반응만을 있는 대로 고르시오.

(가) 메테인을 연소시킨다.
(나) 질산 암모늄을 물에 용해시킨다.
(다) 염산에 아연 조각을 넣어 반응시킨다.
(라) 탄산수소 나트륨을 가열하여 분해한다.

Hint 발열 반응이 일어날 때 주위의 온도가 높아진다.

4 주

5일

2-1

화학 반응과 열의 출입에 대한 설명으로 옳은 것은 ○, 옳지 않은 것은 ×표 하시오.

(1) 발열 반응은 열을 흡수하는 반응이고, 흡열 반응은 열을 방출하는 반응이다. ( )

(2) 흡열 반응이 일어날 때 주위의 온도가 높아진다. ( )

(3) 수산화 바륨 팔수화물과 염화 암모늄을 반응시키면 주위의 열을 흡수한다. ( )

(4) 식물의 광합성은 흡열 반응이다. ( )

(5) 휴대용 손난로는 흡열 반응을 이용한 예이고, 휴대용 냉각 팩은 발열 반응을 이용한 예이다. ( )

2-2

그림은 어떤 화학 반응이 일어날 때의 에너지 변화를 나타낸 것이다.

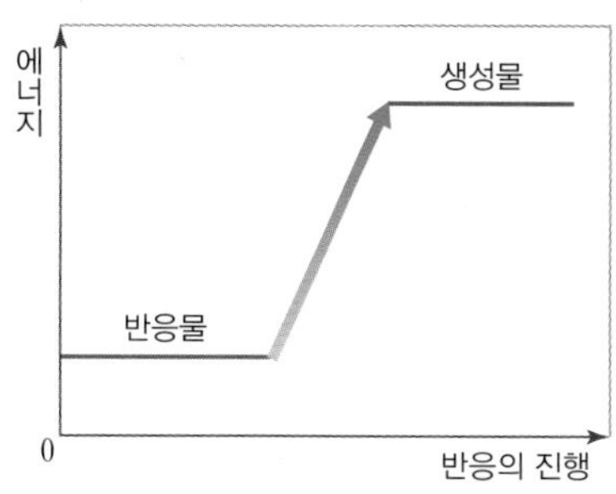

(1) 이 반응은 발열 반응과 흡열 반응 중 어느 것인지 쓰시오.

(2) 이 반응이 일어날 때 주위의 온도 변화를 쓰시오.

5일 화학 반응과 열

① 온도가 얼마나 올라갔는지 확인!
이 열량계 안에서 반응이 일어날 때 방출되는 열은 용액이 모두 흡수했다고 가정하는 거야.
② 물질 1 g의 온도를 1 ℃ 높이는 데 얼마큼의 열량이 필요한지 확인!
간이 열량계를 이용하여 반응이 일어날 때 발생한 열량 측정하기
③ 용액의 질량은 얼마인지 확인!

핵심 개념

3 비열과 열용량

- **비열(c)**: 물질 1 g의 온도를 1 ℃ 높이는 데 필요한 열량으로, 단위는 J/(g·℃)이다.
- **열용량(C)**: 물질의 온도를 1 ℃ 높이는 데 필요한 열량으로, 단위는 J/℃이다.

열용량(C)＝비열(c)×질량(m)

- **열량(Q)**: 물질이 방출하거나 흡수하는 열량은 그 물질의 ❶ ______에 질량과 온도 변화를 곱하여 구한다. 단위는 J 또는 kJ이다.

열량(Q)＝비열(c)×질량(m)×온도 변화(Δt)
＝열용량(C)×온도 변화(Δt)

4 열량계

- ❷ ______: 화학 반응에서 출입하는 열량을 측정하는 장치

간이 열량계	통열량계
• 구조가 간단하지만 열 손실이 있으므로 정밀한 실험에는 사용할 수 없다. • 주로 용해 과정이나 중화 반응에서 출입하는 열량을 측정하는 데 사용한다.	• 단열이 잘되어 열 손실이 거의 없으므로 열량을 비교적 정확하게 측정할 수 있다. • 주로 연소 반응에서 출입하는 열량을 측정하는 데 사용한다.

- **간이 열량계를 이용한 열량의 측정**

방출하거나 흡수한 열량(Q)＝$c \times m \times \Delta t$
(c: 용액의 비열, m: 용액의 질량, Δt: 용액의 온도 변화)

답 ❶ 비열 ❷ 열량계

개념 확인

정답과 해설 28쪽

3-1

다음 빈칸에 들어갈 알맞은 말을 쓰시오.

(1) ☐은 어떤 물질 1 g의 온도를 1 ℃ 높이는 데 필요한 열량이다.

(2) 어떤 물질이 방출하거나 흡수하는 열량은 그 물질의 '비열 × ☐ × ☐'로 구한다.

(3) 비열의 단위는 ☐, 열량의 단위는 ☐ 이다.

3-2

수산화 나트륨(NaOH) 10 g을 20 ℃의 물에 용해시킬 때 발생하는 열량을 구하려고 한다. 이때 열량을 구하기 위해 추가로 필요한 자료만을 〈보기〉에서 있는 대로 고르시오. (단, 반응에서 발생한 열은 용액이 모두 흡수한다고 가정한다.)

보기

ㄱ. 물의 질량

ㄴ. 용액의 비열

ㄷ. 반응 용기의 부피

ㄹ. 반응 후 용액의 최고 온도

Hint 열량(Q)=비열(c)×질량(m)×온도 변화(Δt)

4-1

그림은 2가지 열량계의 구조를 나타낸 것이다.

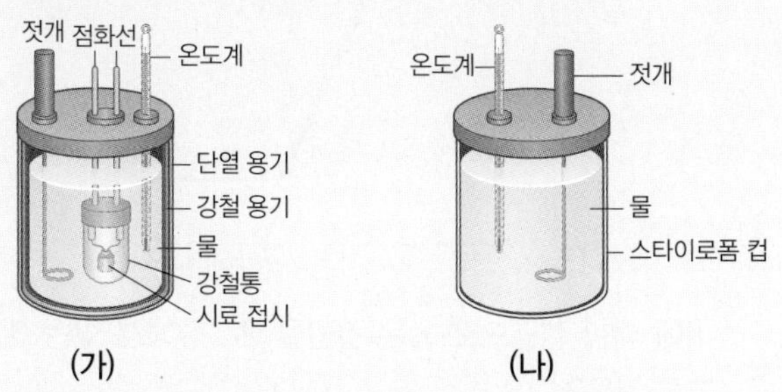

(1) (가), (나) 열량계의 종류를 각각 쓰시오.

(2) (가), (나) 중 열 손실이 거의 없어서 열량을 비교적 정확하게 측정할 수 있는 열량계를 쓰시오.

Hint 간이 열량계는 열 손실이 있지만, 통열량계는 단열이 잘되어 열 손실이 거의 없다.

4-2

간이 열량계에 물과 염화 칼슘($CaCl_2$)을 넣은 다음 $CaCl_2$을 완전히 용해시켰더니 온도가 처음보다 10 ℃ 높아졌다. 이때 용액의 질량은 200 g이고, 용액의 비열은 4.2 J/(g·℃)라면 $CaCl_2$이 물에 용해될 때 출입하는 열량(kJ)을 구하시오. (단, 반응에서 발생한 열은 용액이 모두 흡수한다고 가정한다.)

4주 5일

기초 유형 연습 | 화학 반응과 열

대표 기출 유형 2020학년도 10월 학평 5번 변형

다음은 질산 암모늄(NH_4NO_3)과 관련된 실험이다.

[실험 과정]

(가) 열량계에 20 ℃의 물을 100 g 넣는다.

(나) 물에 $NH_4NO_3(s)$ 10 g을 완전히 녹인 후 용액의 최저 온도를 측정한다.

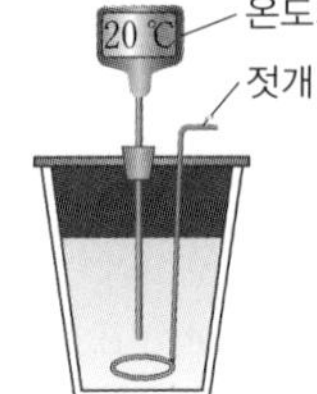

(다) 20 ℃의 물 200 g을 이용하여 (가)와 (나)를 수행한다.

[실험 결과 및 자료]

- 용액의 비열: 4 J/(g·℃)
- (나)에서 측정한 용액의 최저 온도: 17 ℃
- (다)에서 측정한 용액의 최저 온도: t ℃

이에 대한 설명으로 옳은 것만을 〈보기〉에서 있는 대로 고른 것은? (단, NH_4NO_3의 화학식량은 80이고, 외부로 빠져나간 열 손실은 없다고 가정한다.)

보기

ㄱ. $t > 17$이다.
ㄴ. NH_4NO_3의 용해는 발열 반응이다.
ㄷ. NH_4NO_3 1몰이 용해될 때 출입하는 열량은 1320 J/mol이다.

① ㄱ ② ㄴ ③ ㄱ, ㄷ
④ ㄴ, ㄷ ⑤ ㄱ, ㄴ, ㄷ

|보기| 풀이

ㄱ 용해되는 NH_4NO_3의 질량이 같을 때 용액의 질량이 클수록 온도 변화는 작다.

ㄴ 용액의 온도가 낮아졌으므로 NH_4NO_3의 용해는 흡열 반응이다.

ㄷ 열량(Q)=4 J/(g·℃)×110 g×3 ℃=1320 J이고, 사용한 NH_4NO_3 10 g은 0.125 mol이므로 NH_4NO_3 1몰이 용해될 때 출입하는 열량은 $\frac{1320\text{ J}}{0.125\text{ mol}}$= 10560 J/mol이다.

답 ①

1 다음은 마그네슘(Mg)과 염산(HCl)의 반응을 화학 반응식으로 나타낸 것이다.

$$Mg(s) + 2HCl(aq) \longrightarrow MgCl_2(aq) + H_2(g)$$

이 반응과 열의 출입 방향이 같은 것만을 〈보기〉에서 있는 대로 고른 것은?

보기

ㄱ. 물의 응고
ㄴ. 염화 칼슘의 용해
ㄷ. 철이 녹스는 반응
ㄹ. 수산화 바륨 팔수화물과 질산 암모늄의 반응

① ㄱ, ㄹ ② ㄴ, ㄷ ③ ㄷ, ㄹ
④ ㄱ, ㄴ, ㄷ ⑤ ㄴ, ㄷ, ㄹ

2 그림은 수소(H_2)와 산소(O_2)가 반응하여 물(H_2O)이 생성되는 반응의 에너지 변화를 나타낸 것이다.

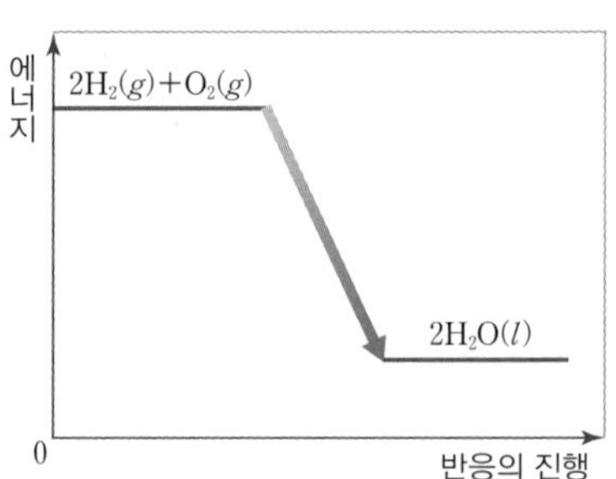

이에 대한 설명으로 옳은 것만을 〈보기〉에서 있는 대로 고른 것은?

보기

ㄱ. 열을 흡수하는 반응이다.
ㄴ. 물이 생성될 때 주위의 온도는 낮아진다.
ㄷ. 산과 염기의 중화 반응과 열의 출입 방향이 같다.

① ㄱ ② ㄷ ③ ㄱ, ㄴ
④ ㄴ, ㄷ ⑤ ㄱ, ㄴ, ㄷ

정답과 해설 29쪽

3 다음은 2가지 화학 반응식이다.

(가) $CH_4(g)+2O_2(g) \longrightarrow CO_2(g)+2H_2O(l)$
(나) $2NaHCO_3(s) \longrightarrow Na_2CO_3(s)+H_2O(l)+CO_2(g)$

이에 대한 설명으로 옳은 것만을 〈보기〉에서 있는 대로 고른 것은?

보기
ㄱ. (가) 반응이 일어날 때 주위의 온도는 높아진다.
ㄴ. (나)는 발열 반응이다.
ㄷ. (나) 반응에서 생성물의 에너지 합은 반응물의 에너지 합보다 작다.

① ㄱ ② ㄴ ③ ㄱ, ㄷ
④ ㄴ, ㄷ ⑤ ㄱ, ㄴ, ㄷ

4 다음은 냉각 팩의 원리를 알아보기 위한 실험이다.

[실험 과정]
(가) 물이 들어 있는 비닐봉지를 질산 암모늄(NH_4NO_3)과 함께 지퍼 백에 넣는다.

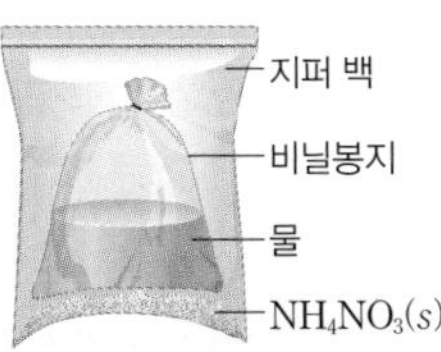

(나) 지퍼 백을 닫고 비닐봉지를 손으로 눌러 터뜨리면 다음과 같은 반응이 일어나 지퍼 백이 차가워진다.
$NH_4NO_3(s) \longrightarrow NH_4^+(aq)+NO_3^-(aq)$

(나)에서 일어나는 반응에 대한 설명으로 옳은 것만을 〈보기〉에서 있는 대로 고른 것은?

보기
ㄱ. 산화 환원 반응이다.
ㄴ. 반응이 일어날 때 주위의 온도가 낮아진다.
ㄷ. 반응물의 에너지 합은 생성물의 에너지 합보다 크다.

① ㄱ ② ㄴ ③ ㄷ
④ ㄱ, ㄴ ⑤ ㄱ, ㄷ

5 다음은 간이 열량계를 이용하여 고체 X가 물에 용해될 때 출입하는 열량을 구하는 실험이다.

[실험 과정]
(가) 간이 열량계에 물 100 g을 넣고 물의 온도(t_1)를 측정한다.
(나) (가)의 열량계에 고체 X 10 g을 넣고 완전히 녹인 뒤 용액의 온도(t_2)를 측정한다.

[실험 결과]
• t_1: 25 ℃ • t_2: 35 ℃

(1) 고체 X가 물에 용해될 때 열의 출입을 쓰시오.

(2) 고체 X 1 g이 물에 용해될 때 출입하는 열량(J/g)을 구하시오. (단, 용액의 비열은 4 J/(g·℃)이고, 외부로 빠져나간 열 손실은 없다고 가정한다.)

6 표는 25 ℃의 0.1 M 염산(HCl) 200 mL와 25 ℃의 0.1 M 수산화 나트륨(NaOH) 수용액 200 mL를 반응시켰을 때 발생하는 열량을 측정하는 실험에서 얻은 측정값과 열량 계산에 필요한 자료를 나타낸 것이다.

혼합 용액의 최고 온도(℃)	28
혼합 용액의 비열(J/(g·℃))	4.2
각 용액의 밀도(g/mL)	1

물 1 mol이 생성될 때 발생하는 열량(kJ/mol)을 구하시오. (단, 혼합 용액의 부피는 혼합 전 각 용액의 부피 합과 같고, 반응에서 발생하는 열은 혼합 용액이 모두 흡수한다고 가정한다.)

4주 5일

4주 누구나 100점 테스트

2021학년도 수능 8번

1 표는 밀폐된 진공 용기 안에 $X(l)$를 넣은 후 시간에 따른 X의 $\frac{\text{응축 속도}}{\text{증발 속도}}$와 $\frac{X(g)\text{의 양(mol)}}{X(l)\text{의 양(mol)}}$에 대한 자료이다. $0<t_1<t_2<t_3$이고, $c>1$이다.

시간	t_1	t_2	t_3
$\frac{\text{응축 속도}}{\text{증발 속도}}$	a	b	1
$\frac{X(g)\text{의 양(mol)}}{X(l)\text{의 양(mol)}}$		1	c

이에 대한 설명으로 옳은 것만을 〈보기〉에서 있는 대로 고른 것은? (단, 온도는 일정하다.)

보기

ㄱ. $a<1$이다.

ㄴ. $b=1$이다.

ㄷ. t_2일 때, $X(l)$와 $X(g)$는 동적 평형을 이루고 있다.

① ㄱ ② ㄴ ③ ㄱ, ㄷ
④ ㄴ, ㄷ ⑤ ㄱ, ㄴ, ㄷ

2 그림은 T_1 ℃에서 물 100 g에 고체 A 36 g을 넣었을 때 충분한 시간이 지난 후 더 이상 고체 A가 녹지 않고 가라앉은 상태를 나타낸 것이다. 이에 대한 설명으로 옳은 것만을 〈보기〉에서 있는 대로 고른 것은? (단, 온도는 일정하다.)

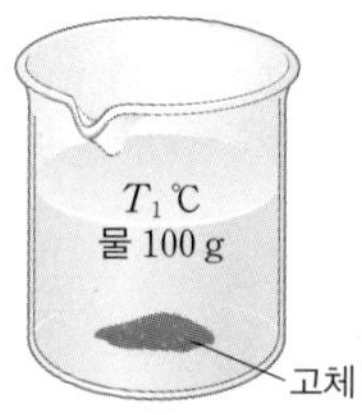

보기

ㄱ. 동적 평형 상태이다.

ㄴ. 고체 A는 더 이상 용해되지 않는다.

ㄷ. 고체 A를 더 넣어도 용해된 A의 질량은 변하지 않는다.

① ㄱ ② ㄴ ③ ㄱ, ㄷ
④ ㄴ, ㄷ ⑤ ㄱ, ㄴ, ㄷ

2021학년도 9월 모평 14번 변형

3 표는 25 ℃의 A~C 수용액에 대한 자료이다. (단, 25 ℃에서 물의 이온화 상수는(K_w)는 1.0×10^{-14}이다.)

수용액	A	B	C
$[H_3O^+]:[OH^-]$	$1:10^2$	$10^4:1$	$1:1$

(1) A~C 수용액의 액성을 각각 쓰시오.

(2) A~C 수용액의 pH를 각각 구하시오.

2020학년도 9월 모평 18번 변형

4 다음은 중화 반응 실험이다.

[실험 과정]

(가) $HCl(aq)$, $NaOH(aq)$, $KOH(aq)$을 준비한다.

(나) $HCl(aq)$ V mL가 담긴 비커에 $NaOH(aq)$ $2V$ mL를 넣는다.

(다) (나)의 비커에 $KOH(aq)$ V mL를 넣는다.

[실험 결과]

- (다) 과정 후 혼합 용액에 존재하는 양이온의 종류는 2가지이다.
- (나)와 (다) 과정 후 혼합 용액에 존재하는 양이온 수비

과정	(나)	(다)
양이온 수비	1 : 1	1 : 1

이에 대한 설명으로 옳은 것만을 〈보기〉에서 있는 대로 고른 것은? (단, 혼합 용액의 부피는 혼합 전 각 용액의 부피 합과 같다.)

보기

ㄱ. (다) 과정 후 용액은 중성이다.

ㄴ. 단위 부피당 이온 수는 $NaOH(aq)$이 $KOH(aq)$보다 많다.

ㄷ. $HCl(aq)$ V mL와 $NaOH(aq)$ $4V$ mL를 혼합한 용액은 중성이다.

① ㄱ ② ㄴ ③ ㄱ, ㄷ
④ ㄴ, ㄷ ⑤ ㄱ, ㄴ, ㄷ

정답과 해설 29쪽

[5~6] 다음은 2가지 반응을 화학 반응식으로 나타낸 것이다.

(가) $2NO(g) + O_2(g) \longrightarrow 2NO_2(g)$
(나) $aNO_2(g) + H_2O(l) \longrightarrow bHNO_3(aq) + cNO(g)$
(a~c는 반응 계수)

5 (가)와 (나)에 대한 설명으로 옳은 것만을 〈보기〉에서 있는 대로 고른 것은?

보기
ㄱ. (가)에서 NO는 환원제이다.
ㄴ. (나)에서 $a+b+c=6$이다.
ㄷ. (나)에서 NO 2몰이 생성될 때 반응한 NO_2의 양(mol)은 3몰이다.

① ㄱ ② ㄷ ③ ㄱ, ㄴ
④ ㄴ, ㄷ ⑤ ㄱ, ㄴ, ㄷ

6 (나)에서 N의 산화수를 순서대로 쓰시오.

2020학년도 수능 9번 변형

7 그림은 원소 X~Z로 이루어진 분자 (가)와 (나)의 구조식을 나타낸 것이다. (가)에서 X의 산화수는 −1이다.

```
   Z   Z              Z   Z
   |   |              |   |
 Y-X - X-Y          Z-X - X-Z
   |   |              |   |
   Y   Y              Y   Y
   (가)                (나)
```

이에 대한 설명으로 옳은 것만을 〈보기〉에서 있는 대로 고른 것은? (단, X~Z는 임의의 1, 2주기 원소 기호이다.)

보기
ㄱ. 전기 음성도는 X<Z이다.
ㄴ. (가)에서 Y의 산화수는 −1이다.
ㄷ. (나)에서 X의 산화수는 +1이다.

① ㄱ ② ㄴ ③ ㄱ, ㄷ
④ ㄴ, ㄷ ⑤ ㄱ, ㄴ, ㄷ

[8~9] 다음은 다이크로뮴산 칼륨($K_2Cr_2O_7$), 물(H_2O), 황(S)의 반응을 화학 반응식으로 나타낸 것이다. (단, a~c는 반응 계수이다.)

$$aK_2Cr_2O_7(aq) + bH_2O(l) + 3S(s) \longrightarrow 4KOH(aq) + cCr_2O_3(s) + 3SO_2(g)$$

8 위 반응에서 S은 산화제와 환원제 중 어느 것인지 쓰고, 그 까닭을 서술하시오.

9 계수 a~c를 구하여 화학 반응식을 완성하시오.

10 다음은 수산화 바륨 팔수화물($Ba(OH)_2 \cdot 8H_2O$)과 염화 암모늄(NH_4Cl)의 반응에 대한 실험이다.

(가) 나무판의 가운데에 물을 10방울 정도 떨어뜨리고 삼각 플라스크를 올려놓는다.
(나) 삼각 플라스크에 수산화 바륨 팔수화물과 염화 암모늄을 넣고 잘 저어 주었더니 몇 분 뒤 나무판 위의 물이 얼어 삼각 플라스크와 나무판이 함께 들어 올려졌다.

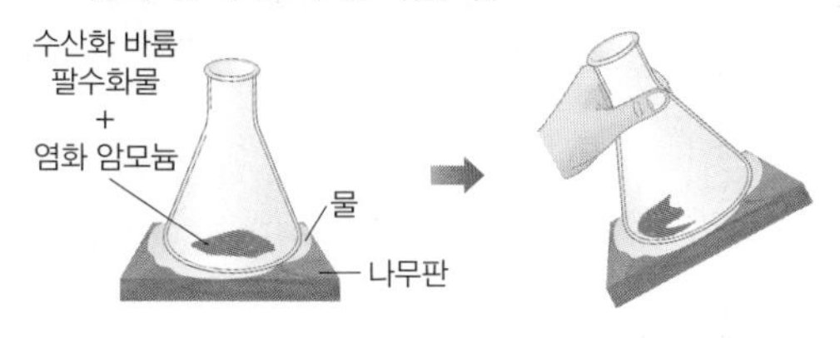

이에 대한 설명으로 옳은 것만을 〈보기〉에서 있는 대로 고른 것은?

보기
ㄱ. 반응이 일어날 때 주위의 온도는 낮아진다.
ㄴ. 반응물의 에너지 합이 생성물의 에너지 합보다 크다.
ㄷ. 수산화 나트륨의 용해와 열의 출입 방향이 같다.

① ㄱ ② ㄴ ③ ㄱ, ㄷ
④ ㄴ, ㄷ ⑤ ㄱ, ㄴ, ㄷ

4주 100점

농도를 모르는 산을 중화 적정하는 방법을 알아 볼까요?

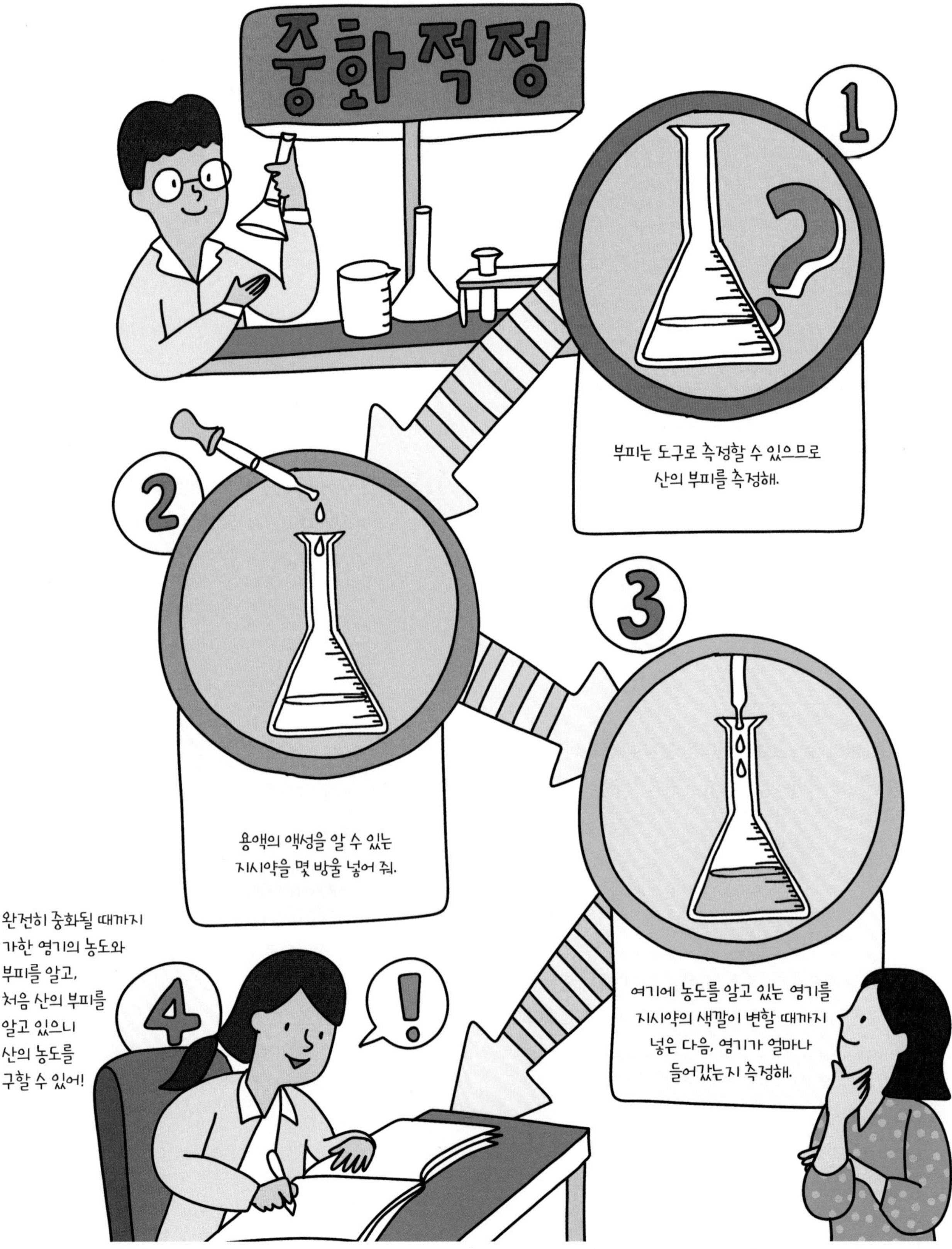

정답과 해설 30쪽

| 2020학년도 10월 학평 4번 |

다음은 식초 속 아세트산의 함량을 구하기 위해 학생 A가 수행한 실험 과정이다.

[실험 과정]
(가) 표준 용액으로 0.1 M NaOH(aq)을 준비한다.
(나) 식초 w g을 완전히 중화시키는 데 필요한 NaOH(aq)의 부피를 구한다.

학생 A가 사용한 실험 장치로 가장 적절한 것은?

①
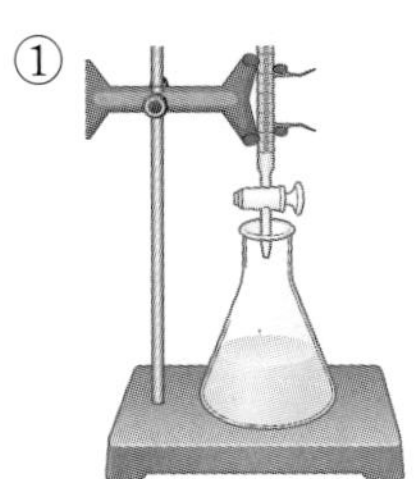
②
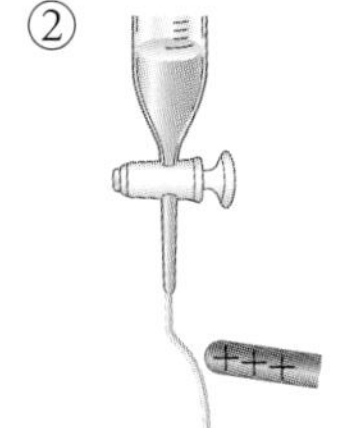
③
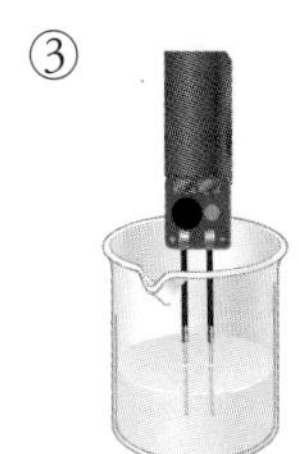
④
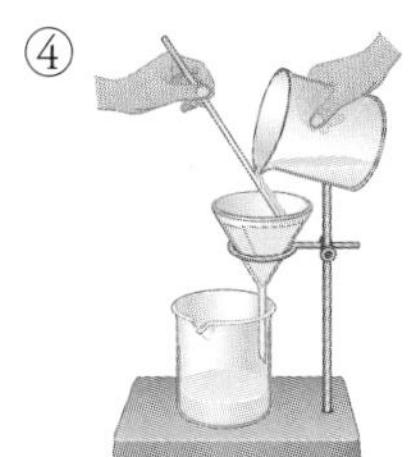
⑤

4 주 특강

특강 중화 적정 실험

- **중화 적정에 필요한 실험 기구**
  ① 피펫: 액체의 부피를 정확히 취해 옮길 때 사용한다.
  ② 뷰렛: 가하는 표준 용액의 부피를 측정할 때 사용한다.
  ③ 부피 플라스크: 정확한 몰 농도의 표준 용액을 만들 때 사용한다.
  ④ 삼각 플라스크: 농도를 모르는 용액을 넣은 후 반응시키는 용기로 사용한다.

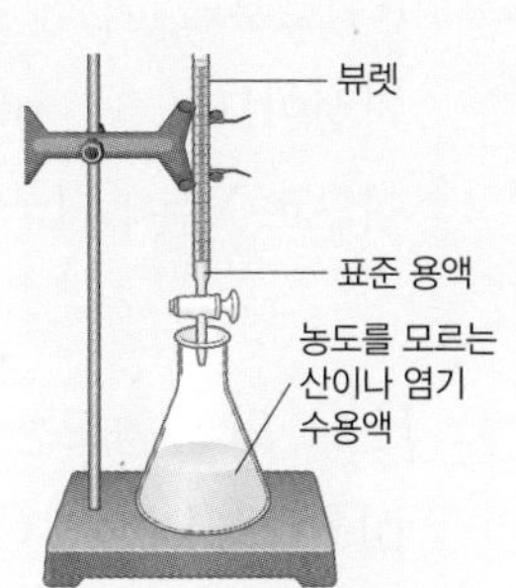

▲ 중화 적정 실험 장치

- **농도를 모르는 산 수용액을 염기 *표준 용액으로 중화 적정하기**
  ① 농도를 모르는 산 수용액 일정량을 피펫으로 취해 삼각 플라스크에 넣는다.
  ② 삼각 플라스크에 지시약을 1~2방울 떨어뜨린다.
  ③ 표준 용액인 염기 수용액을 뷰렛에 넣고 눈금을 읽은 다음, 산 수용액이 들어 있는 삼각 플라스크에 천천히 떨어뜨린다.
  ④ 지시약이 변색되는 순간 뷰렛의 꼭지를 잠근 다음 눈금을 읽어 사용된 표준 용액의 부피를 구한다.
  ⑤ 중화 반응의 양적 관계를 이용하여 산 수용액의 농도를 구한다.

용어 * **표준 용액**: 중화 적정에서 농도를 알고 있는 산 수용액이나 염기 수용액

1

2020학년도 7월 학평 12번 변형 **용액의 pH**

다음은 25 ℃에서 수용액의 액성에 대해 학생 A가 수행한 탐구 활동이다.

[탐구 활동]

(가) 수용액 X~Z의 pH 또는 pOH를 구한 뒤, 그 값을 비커에 표시한다.

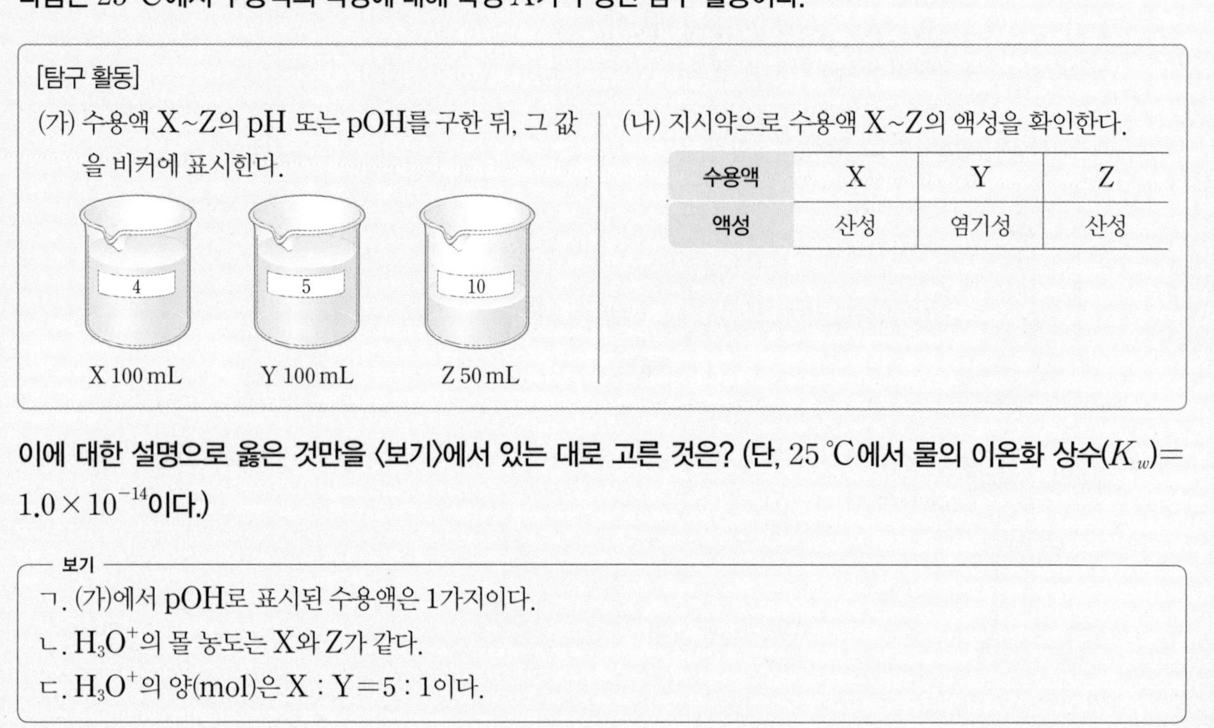

(나) 지시약으로 수용액 X~Z의 액성을 확인한다.

수용액	X	Y	Z
액성	산성	염기성	산성

이에 대한 설명으로 옳은 것만을 〈보기〉에서 있는 대로 고른 것은? (단, 25 ℃에서 물의 이온화 상수(K_w)= 1.0×10^{-14}이다.)

보기

ㄱ. (가)에서 pOH로 표시된 수용액은 1가지이다.

ㄴ. H_3O^+의 몰 농도는 X와 Z가 같다.

ㄷ. H_3O^+의 양(mol)은 X : Y=5 : 1이다.

① ㄱ ② ㄴ ③ ㄱ, ㄷ ④ ㄴ, ㄷ ⑤ ㄱ, ㄴ, ㄷ

ㄱ. (가)에서 pOH로 표시된 수용액은 1가지이다. (×)

(나)로부터 (가)에 표시된 값이 pH인지 pOH인지 확인할 수 있다. X는 산성이므로 4는 pH, Y는 염기성이므로 5는 pOH, Z는 산성이므로 10은 pOH를 나타낸 것이다. 25 ℃에서 pH+pOH=14이므로 X는 pH=4, pOH=10, Y는 pH=9, pOH=5, Z는 pH=4, pOH=10이다.

ㄴ. H_3O^+의 몰 농도는 X와 Z가 같다. (○)

$pH=-\log[H_3O^+]$이고, X와 Z는 pH가 4로 같으므로 H_3O^+의 몰 농도가 같다.

ㄷ. H_3O^+의 양(mol)은 X : Y=5 : 1이다. (×)

X와 Y의 pH는 각각 4, 9이므로, H_3O^+의 몰 농도는 각각 1.0×10^{-4} M, 1.0×10^{-9} M이다. X와 Y의 부피는 각각 100 mL이므로 H_3O^+의 양(mol)은 다음과 같다.

X: 1.0×10^{-4} mol/L × 0.1 L = 1.0×10^{-5} mol

Y: 1.0×10^{-9} mol/L × 0.1 L = 1.0×10^{-10} mol

따라서 H_3O^+의 양(mol)은 X : Y = 1.0×10^{-5} : 1.0×10^{-10} = 10^5 : 1이다. **답** ②

정답과 해설 30쪽

2 산과 염기

다음은 온라인 게시판에 올라온 학생 A의 질문과 선생님의 답변이다.

게시판(Q&A)

학생: 선생님! 물(H_2O)은 브뢴스테드·로리 산인가요? 염기인가요?

선생님: 물은 양쪽성 물질이기 때문에 두 가지 모두 가능합니다. 다음 (가)와 (나) 반응을 살펴봅시다.

(가) $HCN(l)+H_2O(l) \longrightarrow H_3O^+(aq)+CN^-(aq)$

(나) $NH_3(g)+H_2O(l) \rightleftharpoons NH_4^+(aq)+OH^-(aq)$

이에 대한 설명으로 옳은 것만을 〈보기〉에서 있는 대로 고르시오.

보기

ㄱ. (가)에서 H_2O은 브뢴스테드·로리 염기로 작용한다.
ㄴ. (나)에서 H_2O의 짝염기는 OH^-이다.
ㄷ. (나)에서 NH_3는 H_2O로부터 H^+을 받는다.

≫ 자료 분석 Tip

브뢴스테드·로리 산은 H^+을 내놓는 물질이고, 브뢴스테드·로리 염기는 H^+을 받는 물질이다. 그런데 H^+을 내놓을 수도 있고 받을 수도 있는 물질이 있다. 이 물질은 산으로도 작용할 수 있고 염기로도 작용할 수 있어서 양쪽성 물질이라고 한다.

≫ 문제 해결 Tip

이러한 유형의 문제는 주어진 화학 반응식에서 H^+의 이동에 초점을 맞추어 산과 염기를 찾으면 쉽게 해결할 수 있다.
브뢴스테드·로리 산과 염기를 찾은 후 짝산과 짝염기의 관계를 파악한다.

3 중화 적정

다음은 중화 적정 실험 후 학생 A가 작성한 탐구 보고서의 일부이다.

[실험 과정]

(가) 농도를 모르는 황산(H_2SO_4) 10 mL를 ㉠ (으)로 정확하게 취해 삼각 플라스크에 넣고, 페놀프탈레인 용액을 2~3방울 떨어뜨린다.

(나) 뷰렛에 0.1 M 수산화 나트륨(NaOH) 수용액을 넣고, H_2SO_4이 들어 있는 삼각 플라스크에 NaOH 수용액을 천천히 떨어뜨린다.

(다) 삼각 플라스크 속 용액 전체가 붉은색으로 변하는 순간 뷰렛의 꼭지를 잠근 후, 실험에 사용한 NaOH 수용액의 부피를 구한다.

[실험 결과] 실험에 사용한 NaOH 수용액의 부피는 30 mL이다.

[결론] H_2SO_4의 농도는 ㉡ M이다.

이에 대한 설명으로 옳은 것만을 〈보기〉에서 있는 대로 고르시오.

보기

ㄱ. ㉠은 피펫이다.
ㄴ. ㉡은 0.3이다.
ㄷ. 생성된 물의 양(mol)은 0.003 mol이다.

≫ 자료 분석 Tip

중화 적정은 중화 반응의 양적 관계를 이용하여 농도를 모르는 산이나 염기의 농도를 알아내는 방법이다. 중화 적정에 필요한 실험 기구에는 피펫, 뷰렛 등이 있는데, 이중 피펫은 액체의 부피를 정확히 취해 옮길 때 사용하고, 뷰렛은 적정에 사용한 표준 용액의 부피를 측정할 때 사용한다.

≫ 문제 해결 Tip

- 중화 반응의 양적 관계를 이용하여 농도를 모르는 산이나 염기의 농도를 구한다.
  $n_1M_1V_1=n_2M_2V_2$
  (n: 가수, M: 몰 농도, V: 부피)
- 중화 반응에서 산의 H^+과 염기의 OH^-은 1 : 1의 몰비로 반응하여 물(H_2O)을 생성한다.

4 2021학년도 9월 모평 3번 변형 화학 반응에서 출입하는 열의 측정

다음은 염화 칼슘($CaCl_2$)이 물에 용해되는 반응에 대한 실험과 이에 대한 세 학생의 대화이다.

[실험 과정]
(가) 그림과 같이 25 ℃의 물 100 g이 담긴 열량계를 준비한다.
(나) (가)의 열량계에 $CaCl_2(s)$ 10 g을 넣어 녹인 후 수용액의 최고 온도를 측정한다.

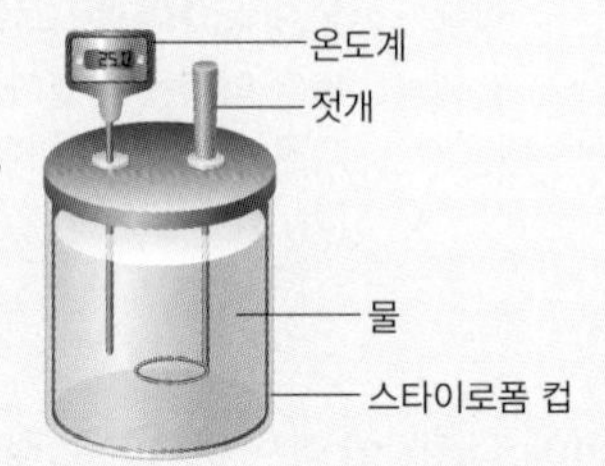

[실험 결과]
수용액의 최고 온도는 30 ℃이다.

학생 A: $CaCl_2(s)$이 물에 용해되는 반응은 발열 반응이야.
학생 B: 반응에서 출입한 열량은 2310 J이야.
학생 C: 중화 반응과 열의 출입 방향이 같아.

제시한 내용이 옳은 학생만을 있는 대로 고른 것은? (단, 용액의 비열은 4.2 J/(g·℃)이고, 열량계의 외부 온도는 25 ℃로 일정하다.)

① A ② B ③ A, B ④ B, C ⑤ A, B, C

학생 A: $CaCl_2(s)$이 물에 용해되는 반응은 발열 반응이야. (○)

처음 물의 온도는 25 ℃이고, $CaCl_2(s)$을 물에 넣어 녹인 후 수용액의 최고 온도는 30 ℃이다. 이때 온도가 5 ℃ 높아졌으므로 $CaCl_2(s)$이 물에 용해되는 반응은 열을 방출하는 발열 반응이라는 것을 알 수 있다.

학생 B: 반응에서 출입한 열량은 2310 J이야. (○)

방출하거나 흡수한 열량(Q) = 용액의 비열(c) × 용액의 질량(m) × 용액의 온도 변화(Δt)

$$= 4.2\ \text{J/(g}\cdot\text{℃)} \times 110\ \text{g} \times 5\ \text{℃} = 2310\ \text{J}$$

학생 C: 중화 반응과 열의 출입 방향이 같아. (○)

산과 염기가 만나 물을 생성하는 중화 반응은 발열 반응의 예이다. 따라서 $CaCl_2(s)$이 물에 용해되는 반응과 열의 출입 방향이 같다. 답 ⑤

정답과 해설 30쪽

5

산화수

다음은 3가지 화합물의 화학식과 이에 대한 선생님과 학생의 대화이다.

H_2O, OF_2, H_2O_2

- 선생님: 제시된 화합물에서 산소(O)의 산화수를 이야기해 봅시다.
- 학생 A: H_2O에서 O의 산화수는 ㉠ 입니다.
- 학생 B: OF_2에서 O의 산화수는 ㉡ 입니다.
- 학생 C: H_2O_2에서 O의 산화수는 ㉢ 입니다.

㉠+㉡+㉢의 값은?

① -6 ② -4 ③ -2 ④ -1 ⑤ 0

≫ 자료 분석 Tip
대체로 화합물에서 O의 산화수는 -2이지만, 화합물의 종류에 따라 O의 산화수가 달라질 수 있다.

≫ 문제 해결 Tip
이 문제에서 주어진 화합물은 모두 공유 결합 물질이다. 공유 결합 물질에서는 전기 음성도가 큰 원자 쪽으로 공유 전자쌍이 모두 이동한다고 가정하고 산화수를 구한다. 전기 음성도는 $H < O < F$라는 사실을 기억해야 한다.

산화 환원 반응

다음은 3가지 반응의 화학 반응식과 이에 대한 학생들의 대화이다.

(가) $2Na + Cl_2 \longrightarrow 2NaCl$
(나) $2CuO + C \longrightarrow 2Cu + CO_2$
(다) $SO_2 + 2H_2S \longrightarrow 3S + 2H_2O$

(가)에서 Cl_2는 환원되었어.

(나)에서 C는 환원제로 작용해.

(다)의 SO_2에서 S의 산화수는 $+2$야.

학생 A

학생 B

학생 C

제시한 내용이 옳은 학생만을 있는 대로 고른 것은?

① A ② B ③ A, B ④ B, C ⑤ A, B, C

≫ 자료 분석 Tip
산화수가 증가하는 반응은 산화, 산화수가 감소하는 반응은 환원이며, 산화와 환원은 항상 동시에 일어난다. 이때 자신은 환원되면서 다른 물질을 산화시키는 물질은 산화제, 자신은 산화되면서 다른 물질을 환원시키는 물질은 환원제라고 한다.

≫ 문제 해결 Tip
이러한 유형의 문제에서는 산화수 규칙을 이용하여 각 원자의 산화수를 구하고, 산화수가 증가하는 물질과 산화수가 감소하는 물질을 파악한다.
대체로 화합물에서 H의 산화수는 $+1$, O의 산화수는 -2이며, 화합물을 이루는 원자들의 산화수 합은 0이라는 것을 반드시 기억해야 한다.

시작은

하루 수능

정답과 해설

천재교육

정답과 해설 포인트 3가지

▶ 혼자서도 이해할 수 있는 친절한 문제 풀이

▶ 정답과 오답에 대한 상세한 설명 제시

▶ 자료에 대한 분석 방법을 알고 싶을 때는 자료 해설!

정답과 해설

1주 I. 화학의 첫걸음

1일 개념 확인 11쪽

1-1 (1) 질소 (2) 질소 비료
1-2 ㄴ, ㄷ
2-1 (1) 나일론 (2) ㄱ, ㄴ, ㄷ
2-2 (1) (가) 천연 섬유 (나) 합성 섬유 (2) (나)

1-2 ㄴ, ㄷ. 암모니아의 대량 합성으로 질소 비료가 대량으로 생산되어 인류의 식량 부족 문제 해결에 기여하였다.

오답 풀이
ㄱ. 질소(N_2)는 질소 원자 사이의 결합이 매우 강해 실온에서 쉽게 반응하지 않는다.

2-1 (2) ㄱ. 나일론은 석유에서 얻은 물질로부터 합성된다.
ㄴ, ㄷ. 나일론은 매우 질기고 잘 구겨지지 않아 밧줄, 칫솔모, 그물 등에 이용된다.

1일 개념 확인 13쪽

3-1 (1) X: 철, Y: 알루미늄 (2) (가) X (나) Y
3-2 (1) 시멘트 (2) 콘크리트 (3) 철근 콘크리트 (4) (다)
4-1 ㉠ 아스피린(아세틸살리실산) ㉡ 살리실산 ㉢ 페니실린 ㉣ 항생제
4-2 ㄴ

3-2 석회, 산화 철 등을 점토와 섞어 만든 건축 재료는 시멘트이다. 시멘트에 물, 모래, 자갈 등을 섞어 만든 재료는 콘크리트이다. 콘크리트에 철근을 넣어 만든 재료는 철근 콘크리트로, 대규모 건축물을 만드는 데 사용된다.

4-2 ㄴ. 아스피린은 해열 진통제로 사용된다.

오답 풀이
ㄱ. 버드나무 껍질에서 추출한 물질은 살리실산이고, 살리실산을 아세트산과 합성하여 만든 화합물 X는 아세틸살리실산이다.
ㄷ. 아스피린은 최초의 합성 의약품이다. 최초의 항생제는 페니실린이다.

1일 기초 유형 연습 14~15쪽

1 ① **2** $N_2(g)+3H_2(g) \longrightarrow 2NH_3(g)$ **3** (1) 합성 섬유 (2) 나일론 **4** ② **5** (1) X: NH_3, Y: CH_4 (2) 해설 참조 **6** ②

1 하버는 암모니아(X)의 대량 합성법을 개발하여 인류의 식량 부족 문제 해결에 기여하였다. 철광석과 코크스를 용광로에 넣어 가열하면 철(Y)을 얻을 수 있고, 철을 콘크리트에 넣어 만든 철근 콘크리트는 콘크리트의 강도를 높여 대규모 건축물을 짓는 데 이용된다. 캐러더스에 의해 개발된 합성 섬유인 나일론(Z)은 질기고 강해서 밧줄, 그물 등에 이용된다.

3 (1) 석유나 천연가스를 원료로 하여 만들며 기능성 옷의 원료로 사용되는 것은 합성 섬유이다.
(2) 최초의 합성 섬유는 나일론이다.

4 ㄴ. 하버와 보슈는 질소와 수소를 고온, 고압 조건에서 반응시켜 암모니아를 합성하였다.

오답 풀이
ㄱ. 나일론은 석유를 원료로 하여 만든 합성 섬유이다.
ㄷ. 암모니아는 인류의 식량 부족 문제를 해결하는 데 기여하였다.

5 (2) 모범 답안 **(가)는 암모니아 합성 반응으로, 질소 비료의 대량 생산을 가능하게 하여 인류의 식량 문제 해결에 기여하였다. (나)는 가정용 연료인 메테인의 연소 반응으로 주거 환경을 쾌적하게 하는 데 기여하였다.**

6 ㄷ. 암모니아는 인류의 식량 부족 문제 해결에 기여하였다.

오답 풀이
ㄱ. 암모니아는 질소 기체와 수소 기체를 반응시켜 얻는다.
ㄴ. 암모니아는 고온, 고압 조건에서 철 촉매를 사용하여 합성한다.

2일 개념 확인 17쪽

1-1 (1) ㉠ 탄소(C) ㉡ 산소(O) (2) 탄소 화합물
1-2 (1) 4 (2) ㉠ 2중 ㉡ 3중
2-1 (1) ㉠ 수소(H) ㉡ 이산화 탄소(CO_2) ㉢ 연료 (2) ㄱ, ㄴ
2-2 ㄱ

1-2 (1) 탄소의 원자가 전자 수는 4로 최대 4개의 다른 원자와 결합할 수 있다.
(2) ㉠은 탄소 원자 간에 공유한 전자쌍 수가 2인 2중 결합, ㉡은 탄소 원자 간에 공유한 전자쌍 수가 3인 3중 결합이다.

2-1 (2) ㄱ, ㄴ. 가장 간단한 탄화수소는 탄소 원자가 1개인 메테인(CH_4)이며, 천연가스의 주성분으로 가정용 연료로 사용된다.

오답 풀이
ㄷ. 메테인(CH_4)은 원자 5개로 구성된 작은 분자이다. 고분자 화합물은 작은 단위가 반복적으로 결합하여 형성된 거대한 분자이다.

2-2 ㄱ. (가)~(다)는 모두 탄소(C)와 수소(H)로만 이루어진 탄화수소로 탄소 화합물이다.

오답 풀이
ㄴ. (가)~(다)를 완전 연소시키면 모두 이산화 탄소와 물을 생성한다.
ㄷ. (가)~(다)는 모두 물과 상호 작용을 할 수 있는 부분이 존재하지 않으므로 물에 잘 녹지 않는다.

2일 개념 확인 19쪽

3-1 (1) (가) 메테인 (나) 에탄올 (다) 아세트산 (2) (가)<(나)=(다) (3) (다)
3-2 ③
4-1 (가) 플라스틱 (나) 의약품
4-2 ㄴ, ㄷ

3-1 (2) (가)는 CH_4, (나)는 C_2H_5OH, (다)는 CH_3COOH이므로 분자를 구성하는 탄소 원자 수는 각각 1, 2, 2이다.
(3) 아세트산(CH_3COOH)은 물에 녹아 H^+을 내놓으므로 수용액은 산성을 나타낸다.

3-2 ③ (가) 에탄올은 살균 작용이 있어 손 소독제의 원료로 사용된다.

오답 풀이
① (가)는 탄소, 수소, 산소로 이루어진 탄소 화합물이다.
②, ④ (가)는 에탄올로 술의 성분이고, (나)는 아세트산으로 식초의 성분이다.
⑤ (나)의 수용액은 산성을 나타낸다.

4-2 ㄴ. (나)는 플라스틱으로, 작은 분자가 반복적으로 결합하여 만들어진 고분자 화합물이다.
ㄷ. (가)와 (나)는 모두 탄소 화합물이다.

오답 풀이
ㄱ. 나프타로부터 합성하는 물질은 (나)인 플라스틱이다.

2일 기초 유형 연습 20~21쪽

1 ② **2** 해설 참조 **3** ② **4** ② **5** (1) ㉠, ㉢ (2) ㉠
6 해설 참조

2 모범 답안 **공통점: (가)와 (나)는 모두 탄소 화합물로, 완전 연소할 때 이산화 탄소와 물을 생성한다.**
차이점: (가)는 물에 녹아 중성을 나타내지만, (나)는 물에 녹아 산성을 나타낸다.

3 ㄷ. 탄소 화합물에는 탄소(C) 원자가 포함되어 있어 완전 연소하면 이산화 탄소가 생성된다.

오답 풀이
ㄱ. 탄소 화합물은 탄소(C) 원자가 H, O, N 등과 결합하여 이루어지는데, 구성 원소의 종류에 비해 화합물의 가짓수는 매우 크다.
ㄴ. 탄소 원자는 이웃한 탄소 원자와 사슬 모양뿐 아니라 고리 모양, 가지 달린 사슬 모양 등 다양한 모양으로 결합할 수 있다.

4 ㄷ. (나)는 아세트산으로 물에 녹아 산성을 나타낸다.

오답 풀이
ㄱ. (가)는 메테인으로 물에 잘 녹지 않는다.
ㄴ. (나)는 아세트산으로 식초의 성분이다.

5 (1) 플라스틱(㉠)과 뷰테인(㉢)은 모두 탄소를 포함하고 있는 탄소 화합물이다.
(2) 간단한 기본 단위가 반복적으로 결합하여 이루어진 물질은 고분자 화합물이다. 플라스틱은 고분자 화합물이다.

6 모범 답안 **탄소 원자는 원자가 전자 수가 4로 다른 원자와 최대 4개까지 결합할 수 있다. 또 탄소 원자들은 사슬 모양, 고리 모양 등 다양한 구조로 결합할 수 있고, 탄소 원자들끼리 단일 결합, 2중 결합, 3중 결합 등을 형성하여 다양한 구조의 화합물을 만들 수 있다.**

3일 개념 확인 23쪽

1-1 (1) (가)<(나)<(다) (2) (가) 1 mol (나) 4 mol (다) 4.5 mol
1-2 12.5
2-1 (1) X: 16, Y: 28 (2) C>X>Y
2-2 (1) 12 (2) 32 (3) 18 g

1-1 (2) 물(H_2O) 0.5 mol에 들어 있는 H 원자의 양은 $2\times0.5=1$(mol)이다. 메테인(CH_4) 1 mol에 들어 있는 H 원자의 양은 4 mol이다. 암모니아(NH_3) 1.5 mol에 들어 있는 H 원자의 양은 $3\times1.5=4.5$(mol)이다.

1-2 H_2O 1 mol에는 H_2O 분자가 1 mol 들어 있으므로 $a=1$이다. CH_4 1.5 mol에 들어 있는 전체 원자의 양은 $5\times1.5=7.5$(mol)이므로 $b=7.5$이다. NaCl 2 mol에 들어 있는 전체 이온의 양은 $2\times2=4$(mol)이므로 $c=4$이다. 따라서 $a+b+c=1+7.5+4=12.5$이다.

2-1 (1) C 원자 4개의 질량과 X 원자 3개의 질량이 같으므로 X의 원자량은 C의 원자량의 $\frac{4}{3}$배이다. 따라서 X의 원자량은 $12\times\frac{4}{3}=16$이다. 또 X 원자 7개의 질량과 Y 원자 4개의 질량이 같으므로 Y의 원자량은 X의 원자량의 $\frac{7}{4}$배이다. 따라서 Y의 원자량은 $16\times\frac{7}{4}=28$이다.
(2) 각 원자 1 g에 들어 있는 원자의 양(mol)은 $\frac{1}{\text{원자량}}$에 비례한다. 따라서 C, X, Y 각 1 g에 들어 있는 원자 수는 C>X>Y이다.

2-2 (1) X 원자 1 mol의 질량은 2×10^{-23} g/개$\times6\times10^{23}$개 $=12$ g이다. 따라서 X의 원자량은 12이다.
(2) Z 원자 1 mol의 질량은 $\frac{8}{3}\times10^{-23}$ g/개$\times6\times10^{23}$개 $=16$ g이다. 이로부터 Z_2의 분자량은 $2\times16=32$이다.
(3) Y 원자 1 mol의 질량은 $\frac{1}{6}\times10^{-23}$ g/개$\times6\times10^{23}$개 $=1$ g이다. 이로부터 Y_2Z의 분자량은 $2\times1+16=18$이므로 Y_2Z 분자 6×10^{23}개의 질량은 18 g이다.

3일 개념 확인 25쪽

3-1 (1) 16 (2) 2 g (3) 8 g
3-2 (1) A: 14, B: 16 (2) 38
4-1 (1) (가)=(나)=(다) (2) (가)<(나)<(다)
4-2 (1) (가) : (나) : (다)=1 : 2 : 3 (2) (가) : (나) : (다)=15 : 14 : 13

3-1 (1) YZ_2의 분자량=12+2×Z의 원자량=44에서 Z의 원자량은 16이다.
(2) X_2Z의 분자량=2×X의 원자량+16=18에서 X의 원자량은 1이다. 따라서 X_2 1 mol의 질량은 2 g이다.
(3) ZX_4 2 mol에 들어 있는 X 원자의 양은 8 mol이고, X의 원자량은 1이므로 X 원자 8 mol의 질량은 8 g이다.

3-2 (1) AB_2와 A_2B의 분자량은 각각 46, 44이므로 A와 B의 원자량을 각각 a, b라고 하면 $a+2b=46$, $2a+b=44$에서 $a=14$, $b=16$이다.
(2) A_2B_3의 분자량은 2×14+3×16=76이므로 A_2B_3 0.5 mol의 질량은 38 g이다. 따라서 $x=38$이다.

4-1 (1) (가)~(다)에 들어 있는 기체 분자 수는 모두 5로 같으므로 (가)~(다)의 부피는 서로 같다.
(2) (가)~(다)에 들어 있는 분자 수가 같으므로 각 기체의 질량비는 분자량비와 같다. 따라서 질량비는 (가) : (나) : (다)=20 : 32 : 44이므로 질량은 (가)<(나)<(다)이다.

4-2 (1) 같은 온도와 압력에서 기체의 부피비는 분자 수비와 같으므로 기체의 몰비는 (가) : (나) : (다)=1 : 2 : 3이다.
(2) 기체의 밀도비는 분자량비와 같다. 각 분자의 분자량은 C_2H_6이 30, C_2H_4이 28, C_2H_2이 26이므로 (가)~(다)의 밀도비는 (가) : (나) : (다)=30 : 28 : 26=15 : 14 : 13이다.

3일 기초 유형 연습 26~27쪽

1 해설 참조 **2** ② **3** ⑤ **4** ① **5** 해설 참조 **6** ②

1 모범 답안 **0 ℃, 1 기압에서 기체 1 mol의 부피가 22.4 L이므로 (가)의 양은 1 mol이고 (나)의 양은 0.25 mol이다. 따라서 (가)의 질량은 28 g이고, (나) 0.25 mol의 질량이 8 g이므로 (나) 1 mol의 질량은 32 g이다. 이로부터 $x=28$, $y=32$이다. 또 (다)의 분자량이 44인데 질량이 4.4 g이므로 물질의 양은 0.1 mol이고 부피는 2.24 L이다. 따라서 $z=2.24$이다.**

2 같은 온도와 압력에서 기체 (가)~(다)의 부피가 같으므로 물질의 양(mol)은 모두 같다. 따라서 분자량비는 (가) : (나)=7 : 8이다. 이때 (가)의 분자량을 $7k$, (나)의 분자량을 $8k$라고 하면 X, Y의 원자량은 $3.5k$, $4k$이고, (다)의 분자량은 $11k$이므로 (다)의 분자식은 X_2Y이다.

3 ㄱ. 물병 속 H_2O의 양은 $\frac{450\ g}{18\ g/mol}=25\ mol$이다.
ㄴ. 20 ℃, 1 기압에서 기체 1 mol의 부피는 24 L이므로 12 L에 들어 있는 He(g)의 양은 0.5 mol이다.
ㄷ. 물병 속 H_2O의 양이 25 mol이므로 H 원자의 양은 50 mol이고 질량은 50 g이다. 또 풍선 속 He의 양이 0.5 mol이므로 He 원자의 질량은 2 g이다. 따라서 물병 속 H 원자의 질량은 풍선 속 He 원자의 질량의 25배이다.

4 H_2 분자 6×10^{23}개의 질량은 2 g이므로 H_2 분자 1개의 질량은 $\frac{2\ g}{6\times10^{23}}=\frac{1}{3}\times10^{-23}$ g이다. 따라서 ㉠은 $\frac{1}{3}$이다. 또 H_2의 분자량이 2이므로 H의 원자량은 1이다. 한편 CH_4의 분자량이 16이므로 C의 원자량+4×1=16에서 C의 원자량은 12이다. 마찬가지로 CO_2의 분자량이 44이므로 12+2×O의 원자량=44에서 O의 원자량은 16이다. 따라서 HCHO의 분자량은 2×1+12+16=30이다.

5 모범 답안 **기체의 온도와 압력이 같을 때 기체의 부피비는 분자 수비와 같으므로 실린더에 들어 있는 기체의 양(mol)은 He(g) : A(g)=10 : 1이다. 기체의 질량을 w g, A의 분자량을 a라고 하면 $\frac{w}{4}$: $\frac{w}{a}$ =10 : 1이고, 이 식을 풀면 $a=40$이다. 따라서 A의 분자량은 40이다.**

6 (가)에서 O_2 16.8 L에 들어 있는 분자의 양은 0.75 mol이다. (나)에서 CH_2O 20 g에 들어 있는 분자의 양은 $\frac{2}{3}$ mol이다. (다)에서 CH_4 분자 9×10^{23}개의 양은 1.5 mol이다.
ㄷ. (나)에서 CH_2O 분자의 양은 $\frac{2}{3}$ mol, (다)에서 CH_4 분자의 양은 1.5 mol이므로 기체의 부피는 (나)<(다)이다.

오답 풀이
ㄱ. (가)에서 O_2 분자의 양은 0.75 mol이므로 O 원자의 양은 1.5 mol이고, (나)에서 CH_2O 분자의 양은 $\frac{2}{3}$ mol이므로 O 원자의 양은 $\frac{2}{3}$ mol이다. 따라서 O 원자의 질량은 (가)가 (나)의 $\frac{9}{4}$배이다.
ㄴ. (가)에서 $O_2(g)$의 양은 0.75 mol이고 O_2의 분자량이 32이므로 기체의 질량은 24 g이다. (다)에서 CH_4의 양은 1.5 mol이고, CH_4의 분자량이 16이므로 기체의 질량은 24 g이다.

4일 개념 확인 29쪽

1-1 (1) 반응물: AB, B_2, 생성물: AB_2 (2) $2AB+B_2 \rightarrow 2AB_2$
1-2 (1) $a=1$, $b=2$, $c=1$, $d=2$
2-1 (1) 10 L (2) 2 mol (3) 3 mol
2-2 (1) $A(g)+3B(g) \rightarrow 2C(g)$ (2) 6 mol

1-1 (2) 반응물과 생성물을 각각 '→' 의 왼쪽과 오른쪽에 적고, 반응 전후 원자의 종류와 수가 같도록 계수를 맞추어 화학

반응식을 완성하면 $2AB+B_2 \longrightarrow 2AB_2$이다.

1-2 화학 반응식에서 반응 전후 원자의 종류와 수가 같아야 하므로 $a=c$, $4a=2d$, $2b=2c+d$이며, a를 1로 놓으면 $c=1$, $d=2$, $b=2$이다. 따라서 화학 반응식을 완성하면 $CH_4(g)+2O_2(g) \longrightarrow CO_2(g)+2H_2O(l)$이다.

2-1 (1) 화학 반응식에서 계수비는 기체의 반응 부피비와 같다. 따라서 $H_2(g)$ 20 L를 모두 반응시키는 데 필요한 $O_2(g)$의 부피는 10 L이다.

(2) 화학 반응식에서 계수비는 반응 몰비와 같다. 따라서 O_2 1 mol이 모두 반응했을 때 생성되는 H_2O의 양(mol)은 2 mol이다.

(3) $H_2(g)$ 3 mol과 $O_2(g)$ 1 mol을 반응시키면 $H_2(g)$ 2 mol과 $O_2(g)$ 1 mol이 반응하여 $H_2O(g)$ 2 mol을 생성하고, $H_2(g)$ 1 mol이 반응하지 않고 남는다.

2-2 (1) A 1 mol과 B 3 mol이 반응하여 C 2 mol이 생성되었으므로 반응 몰비는 A : B : C=1 : 3 : 2이다. 따라서 화학 반응식은 $A(g)+3B(g) \longrightarrow 2C(g)$이다.

(2) A와 B는 1 : 3의 몰비로 반응하므로 남은 A 2 mol을 모두 반응시키기 위해 추가로 필요한 B의 양은 6 mol이다.

4일 개념 확인 31쪽

3-1 (1) CO : O_2=2 : 1 (2) 32 g (3) 44 g
3-2 AB_3
3-3 3.6 L
3-4 9

3-1 (1) 완성된 화학 반응식: $2CO(g)+O_2(g) \longrightarrow 2CO_2(g)$
이로부터 CO와 O_2의 반응 몰비는 2 : 1이다.

(2) CO_2 2 mol이 생성될 때 반응한 O_2의 양은 1 mol이므로 반응한 질량은 32 g이다.

(3) 0 ℃, 1 기압에서 CO(g) 22.4 L의 양은 1 mol이므로 생성된 CO_2의 양도 1 mol이며, 질량은 44 g이다.

3-2 (가)와 (나)의 부피비가 5 : 3이고 (가)에서 분자의 개수가 5이므로 (나)에서 분자의 개수는 3개이다. 만약 (가)에서 A_2도 모두 반응했다고 가정하면, (나)에서 생성물 X 분자의 개수는 3개이어야 하고, X 분자 3개를 구성하는 A 원자가 4개, B 원자가 6개이어야 하므로 X의 분자식에서 A의 원자수가 $\frac{4}{3}$개가 되어 타당하지 않다. 따라서 A_2 분자 1개가 반응했으며, 반응하지 않고 남은 A_2 분자는 1개이고 생성된 X 분자는 2개가 되므로 X의 분자식은 AB_3가 된다.

3-3 완성된 화학 반응식: $2Al+6HCl \longrightarrow 2AlCl_3+3H_2$
Al 2.7 g의 양은 0.1 mol이므로 생성되는 H_2의 양은 0.15 mol이고 부피는 3.6 L이다.

3-4 (가)에서 반응 후 생성물만 존재하므로 반응 부피비는 A_2 : X=1 : 2이다. 만약 (나)에서 A_2 2 L가 모두 반응한다면 생성된 X의 부피가 4 L가 되어야 하는데 반응 후 전체 기체의 부피가 3 L이므로 타당하지 않다. 이로부터 A_2 1 L와 B_2 3 L가 반응하여 X 2 L가 생성됨을 알 수 있다. 따라서 반응 부피비는 A_2 : B_2 : X=1 : 3 : 2이다. (다)에서는 A_2 3 L와 B_2 9 L가 반응하여 X 6 L를 생성하고 B_2 3 L가 반응하지 않고 남는다. 따라서 (다)에서 반응 후 전체 기체의 부피는 9 L이다.

4일 기초 유형 연습 32~33쪽

1 $X_2(g)+2Y_2(g) \rightarrow 2XY_2(g)$ **2** ③ **3** ③ **4** ⑤
5 (1) $a=3, b=2, c=6, d=1$ (2) 10.8 g **6** ①

1 반응하는 분자 수비가 X_2 : Y_2 : XY_2=1 : 2 : 2이므로 화학 반응식은 다음과 같다.
$X_2(g)+2Y_2(g) \longrightarrow 2XY_2(g)$

2 ㄱ. 화학 반응식을 완성하면 다음과 같다.
$C_3H_8(g)+5O_2(g) \longrightarrow 3CO_2(g)+4H_2O(l)$
C_3H_8 4.4 g의 양은 $\frac{4.4\text{ g}}{44\text{ g/mol}}=0.1$ mol이므로 생성된 CO_2의 양은 0.3 mol이다.

ㄴ. C_3H_8 0.1 mol과 반응한 O_2의 양은 0.5 mol이고, 질량은 0.5 mol×32 g/mol=16 g이며, (나)에서 남아 있는 O_2의 질량이 3.2 g이므로 (가)에서 넣어 준 O_2의 질량(x)은 16 g+3.2 g=19.2 g이다.

오답 풀이
ㄷ. (나)에서 H_2O의 양은 0.4 mol이고 질량은 물의 0.4 mol ×18 g/mol=7.2 g이다. 이때 x=19.2이므로 생성된 H_2O의 질량은 $\frac{2}{9}x$ g보다 크다.

3 ㄱ. 첫 번째 화학 반응식을 완성하면 다음과 같다.
$2NaN_3(s) \longrightarrow 2Na(s)+3N_2(g)$
ㄴ. 두 번째 화학 반응식을 완성하면 다음과 같다.
$Fe_2O_3(s)+6Na(s) \longrightarrow 3Na_2O(s)+2Fe(s)$
따라서 $a=2b$이다.

오답 풀이
ㄷ. NaN_3의 화학식량이 65이므로 6.5 g의 양은 0.1 mol이다. 즉 NaN_3 0.1 mol이 반응할 때 생성된 N_2의 양은 0.15 mol이다. 이때 t ℃, 1 기압에서 기체 1몰의 부피는 V L이므로 기체 0.15 mol의 부피는 0.15V L이다.

4 ㄱ. 화학 반응식을 완성하면 다음과 같다.
$X_2(g)+2Y_2(g) \longrightarrow 2XY_2(g)$
실험 II에서 반응 후 남은 반응물이 없으므로 X_2 a L와 Y_2 $4b$ L가 모두 반응하고 그 부피비는 화학 반응식의 계수비와 같다. 즉 $a : 4b = 1 : 2$이므로 $a = 2b$이다.

ㄴ. $a = 2b$이므로 실험 Ⅰ에서 X_2와 Y_2의 부피는 각각 b L, $3b$ L이고, 반응 부피비는 $X_2 : Y_2 = 1 : 2$이므로 반응 후에는 Y_2가 b L 남는다.

ㄷ. 생성된 XY_2의 부피는 실험 Ⅰ에서 $2b$ L, 실험 Ⅱ에서는 $4b$ L이므로 생성물의 양은 Ⅱ에서가 Ⅰ에서의 2배이다.

5 (1) 반응 전후 원자의 종류와 수가 같아야 하므로
$a Ag_2S + b Al \longrightarrow c Ag + d Al_2S_3$에서
$2a = c$, $b = 2d$, $a = 3d$이고, 이때 $d = 1$이라고 하면 $a = 3$, $b = 2$, $c = 6$이다.

(2) $3Ag_2S + 2Al \longrightarrow 6Ag + Al_2S_3$
Ag_2S과 Al의 반응 몰비가 3 : 2이므로 0.6 mol의 Ag_2S과 반응하는 Al의 양은 0.4 mol이고, 반응한 Al의 질량은 0.4 mol × 27 g/mol = 10.8 g이다.

6 ㄱ. $CaCO_3$의 화학식량이 100이므로 반응한 $CaCO_3$ 1.0 g의 양은 0.01 mol이다.

오답 풀이

ㄴ. $CaCO_3$과 H_2O의 계수가 같으므로 $CaCO_3$ 0.01 mol이 반응할 때 생성된 H_2O의 양은 0.01 mol이다.

ㄷ. $CaCO_3$ 0.01 mol이 반응할 때 생성된 CO_2의 양은 0.01 mol이다. 반응 전 전체 질량이 $(w_1 + 1.0)$ g이고 반응 후 질량이 w_2 g이다. 생성된 기체인 CO_2는 빠져나갔으므로 생성된 CO_2의 질량은 $(w_1 + 1.0 - w_2)$ g이고 이 양이 0.01 mol이다. 따라서 CO_2의 분자량은 $100(w_1 + 1.0 - w_2)$이다.

5일 개념 확인 35쪽

1-1 (1) (가)=(나) (2) (가)<(나)
1-2 (1) $\frac{50}{3}$ % (2) $\frac{40}{3}$ %
1-3 (1) (가)=(나) (2) (가)>(나)
1-4 (1) 4 % (2) 0.4 %

1-1 (2) 두 용액에 녹아 있는 용질의 질량은 같으므로 분자량이 작은 포도당의 양(mol)이 더 크다.

1-2 (1) (가)의 퍼센트 농도는 $\frac{40}{240} \times 100 = \frac{50}{3}(\%)$이다.

(2) (가)에 물 60 g을 추가한 용액의 퍼센트 농도는
$\frac{40}{(240+60)} \times 100 = \frac{40}{3}(\%)$이다.

1-3 (1) (가)의 퍼센트 농도는 $\frac{50}{150} \times 100 = \frac{100}{3}(\%)$이다.
(나)의 퍼센트 농도는 $\frac{25}{75} \times 100 = \frac{100}{3}(\%)$이다.

(2) (가)와 (나)에 각각 물 50 g을 추가하면 (가)에서는 용매의 질량이 1.5배가 되고 (나)에서는 용매의 질량이 2배가 되므로 퍼센트 농도는 (가)>(나)이다.

1-4 (1) (가)에서 만든 수용액의 퍼센트 농도는
$\frac{4}{100} \times 100 = 4(\%)$이다.

(2) (나)에서 만든 수용액 100 mL의 질량은 100 g이고, (가) 수용액 10 g에 녹아 있는 용질의 질량은 0.4 g이다. 따라서 (나) 용액의 퍼센트 농도 $= \frac{0.4}{100} \times 100 = 0.4(\%)$이다.

5일 개념 확인 37쪽

2-1 (가)=(나)=(다)
2-2 (1) (가) 6 g (나) 6 g (2) $\frac{300}{53}$ %
3-1 (1) 2 (2) 부피 플라스크
3-2 (1) $\frac{200}{7}$ % (2) 1 M

2-1 (1) (가)~(다)에 녹아 있는 용질의 입자 수가 각각 8, 4, 2, 용액의 부피가 각각 100 mL, 50 mL, 25 mL이므로 용액의 몰 농도의 비는 (가) : (나) : (다) $= \frac{8}{100} : \frac{4}{50} : \frac{2}{25}$이다. 따라서 (가)~(다)의 몰 농도는 모두 같다.

2-2 (1) (가)의 질량이 100 g, 퍼센트 농도가 6 %이므로 용질의 질량은 6 g이다. 또 (나)의 몰 농도가 1.5 M, 용액의 부피가 0.1 L이므로 용질의 양은 0.15 mol, 즉 질량은 6 g이다.

(2) (나)의 밀도가 1.06 g/mL이므로 용액의 질량은 106 g이다. 따라서 퍼센트 농도는 $\frac{6}{106} \times 100 = \frac{300}{53}(\%)$이다.

3-1 (1) 0.1 M NaOH 수용액 500 mL에 들어 있는 NaOH의 양이 0.05 mol이고 NaOH의 화학식량이 40이므로 질량은 2 g이다. 따라서 x는 2이다.

3-2 (1) (가)에서 만든 A 수용액의 퍼센트 농도는
$\frac{40}{140} \times 100 = \frac{200}{7}(\%)$이다.

(2) (가)의 용액 140 g에 녹아 있는 A의 질량이 40 g이므로 용액 70 g에 녹아 있는 A의 질량은 20 g, 즉 0.5 mol이다.
따라서 몰 농도는 $\frac{0.5 \text{ mol}}{0.5 \text{ L}} = 1$ M이다.

5일 기초 유형 연습 38~39쪽

1 ③ **2** 해설 참조 **3** ⑤ **4** ② **5** $\frac{a}{40}$ M **6** ⑤

1 ㄱ. (가)의 퍼센트 농도가 10 %, 용액의 질량이 40 g이므로 용액에 녹아 있는 NaOH의 질량은 4 g, 즉 0.1 mol이다.

ㄴ. (가) 20 g에 녹아 있는 NaOH의 질량은 2 g이고, (나)

의 밀도가 1 g/mL이므로 50 mL의 질량은 50 g이다. 따라서 (나)의 퍼센트 농도는 $\frac{2}{50} \times 100 = 4(\%)$이다.

오답 풀이

ㄷ. (나)에 녹아 있는 NaOH의 질량 2 g의 양은 0.05 mol이고 용액의 부피가 0.05 L이므로 용액의 몰 농도는 1 M이다.

2 모범 답안 **1.0 M HCl(aq) 40 mL 속 용질의 양은 0.04 mol이고 2.0 M HCl(aq) 10 mL 속 용질의 양은 0.02 mol이므로 혼합 용액 속 용질의 양은 0.06 mol이다. 이때 용액의 부피가 100 mL이므로 몰 농도는 $\frac{0.06 \text{ mol}}{0.1 \text{ L}} = 0.6$ M이다.**

3 ㄱ, ㄴ. (나)의 몰 농도가 0.8 M이고 용액의 부피가 1 L이므로 용액에 녹아 있는 A의 양은 0.8 mol이고, 질량은 48 g이다. 따라서 (가)에 녹아 있는 $CuSO_4$의 질량도 48 g이다.
ㄷ. (가)의 몰 농도가 0.3 M이고 부피가 1 L이므로 (가)에 녹아 있는 $CuSO_4$의 양은 0.3 mol이다. 이때 $CuSO_4$의 질량이 48 g이므로 $CuSO_4$의 화학식량은 160이다.

4 ㄷ. 몰 농도는 (나)가 (가)의 2배이므로 같은 부피에 들어 있는 용질의 양(mol)은 (나)가 (가)의 2배이다. 이때 화학식량은 A가 B의 2배이므로 용액 속 용질의 질량은 같으며, 두 수용액의 밀도가 같으므로 두 수용액의 퍼센트 농도는 같다.

오답 풀이

ㄱ. (가)의 몰 농도가 0.1 M이고, 부피가 1000 mL이므로 용액 속 용질의 양은 0.1 mol이다. 또 (나)의 몰 농도가 0.2 M이고 부피가 500 mL이므로 용액 속 용질의 양(mol)은 0.1 mol이다.
ㄴ. (가)와 (나)에 녹아 있는 용질의 양(mol)은 같고 화학식량은 A가 B의 2배이므로 용액 속 용질의 질량은 (가) > (나)이다.

5 (가)의 밀도가 1 g/mL이므로 10 mL의 질량은 10 g이고, 퍼센트 농도가 a %이므로 10 mL에 녹아 있는 X의 질량은 $0.1a$ g이다. 또 X의 화학식량이 40이므로 $0.1a$ g의 양은 $\frac{a}{400}$ mol이고, (나)의 부피가 0.1 L이므로 (나)의 몰 농도는 $\frac{a}{40}$ M이다.

6 ㄱ. (가)에 녹아 있는 포도당의 양은 0.1 mol/L × 0.5 L = 0.05 mol이다.
ㄴ. (나)에 녹아 있는 포도당의 양은 0.2 mol/L × 0.2 L = 0.04 mol이고, (다)에 녹아 있는 포도당의 양은 0.4 mol/L × 0.1 L = 0.04 mol이다. 즉 (나)와 (다)에 녹아 있는 용질의 양(mol)이 같으므로 용액 속 용질의 질량은 같다.
ㄷ. (가)와 (나)를 혼합한 용액 속 용질의 양은 0.09 mol이고, 혼합 용액의 부피가 1 L이므로 몰 농도는 0.09 M이다.

1주 누구나 100점 테스트 40~41쪽

1 ④ **2** ① **3** $H_2 > NH_3 > N_2$ **4** ③ **5** ⑤
6 B > C > A **7** ⑤ **8** 6 **9** ② **10** ①

1 ④ 나일론은 최초의 합성 섬유로 대량 생산이 가능하다.

오답 풀이

① 암모니아는 공기 중의 질소와 수소를 반응시켜 합성한다.
②, ③ 순수한 철은 철광석에서 산소를 떼어내야 하는데, 이 반응은 고온인 용광로 내부에서 일어난다. 철은 강도가 크지만 부식되기 쉬워 창틀이나 건물 외벽에 사용하기에 적절하지 않다.
⑤ 아스피린은 최초의 합성 의약품으로 해열 진통제로 사용된다.

2 ① (가)는 탄소와 수소로만 이루어진 탄화수소이다.

오답 풀이

② (가)는 물과 상호 작용하는 부분이 없어 물에 잘 녹지 않는다.
③, ④ (나)는 식초의 성분이며, 수용액은 산성을 나타낸다.
⑤ (가)와 (나)의 완전 연소 생성물은 모두 이산화 탄소와 물이다.

3 각 물질 1 g에 들어 있는 분자 수는 $\frac{1}{\text{분자량}}$에 비례한다.

4 ㄱ. (가)는 메테인이다. 메테인은 LNG의 주성분이다.
ㄴ. (다)는 아세트산이다. 아세트산 수용액은 산성이다.

오답 풀이

ㄷ. $\frac{\text{H 원자 수}}{\text{C 원자 수}}$는 (가)~(다)가 각각 4, 3, 2이므로 (가)가 가장 크다.

5 ㄱ. XY_2와 ZX_2의 1분자당 원자 수가 같고 전체 원자 수는 (나)가 (가)의 1.5배이므로 분자 수는 (나)가 (가)의 1.5배이다. 이때 (가)의 부피가 8 L이므로 (나)의 부피는 8 L × 1.5 = 12 L에서 $a = 12$이다. 또 XY_2 8 L의 양은 $\frac{1}{3}$ mol이고 전체 원자의 양은 1 mol이다. (다)의 분자량이 104이므로 26 g의 양은 $\frac{1}{4}$ mol이고 전체 원자의 양은 $\frac{3}{2}$ mol이므로 전체 원자 수(상댓값) $b = \frac{3}{2}$이다.
ㄴ. (나) 0.5 mol의 질량이 23 g이므로 1 mol의 질량은 46 g이다. 이로부터 (나)와 (다) 1 g에 들어 있는 전체 원자 수비는 (나) : (다) = $\frac{1}{46} \times 3 : \frac{1}{104} \times 6$으로 (나) > (다)이다.
ㄷ. X~Z의 원자량을 각각 x, y, z라고 하면, $x + 2y = 54$, $z + 2x = 46$, $2z + 4y = 104$에서 $x = 16$, $y = 19$, $z = 14$이다. 따라서 X_2의 분자량은 32이고, $X_2(g)$ 6 L의 양은 0.25 mol이므로 질량은 8 g이다.

자료 해설 ⊕ 몰과 화학식량

(가)의 부피 8 L ➡ 분자의 양 $\frac{1}{3}$ mol ➡ 전체 원자의 양 1 mol

(가) 1 mol의 질량은 54 g이다.

기체	분자식	질량(g)	분자량	부피(L)	전체 원자 수 (상댓값)	양 (mol)
(가)	XY_2	18	54	8	1	$\frac{1}{3}$
(나)	ZX_2	23	46	a 12	1.5	$\frac{1}{2}$
(다)	Z_2Y_4	26	104	6	b $\frac{3}{2}$	$\frac{1}{4}$

전체 원자 수(상댓값) 1.5 ➡ 전체 원자의 양 1.5 mol
➡ 분자 (나)의 양 0.5 mol

6 A 9.6 g은 $\frac{9.6\ g}{64\ g/mol}=0.15\ mol$이고, $B(l)$ 0.09 L, 즉 90 mL의 질량은 90 g이므로 $\frac{90\ g}{18\ g/mol}=5\ mol$이며, $C(g)$ 5 L는 0.2 mol이다. 따라서 A~C의 양(mol)은 B>C>A이다.

7 ① 화살표 왼쪽에 있는 메테인과 산소는 반응물이다.

② 반응 분자 수비는 $CH_4 : O_2=1 : 2$이므로 CH_4 1 mol이 반응할 때 필요한 O_2의 양은 2 mol이다.

③ 기체의 부피비는 $O_2(g) : CO_2(g)=2 : 1$이므로 $O_2(g)$ 20 L가 모두 반응할 때 생성되는 $CO_2(g)$의 부피는 10 L이다.

④ 반응 몰비는 $CH_4 : H_2O=1 : 2$이므로 H_2O 1 mol이 생성될 때 반응한 CH_4의 양은 0.5 mol이다.

오답 풀이

⑤ CH_4과 CO_2의 반응 몰비가 1 : 1인데 두 물질의 분자량은 같지 않으므로 CH_4 8 g이 모두 반응할 때 생성되는 CO_2의 질량은 8 g이 아니다.

8 화학 반응 전후 원자의 종류와 수가 같아야 하므로 다음 관계식이 성립한다.

$a=c+1,\ 2a+b=3c+1,\ 2b=c$

이때 $b=1$이라고 하면 $c=2,\ a=3$이다.

따라서 $a+b+c=3+1+2=6$이다.

9 반응 전에는 XY 3개와 Y_2 1개, 반응 후에는 XY_2 2개와 XY 1개가 존재하므로 XY 2개와 Y_2 1개가 반응하여 XY_2 2개가 생성된다. 이를 화학 반응식으로 나타내면 다음과 같다.

$2XY+Y_2 \longrightarrow 2XY_2$

ㄷ. 화학 반응 전후 원자의 종류와 수는 변하지 않으므로 반응 전후 물질의 총 질량은 서로 같다.

오답 풀이

ㄱ. 생성물의 종류는 XY_2 1가지이다.

ㄴ. 반응하는 XY와 Y_2는 2 : 1의 몰비로 반응한다.

자료 해설 ⊕ 화학 반응식의 양적 관계

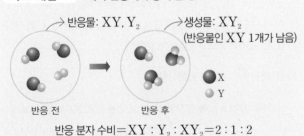

반응물: XY, Y_2

생성물: XY_2 (반응물인 XY 1개가 남음)

X

Y

반응 전 반응 후

반응 분자 수비 $=XY : Y_2 : XY_2=2 : 1 : 2$

10 혼합 후 용액 속에 녹아 있는 용질의 양(mol)은 혼합한 용액의 용질 양(mol)의 합과 같다. 혼합 전 용질의 양(mol)은 $x\ mol/L\times0.1\ L=0.1x\ mol$과 $\frac{4\ g}{100\ g/mol}=0.04\ mol$의 합이고, 혼합 후 용액 속 용질의 양은 $0.2\ mol/L\times0.25\ L=0.05\ mol$이다. 따라서 $0.1x+0.04=0.05$이고, $x=0.1$이다.

창의 · 융합 · 코딩 43~47쪽

정답 ③

그림은 실린더 (가)~(다)에 들어 있는 3가지 기체의 부피와 질량을 나타낸 것이다. 기체의 온도와 압력은 같고, X~Z는 임의의 원소 기호이다.

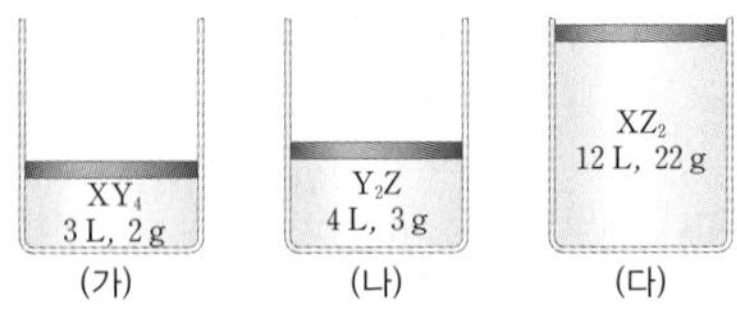
XY_4
3 L, 2 g
Y_2Z
4 L, 3 g
XZ_2
12 L, 22 g
(가)
(나)
(다)

다음은 이 자료에 대한 학생들의 대화이다.

기체의 양(mol)은 XZ_2가 Y_2Z의 3배야.
같은 부피의 질량비는 분자량비와 같으니까 분자량비는 $XY_4 : Y_2Z$ =8 : 9가 되지.
가장 많은 원자가 들어 있는 것은 (가)야.
학생 A
학생 B
학생 C

제시한 의견이 옳은 학생만을 있는 대로 고른 것은?

① A ② B ③ A, B
④ B, C ⑤ A, B, C

❶ 기체의 부피비를 이용하여 기체의 몰비를 구한다.
❷ 같은 부피의 질량비를 이용하여 분자량비를 구한다.
❸ 부피비에 각 분자당 원자 수를 곱하여 각 기체의 원자 수비를 구한다.

❶ 온도와 압력이 같을 때 기체는 종류에 관계없이 같은 부피 속에 같은 수의 분자를 포함한다.

(가)~(다)의 부피비가 (가) : (나) : (다)=3 : 4 : 12이므로 기체의 몰비도 $XY_4 : Y_2Z : XZ_2=3 : 4 : 12$이다. 따라서 기체의 양(mol)은 XZ_2가 Y_2Z의 3배이다.

❷ 일정한 온도와 압력에서 같은 부피에 들어 있는 기체 분자 수는 같으므로 같은 부피의 질량비는 분자량비와 같다.

1 L당 질량비, 즉 분자량비는 $XY_4 : Y_2Z : XZ_2=\frac{2}{3} : \frac{3}{4} : \frac{22}{12}=8 : 9 : 22$이다.

❸ 일정한 온도와 압력에서 부피비는 분자 수비와 같고, 전체 원자 수비는 분자 수비에 각 분자당 원자 수를 곱한 것과 같다. 분자 수비는 (가) : (나) : (다)=3 : 4 : 12이고, (가)~(다)의 각 분자당 원자 수는 5, 3, 3이므로 전체 원자 수비는 (가) : (나) : (다)$=3\times5 : 4\times3 : 12\times3=15 : 12 : 36$이다. 따라서 가장 많은 원자가 들어 있는 것은 (다)이다.

1 ③ **2** ③ **3** ㄴ, ㄷ **4** ② **5** ① **6** ④

2 ㄱ. (가)는 석유 등에서 얻은 원료로 합성하는 섬유인 합성 섬유이다.

ㄷ. 아스피린은 최초의 합성 의약품이다.

오답 풀이

ㄴ. (나)는 플라스틱으로, 작은 분자가 반복적으로 결합하여 생성된 고분자 화합물이다. 탄화수소는 탄소와 수소로만 이루어진 물질이다.

3 (가)는 메테인, (나)는 에탄올, (다)는 아세트산이다.

ㄴ. B는 물에 잘 녹지만 수용액이 중성인 에탄올이다. 에탄올은 살균 작용을 하여 손 소독제로 사용된다.

ㄷ. C는 물에 녹지 않는 물질로 메테인이다. 메테인은 천연가스의 주성분이다.

오답 풀이

ㄱ. A는 물에 녹아 산성을 나타내므로 (다)인 아세트산이다.

5 $NaHCO_3$의 분해 반응에서 반응 전후 원자의 종류와 수가 같도록 화학 반응식을 완성하면 다음과 같다.

$2NaHCO_3 \longrightarrow Na_2CO_3 + H_2O + CO_2$

A: ㉠에 해당하는 물질의 화학식은 반응 전후 원자의 종류와 수가 같다는 것을 이용하여 구할 수 있다.

오답 풀이

B: 화학 반응식에서 $NaHCO_3$과 H_2O의 계수비가 2 : 1이므로 $NaHCO_3$ 1 mol이 반응하면 H_2O 0.5 mol이 생성된다.

C: 화학 반응식에서 계수비는 반응 몰비와 같고 각 물질의 화학식량이 같지 않으므로 $NaHCO_3$과 Na_2CO_3의 질량비는 2 : 1이 아니다.

6 A: 생성물은 X를 포함하는 3원자 분자이므로 가능한 분자식은 XY_2 또는 X_2Y 중 하나이다.

B: 일정한 온도와 압력에서 기체의 부피비는 분자 수비와 같다. 반응 전 실린더 속에는 반응물인 XY 분자 4개와 Y_2 분자 4개로 총 8개가 있을 때 전체 기체의 부피가 $4V$이므로 반응 후 실린더 속에는 기체 분자가 총 6개 있어야 한다.

C: ㉡은 X를 포함하는 3원자 분자이므로 XY_2 또는 X_2Y 중 하나이다. ㉡이 X_2Y이면 만족하는 화학 반응식을 완성할 수 없고, XY_2이면 화학 반응식은 다음과 같다.

$2XY + Y_2 \longrightarrow 2XY_2$

오답 풀이

D: ㉡은 XY_2이고 XY와 Y_2가 2 : 1의 분자 수비로 반응하므로 반응 후 실린더에 남은 반응물은 Y_2 분자 2개이다.

자료 해설 화학 반응식의 양적 관계

생성물의 가능한 분자식: XY_2 또는 X_2Y이다.

피스톤 ●X ●Y

	반응 전	반응 후
기체의 종류	XY, Y_2	㉠, ㉡
전체 기체의 부피(L)	$4V$	$3V$

일정 온도와 압력에서 기체의 부피비는 분자 수비와 같다.

➡ 반응 전후 분자 수비 $= 4 : 3 = 8 : x$, $x = 6$

2주 II. 원자의 세계

1일 개념 확인 53쪽

1-1 (가) (−)전하를 띤다. (나) 직진한다. (다) 질량을 가진다.

1-2 ㄱ, ㄴ, ㄷ

2-1 (1) 원자핵 (2) ㄱ, ㄴ, ㄷ

2-2 ㄱ

1-2 ㄱ. 음극선의 진행 경로에 전기장을 걸어 주었을 때 (+)극 쪽으로 휘어지는 것으로 보아 X는 (−)전하를 띤다.

ㄴ. 음극선의 진행 경로에 바람개비를 놓아두면 바람개비가 회전하는 것으로 보아 X는 질량을 가진다.

ㄷ. 톰슨은 (+)전하를 띤 물질에 (−)전하를 띤 전자가 듬성듬성 박힌 원자 모형을 제안하였다.

2-1 (2) 원자핵은 (+)전하를 띠며, 부피가 매우 작고 질량이 전자에 비해 매우 커 원자 질량의 대부분을 차지한다.

2-2 ㄱ. (가)는 전자 발견 이후 제안된 톰슨의 원자 모형이다.

오답 풀이

ㄴ, ㄷ. (나)는 러더퍼드의 원자 모형으로 원자핵 발견 이후 제안된 모형이며, 원자핵은 (가)에는 존재하지 않고, (나)에만 존재한다.

1일 개념 확인 55쪽

3-1 (1) ㉠ 양성자 ㉡ 중성자 ㉢ 전자 (2) 0

3-2 (1) ㉠ 6 ㉡ 6 ㉢ 7 (2) Y (3) X<Y<Z

4-1 (1) ㉠ 17 ㉡ 18 (2) 35.5

4-2 ㄱ, ㄷ

3-2 (1) 원자는 전기적으로 중성이므로 전자 수와 양성자수가 같다. 따라서 ㉠은 6, ㉡은 6, ㉢은 7이다.

(2) X와 양성자수는 같고 중성자수가 다른 원소는 Y이다.

(3) X~Z의 질량수는 각각 12, 13, 14로 X<Y<Z이다.

4-1 (1) ^{35}X의 양성자수는 17이고 질량수가 35이므로 중성자수는 18이다. ^{37}X는 ^{35}X의 동위 원소이므로 양성자수는 17이다.

(2) X의 평균 원자량 $= 35 \times \frac{75}{100} + 37 \times \frac{25}{100} = 35.5$

4-2 ㄱ. A의 전자 수와 양성자수는 11이고, B의 전자 수와 양성자수는 8이다. 따라서 양성자수는 A>B이다.

ㄷ. A의 중성자수는 23−11=12이고, B의 중성자수는 18−8=10이다. 따라서 중성자수는 A가 B보다 2만큼 크다.

오답 풀이

ㄴ. B의 전자 수는 8이다.

1일 기초 유형 연습 56~57쪽

1 ① **2** ㉠ 양성자 ㉡ 전자 ㉢ 중성자 **3** (1) 10 (2) 13
4 ④ **5** ③ **6** 32

1 ㄱ. 음극선 실험으로 (−)전하를 띠는 전자가 발견되었다.

오답 풀이

ㄴ, ㄷ. 전자는 원자에서 원자핵 주위를 운동하고 있으며, 원자핵을 구성하는 양성자나 중성자에 비해 질량이 매우 작다.

3 ${}^{25}_{12}X^{2+}$에서 양성자수가 12이므로 전자 수는 10이다. 또 양성자수가 12, 질량수가 25이므로 중성자수는 13이다.

4 ㄴ. ${}^{15}N$의 중성자수는 $15-7=8$이고, ${}^{16}O$의 중성자수는 $16-8=8$이다. 따라서 중성자수는 ${}^{15}N$와 ${}^{16}O$가 같다.
ㄷ. 분자량은 구성 원자의 질량수가 더 큰 ${}^{13}C{}^{18}O_2$가 ${}^{12}C{}^{16}O_2$보다 크다.

오답 풀이

ㄱ. ${}^{12}C$와 ${}^{13}C$는 동위 원소이므로 전자 수(=양성자수)가 서로 같다.

5 ㄱ. $\frac{\text{질량수}}{\text{전자 수}}$가 2인 원자에서는 양성자수와 중성자수가 같다. 이로부터 X의 양성자수는 6, Y의 양성자수는 7이다.
ㄷ. Z의 질량수는 $6+8=14$이다.

오답 풀이

ㄴ. Z에서 양성자수(=전자 수)를 a라고 하면
$\frac{a+8}{a}=\frac{7}{3}$에서 $a=6$이다. 따라서 Y와 Z는 서로 다른 원소이다.

자료 해설 원자의 구성 입자

원자	X	Y	Z
중성자수	6	7	8
$\frac{\text{질량수}}{\text{전자 수}}$	2	2	$\frac{7}{3}$

	X	Y	Z	
양성자수=전자 수	6	7	6	동위
질량수	12	14	14	원소

6 A는 양성자, B는 전자, C는 중성자이다. ${}^{15}X$에서 양성자수(a)는 전자 수와 같은 7이고, 중성자수(b)는 $15-7=8$이다. ${}^{18}Y^-$에서 양성자수(c)는 $18-10=8$이고, ${}^{18}Y^-$은 Y가 전자 1개를 얻어 형성된 음이온이므로 전자 수(d)는 9이다. 따라서 $a+b+c+d=7+8+8+9=32$이다.

2일 개념 확인 59쪽

1-1 (1) d (2) ㄷ
1-2 (1) b, c (2) a
1-3 ㄱ, ㄷ
1-4 ㄱ

1-1 (1) 가시광선 영역의 방출 스펙트럼에서 파장이 가장 긴 선은 $n=3$에서 $n=2$로 전이할 때 방출되는 빛에 해당하는 선이다.
(2) 수소 원자의 선 스펙트럼을 설명하기 위해 제안된 원자 모형은 보어 원자 모형인 ㄷ이다.

1-2 (1) b, c는 빛을 방출, a는 빛을 흡수하는 전자 전이이다.
(2) 전자 껍질 사이의 에너지 차가 클수록 출입하는 에너지가 크다.

1-3 ㄱ. K 전자 껍질에 전자가 있는 상태가 바닥상태이다.
ㄷ. 핵에서 멀어질수록 에너지 준위가 크므로 전자 껍질의 에너지 준위는 K<L<M이다.

오답 풀이

ㄴ. 전자는 전자 껍질 사이의 영역에는 존재할 수 없다.

1-4 ㄱ. 원자핵에서 멀수록 전자 껍질의 에너지 준위가 높다.

오답 풀이

ㄴ. $n=2 \rightarrow n=1$로의 전이에서는 자외선의 빛을 방출한다.
ㄷ. (가)는 바닥상태로 에너지가 가장 낮은 안정한 상태이므로 에너지를 방출할 수 있는 상태가 아니다.

2일 개념 확인 61쪽

2-1 ③
2-2 ⑤
3-1 ⑤
3-2 ㄱ, ㄴ, ㄷ

2-1 ①, ② s 오비탈은 모든 전자 껍질에 1개씩 존재하며, 원자핵으로부터 거리가 같으면 전자가 발견될 확률이 같다.
④ s 오비탈의 방위(부) 양자수 $l=0$이다.
⑤ 1개의 오비탈에는 전자가 최대 2개까지 채워진다.

오답 풀이

③ 오비탈의 경계면은 전자가 발견될 확률이 90 %인 공간을 나타낸 것이므로 경계면 바깥 영역에서도 전자를 발견할 수 있다.

2-2 ⑤ p 오비탈은 같은 전자 껍질에 방향이 서로 다른 3개의 오비탈이 존재하고, 이들의 에너지 준위가 같다.

오답 풀이

① (가)는 s 오비탈이고, (나)는 p 오비탈이다. p 오비탈은 $n=2$인 전자 껍질부터 존재하므로 (가)와 (나)의 주 양자수는 2 이상이다.
② 방위(부) 양자수가 s 오비탈은 0이고, p 오비탈은 1이다.
③ 1개의 오비탈에는 전자가 최대 2개까지 채워진다.
④ (나)는 원자핵으로부터 거리와 방향에 따라 전자가 발견될 확률이 다르다.

3-1 ⑤ $2p_y$와 $2p_z$ 오비탈에 들어 있는 전자는 홀전자이고, 이때 스핀 방향은 서로 같으므로 스핀 자기 양자수(m_s)는 서로 같다.

오답 풀이

①, ② 전자가 들어 있는 전자 껍질 수는 2이고, 오비탈 수는 5이다.
③ $2s$와 $2p_x$ 오비탈에 들어 있는 전자 수는 2로 같다.
④ 원자가 전자가 들어 있는 오비탈의 주 양자수는 2이다.

3-2 ㄱ. (가)의 주 양자수는 2, 방위(부) 양자수와 자기 양자수는 각각 0이므로 (가)는 $2s$ 오비탈에 들어 있는 전자이다.
ㄴ. (나)는 $2p$, (다)는 $3p$ 오비탈에 들어 있는 전자로 오비탈의 모양은 아령형으로 같다.
ㄷ. (가)와 (다)의 스핀 자기 양자수가 같으므로 스핀 방향이 같다.

2일 기초 유형 연습 62~63쪽

1 ㄱ, ㄴ, ㄷ **2** 해설 참조 **3** (가) A (나) C (다) B **4** ⑤
5 ① **6** ⑤

1 ㄱ. 전자 전이 A는 $n=2 \rightarrow n=1$의 전이이므로 A에 의해 바닥상태가 된다.
ㄴ. 전자 껍질 사이의 에너지 차가 B>C이므로 방출하는 빛의 에너지는 B>C이다.
ㄷ. 전자 전이 C는 $n=3 \rightarrow n=2$의 전이이므로 방출되는 빛은 가시광선이다.

2 모범 답안 **수소 원자의 전자는 원자핵 주위에서 특정한 에너지를 가진 전자 껍질에만 존재할 수 있기 때문이다.**

3 A, B, C는 각각 현대, 톰슨, 보어 원자 모형이다. 이 중 수소 원자의 선 스펙트럼을 설명할 수 있는 원자 모형은 A, C이고, 전자의 존재를 확률 분포로 설명할 수 있는 원자 모형은 A이다. 이로부터 (가)~(다)는 각각 A, C, B이다.

4 ㄱ. (가)와 (나)는 모양이 구형으로 같으므로 모두 s 오비탈이며 방위(부) 양자수가 0으로 같다.
ㄴ. (가)는 $1s$, (나)는 $2s$, (다)는 각각 $2p_x$, $2p_z$ 오비탈이다. 따라서 (나)와 (다)의 주 양자수는 2로 같다.
ㄷ. (다)는 p 오비탈이므로 방위(부) 양자수가 1이고, (나)는 s 오비탈이므로 방위(부) 양자수가 0이다.

자료 해설 ⊕ 오비탈

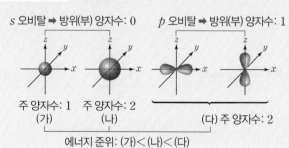

s 오비탈 ➡ 방위(부) 양자수: 0
p 오비탈 ➡ 방위(부) 양자수: 1
주 양자수: 1 (가)
주 양자수: 2 (나)
(다) 주 양자수: 2
에너지 준위: (가)<(나)<(다)

5 ㄱ. 오비탈의 크기는 (가)<(나)이므로 주 양자수는 (가)<(나)이다.
오답 풀이
ㄴ. (가)와 (나)는 모두 s 오비탈이므로 방위(부) 양자수는 0으로 같다.
ㄷ. 에너지 준위는 (가)<(나)이므로 (나)에 전자가 존재하는 수소 원자는 들뜬상태이다.

6 ㄱ. a, b는 각각 $2s$, $2p$이므로 주 양자수(n)는 a=b이다.
ㄴ. 방위(부) 양자수(l)는 a가 0, b가 1로 a<b이다.
ㄷ. b에서 전자들의 화살표 방향이 모두 같으므로 b에 들어 있는 전자들의 스핀 자기 양자수(m_s)는 모두 같다.

3일 개념 확인 65쪽

1-1 (1) × (2) × (3) ○
1-2 ㄱ, ㄴ
2-1 (1) (가), (나) (2) (가)
2-2 ㄱ

1-1 (1) 원자 A에서 주 양자수가 같더라도 오비탈의 종류에 따라 에너지 준위가 다른 것으로 보아 A는 다전자 원자이다.
(2) 주 양자수가 같더라도 오비탈의 모양에 따라 에너지 준위가 달라진다. 한 예로 $4s<3d$이다.

1-2 ㄱ, ㄴ. 수소 원자에서는 오비탈의 에너지 준위가 주 양자수에 의해서만 달라지고, 주 양자수가 클수록 크다. 따라서 오비탈의 에너지 준위는 $2s<3s$이고, $3d<4s$이다.
오답 풀이
ㄷ, ㄹ 다전자 원자에서 오비탈의 에너지 준위는 $2s<2p$이고, $4s<3d$이다.

2-1 (1) 1개의 오비탈에 전자가 최대 2개까지 채워지며, 두 전자의 스핀 방향이 서로 반대이어야 한다는 것이 파울리 배타 원리이므로 (가)와 (나)는 모두 파울리 배타 원리를 만족한다.
(2) 에너지 준위가 같은 오비탈에 전자가 채워질 때 홀전자 수가 최대가 되는 배치를 하는 것이 훈트 규칙이므로 (가)만 훈트 규칙을 만족한다.

2-2 ㄱ. $3s$ 오비탈에 들어 있는 두 전자의 스핀 방향이 같으므로 파울리 배타 원리에 어긋난다.
오답 풀이
ㄴ, ㄷ. 다전자 원자에서 $3d$보다 $4s$ 오비탈에 먼저 전자가 채워져야 한다. 또 이 전자 배치는 파울리 배타 원리에도 어긋나므로 바닥상태의 전자 배치가 될 수 없다.

3일 개념 확인 67쪽

3-1 ㄱ, ㄴ, ㄷ
3-2 (1) (라) (2) (나) (3) (가)
4-1 (1) $1s^2$ (2) $1s^22s^22p^6$ (3) $1s^22s^22p^6$
4-2 해설 참조

3-1 ㄱ. 1개의 오비탈에 전자가 2개 채워질 때 스핀 방향이 서로 반대이므로 파울리 배타 원리를 만족한다.

ㄴ. 에너지 준위가 같은 $2p$ 오비탈에 홀전자 수가 최대가 되는 전자 배치이므로 훈트 규칙을 만족한다.

ㄷ. 파울리 배타 원리를 만족하고 쌓음 원리와 훈트 규칙을 만족하므로 바닥상태의 전자 배치이다.

3-2 (1), (2) (라)는 쌍을 이룬 전자의 스핀 방향이 서로 같으므로 파울리 배타 원리에 어긋난다. (나)는 $2s$ 오비탈에 전자가 2개 채워지지 않고 $2p$ 오비탈에 전자가 배치되므로 쌓음 원리에 어긋난다.

(3) 파울리 배타 원리를 만족하고 쌓음 원리와 훈트 규칙을 만족하는 바닥상태의 전자 배치는 (가) 1가지이다.

4-2 (1) A^+은 A 원자가 전자 1개를 잃고 형성된 양이온이므로 A의 전자 수는 11이다.

답 $1s$ [↑↓] $2s$ [↑↓] $2p$ [↑↓|↑↓|↑↓] $3s$ [↑]

(2) B^-은 B 원자가 전자 1개를 얻어 형성된 음이온이므로 B의 전자 수는 9이다.

답 $1s$ [↑↓] $2s$ [↑↓] $2p$ [↑↓|↑↓|↑]

3일 기초 유형 연습 68~69쪽

1 ③ **2** 해설 참조 **3** ④ **4** ② **5** 해설 참조 **6** 9

1 ㄱ. A에서 $2p$ 오비탈에 들어 있는 전자들의 스핀 방향이 같으므로 스핀 자기 양자수는 모두 같다.

ㄴ. 3개의 $2p$ 오비탈의 에너지 준위는 같으므로 B는 바닥상태의 전자 배치이다.

오답 풀이

ㄷ. B가 바닥상태 Ne의 전자 배치를 갖는 이온이 되려면 전자 2개를 얻어야 하므로 B 이온은 B^{2-}이다.

2 (가)에서는 $1s$에 2개, $2s$에 1개가 채워지거나 $1s$에 1개, $2s$에 2개가 채워져야 한다. 또 (나)와 (다)에서는 $1s$에 2개, $2s$에 2개가 채워져야 한다.

답
(가) $1s$ [↑↓] $2s$ [↑] $2p$ [↑|↑|↑] 또는 $1s$ [↑] $2s$ [↑↓] $2p$ [↑|↑|↑]

(나) $1s$ [↑↓] $2s$ [↑↓] $2p$ [↑| |↑] (다) $1s$ [↑↓] $2s$ [↑↓] $2p$ [|↑↓|]

3 ㄴ. Y의 전자 배치는 $2p$ 오비탈에 홀전자 수가 최대가 되는 전자 배치가 아니므로 훈트 규칙에 어긋난다.

ㄷ. Z의 전자 배치는 에너지 준위가 낮은 $2p$ 오비탈에 전자가 먼저 채워지지 않았으므로 들뜬상태의 전자 배치이다.

오답 풀이

ㄱ. 3개의 $2p$ 오비탈의 에너지 준위는 같으므로 X의 전자 배치는 쌓음 원리를 만족한다.

4 파울리 배타 원리를 만족하고 쌓음 원리와 훈트 규칙을 만족하는 전자 배치는 ②이다.

오답 풀이

①, ③은 훈트 규칙에 어긋나고, ④, ⑤는 쌓음 원리에 어긋난다.

5 2주기 원소의 바닥상태 전자 배치에서 홀전자 수가 2인 원소는 각각 탄소(C)와 산소(O)이다. 이때 전자가 들어 있는 오비탈 수는 원자 번호가 큰 O가 크므로 X는 탄소(C), Y는 산소(O)이다.

답 $1s$ [↑↓] $2s$ [↑↓] $2p$ [↑↓|↑|↑] 또는 $1s$ [↑↓] $2s$ [↑↓] $2p$ [↑|↑↓|↑]

또는 $1s$ [↑↓] $2s$ [↑↓] $2p$ [↑|↑|↑↓]

6 (가)의 전자 배치는 $1s^22s^22p^63s^1$, (나)의 전자 배치는 $1s^22s^22p^3$, (다)의 전자 배치는 $1s^22s^1$이다. 이로부터 $a=5$, $b=3$, $c=0$, $d=1$이므로 $a+b+c+d=9$이다.

4일 개념 확인 71쪽

1-1 ㉠ 주기적 ㉡ 원자량 ㉢ 원자 번호 ㉣ 세로
1-2 (1) ㉠ 원자량 ㉡ 원자량 ㉢ 원자량 (2) (나)−(가)−(다)
1-3 ㄴ
1-4 ㄱ, ㄷ

1-2 (2) 제안된 시간 순서는 세 쌍 원소설(되베라이너)−옥타브설(뉴랜즈)−최초의 주기율표(멘델레예프)이다.

1-3 ㄴ. 되베라이너는 화학적 성질이 비슷한 세 쌍 원소를 원자량 순서로 배열하여 원자량 사이의 유사성을 찾아내었다.

오답 풀이

ㄱ. 중간 원소의 원자량이 나머지 두 원소의 원자량의 평균값과 비슷하므로 ㉠은 $(2\times23-7)$ 정도가 되어야 한다.

ㄷ. 세 쌍 원소들은 현대 주기율표에서 같은 족에 속한다.

1-4 ㄱ, ㄷ. 멘델레예프는 원소들을 원자량 순서로 배열하였고, 현대 주기율표는 원소들을 원자 번호 순서로 배열하였다.

오답 풀이

ㄴ. 모즐리는 원소의 주기적 성질이 양성자수와 관련이 있음을 발견하였다.

4일 개념 확인 73쪽

2-1 (1) (나) (2) (라)
2-2 (1) (가) (2) (나) (3) (다)
3-1 ㄱ, ㄴ, ㄹ
3-2 ㄴ, ㄷ, ㄹ

2-1 전기 전도성이 크고 양이온이 되기 쉬운 원소는 금속 원소로 (나)에 속하며, 음이온이 되기 쉬운 원소는 비금속 원소로 (라)에 속한다.

3-1 ㄱ. A는 2주기 15족 원소이므로 비금속 원소이다.

ㄴ. B는 3주기 1족 원소이므로 금속 원소이다.
ㄹ. 원자가 전자 수는 A가 5이고, B가 1이다.

오답 풀이
ㄷ. A는 2주기 원소이고, B는 3주기 원소이다.

3-2 ㄴ. A와 C는 1족 원소이므로 원자가 전자 수가 1로 같다.
ㄷ. B는 비금속 원소이다.
ㄹ. C와 D는 같은 주기 원소이므로 바닥상태에서 전자가 들어 있는 전자 껍질 수가 같다.

오답 풀이
ㄱ. A는 수소로 비금속 원소이고, C는 알칼리 금속이므로 A와 C는 화학적 성질이 다르다.

4일 기초 유형 연습 74~75쪽

1 ② **2** 해설 참조 **3** ③ **4** ③ **5** 17 **6** ②

1 ㄷ. Y와 Z는 전자가 들어 있는 전자 껍질 수가 같으므로 같은 주기 원소이다.

오답 풀이
ㄱ. X에서 전자가 들어 있는 전자 껍질 수와 원자가 전자 수가 각각 1이므로 X는 전자가 1개 있는 수소(H)이며, 비금속 원소이다.
ㄴ. Y의 원자가 전자 수는 X와 같으므로 Y는 알칼리 금속이다.

2 모범 답안 **X에서 $\frac{p \text{ 오비탈의 전자 수}}{s \text{ 오비탈의 전자 수}}=\frac{1}{4}$이므로 가능한 전자 배치는 $1s^22s^22p^1$이다. 즉 X는 2주기 13족 원소이고, Y는 X와 원자가 전자 수가 같으므로 3주기 13족 원소이다. 또 Z에서 전자가 들어 있는 전자 껍질 수는 X와 같고, 홀전자 수는 2이므로 2주기 14족 또는 16족 원소이다. 이로부터 X~Z를 원자 번호 순으로 나열하면 $Y>Z>X$이다.**

3 ㄱ. 다전자 원자에서 오비탈의 에너지 준위는 $1s<2s<2p$이므로 A의 전자 배치는 바닥상태이다.
ㄴ. B의 바닥상태 전자 배치는 $1s^22s^22p^63s^23p^5$이다. 이로부터 A와 B의 원자가 전자 수는 7로 같다.

오답 풀이
ㄷ. A와 B는 모두 비금속 원소이다.

4 ㄱ. A: $1s^22s^22p^3$ B: $1s^22s^22p^5$ C: $1s^22s^22p^63s^23p^3$
이로부터 A는 2주기 15족 원소이므로 비금속 원소이다.
ㄷ. A와 C는 원자가 전자 수가 모두 5인 같은 족 원소이다.

오답 풀이
ㄴ. B는 2주기 17족 원소이므로 비금속 원소이다.

5 $_9$X의 전자 수는 9이고, $_{17}$Y의 전자 수는 17이다.
X: $1s^22s^22p^5$ Y: $1s^22s^22p^63s^23p^5$
X와 Y의 원자가 전자 수가 7이므로 X와 Y는 17족 원소이다.

6 ㄷ. B: $1s^22s^1$ 또는 $1s^22s^22p^1$ C: $1s^22s^22p^3$
B는 전자가 들어 있는 p 오비탈 수가 0 또는 1이고, C는 전자가 들어 있는 p 오비탈 수가 3이다.

오답 풀이
ㄱ, ㄴ. A는 비금속 원소인 수소(H)이고, B는 알칼리 금속 원소인 리튬(Li) 또는 붕소(B)이다. 따라서 A와 B는 화학적 성질이 다르다.

5일 개념 확인 77쪽

1-1 $A<B<C<D$
1-2 (1) $a>b$ (2) $c>b$
2-1 (1) (가), (나) (2) (다)의 이온 > (라)의 이온
2-2 (1) A, B (2) $A<C$

1-1 원자가 전자가 느끼는 유효 핵전하는 같은 주기에서 원자 번호가 클수록 크므로 $A<B<C$이고, 같은 족에서 원자 번호가 클수록 크므로 $C<D$이다. 따라서 $A<B<C<D$이다.

1-2 (1) 한 원자에서 전자가 느끼는 유효 핵전하는 핵에 가까울수록 크므로 전자 a, b가 느끼는 유효 핵전하는 $a>b$이다.
(2) (가)의 전자 b와 (나)의 전자 c는 각각 원자가 전자이므로 유효 핵전하는 $c>b$이다.

2-1 (1) 이온 반지름이 원자 반지름보다 작은 경우는 원자가 전자를 잃고 양이온이 되는 경우이므로 (가)와 (나)이다.
(2) 핵전하가 작은 (다)가 (라)보다 이온 반지름이 크다.

2-2 (1) $\frac{\text{이온 반지름}}{\text{원자 반지름}}<1$인 경우가 안정한 이온이 양이온인 경우이므로 A, B이다.
(2) C는 $\frac{\text{이온 반지름}}{\text{원자 반지름}}>1$이므로 원자 번호가 9이고, A는 원자 번호가 12, 13 중 하나이다. A와 C 이온의 전자 배치는 같고 핵전하는 $A>C$이므로 이온 반지름은 $A<C$이다.

5일 개념 확인 79쪽

3-1 (가) 2주기 (나) 3주기
3-2 (1) A (2) C
4-1 (1) X: 2, Y: 4, Z: 7
4-2 (1) 13 (2) 6890 kJ/mol

3-1 같은 족에서 이온화 에너지는 원자 번호가 클수록 작다.

3-2 (1) A, C는 같은 족 원소이고 제1 이온화 에너지가 큰 A는 2주기, C는 3주기 원소이므로 2주기 원소는 A 1가지이다.
(2) 원자 반지름은 같은 주기에서 원자 번호가 클수록 작고 $(C>B)$, 같은 족에서 원자 번호가 클수록 크다$(C>A)$.

4-1 어떤 원자의 순차 이온화 에너지가 $E_n \ll E_{n+1}$일 때 이 원자의 원자가 전자 수는 n이다.

4-2 (1) X의 순차 이온화 에너지가 $E_3 \ll E_4$이므로 X의 원자가 전자 수는 3이다. 즉 X는 13족 원소이다.

(2) X의 안정한 이온은 전자 3개를 잃고 형성된 +3의 양이온이다. 따라서 이때 필요한 에너지는 $E_1+E_2+E_3=800+2430+3660=6890$(kJ/mol)이다.

5일 기초 유형 연습 80~81쪽

1 ③ **2** (가) 원자 반지름 (나) 유효 핵전하 (다) 이온 반지름
3 ㄴ, ㄷ **4** ④ **5** ⑤ **6** ④

1 ㄱ. 양성자수가 9인데 전자 수는 10이므로 X는 음이온이다. 따라서 X의 반지름은 원자 반지름보다 크다.
ㄷ. 같은 원자에서 핵에서 가까울수록 전자가 느끼는 유효 핵전하가 크다. 전자가 느끼는 유효 핵전하는 a가 b보다 크다.

오답 풀이
ㄴ. X는 다전자 원자이므로 전자 간의 가로막기 효과에 의해 전자 a가 느끼는 유효 핵전하는 양성자에 의한 핵전하보다 작다.

자료 해설 유효 핵전하

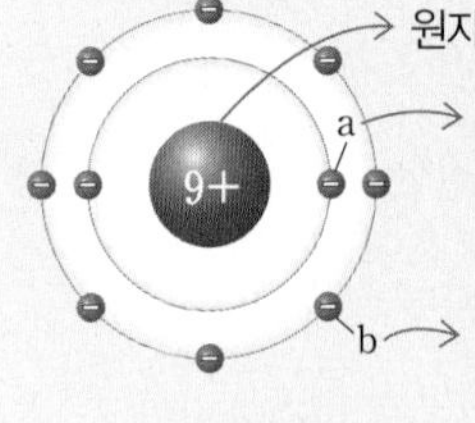

→ 원자핵의 전하: +9
a → 다전자 원자에서 전자 사이의 반발력으로 각 전자가 느끼는 실제 전하는 원자핵의 전하(+9)보다 작다.
b → 안쪽 전자 껍질에 있는 전자의 가려막기 효과는 같은 전자 껍질에 있는 전자의 가려막기 효과보다 크다.

2 (가)는 N>O>F이고 Na에서 급격히 증가하고 Na>Mg>Al이므로 (가)는 원자 반지름이다. 또 등전자 이온의 반지름은 핵전하가 작을수록 크므로 (다)는 이온 반지름이고, (나)는 원자가 전자가 느끼는 유효 핵전하이다.

3 원자 반지름이 가장 큰 원소 A는 3주기 1족 원소이다. B는 A와 같은 족이므로 2주기 1족 원소이다. C는 B와 같은 주기이므로 2주기 16족 또는 17족 원소 중 하나이다. 빗금 친 원소 중 바닥상태 전자 배치에서 홀전자 수는 16족 원소가 가장 크므로 D는 2주기 16족, E는 3주기 17족 원소이다.
ㄴ. B, D는 같은 주기이므로 원자 반지름은 B>D이다.
ㄷ. C, E는 같은 족이므로 이온화 에너지는 C>E이다.

오답 풀이
ㄱ. A, E는 같은 주기이고 원자 번호는 A<E이므로 원자가 전자가 느끼는 유효 핵전하는 A<E이다.

4 ㄴ. 이온 반지름이 가장 큰 C는 2주기 16족 원소로, 원자 반지름은 이온 반지름보다 작으므로 $b<140$이다.
ㄷ. A는 3주기 1족 원소, C는 2주기 16족 원소이다. C는 3주기 16족 원소보다 원자 반지름이 작고, A는 3주기 16족 원소보다 원자 반지름이 크므로 원자 반지름은 A>C이다.

오답 풀이
ㄱ. B는 2주기 17족 원소이므로 안정한 이온은 음이온이다. 따라서 원자 반지름은 이온 반지름보다 작으므로 $a<136$이다.

5 2주기 원소 중 홀전자 수가 1인 원소는 Li, B, F, 2인 원소는 C, O, 3인 원소는 N이며, 원자 번호가 클수록 원자 반지름이 작아지므로 X는 F, Y는 C, Z는 N이다.
ㄱ. X는 F으로 17족 원소이다.
ㄴ. 원자가 전자가 느끼는 유효 핵전하는 Y<Z이다.
ㄷ. Ne의 전자 배치를 갖는 이온의 반지름은 X<Z이다.

6 같은 주기에서 원자가 전자가 느끼는 유효 핵전하는 원자 번호가 클수록 크고 원자 번호가 연속이므로 A는 2주기 16족, B는 2주기 17족, C는 2주기 18족, D는 3주기 1족 원소이다.
ㄴ. 이온화 에너지는 B<C이다.
ㄷ. D는 3주기 원소 중 원자 반지름이 가장 크고 A는 3주기 16족 원소보다 작으므로 원자 반지름은 A<D이다.

오답 풀이
ㄱ. 전자가 들어 있는 전자 껍질 수는 C(2주기)<D(3주기)이다.

2주 누구나 100점 테스트 82~83쪽

1 ④ **2** ⑤ **3** ^{63}Cu: 70 %, ^{65}Cu: 30 % **4** ① **5** A
6 ④ **7** ① **8** A: 5, B: 6 **9** ④ **10** ③

1 ④ 질량수는 Y가 X보다 크므로 원자량은 Y가 X보다 크다.

오답 풀이
① 원자는 전기적으로 중성이므로 양성자수와 전자 수가 같다. 이로부터 ●은 양성자이고, ●은 중성자이다. 질량수가 1인 수소 원자($^1_1$H)에는 중성자가 존재하지 않는다.
② X의 양성자수는 1이고, Z의 양성자수는 2이므로 X와 Z는 서로 다른 원소이다.
③ 질량수는 Y와 Z가 3으로 같다.
⑤ Z에 원자 번호와 질량수를 표시하면 $^3_2$Z이다.

2 ⑤ $2p_z$ 오비탈의 주 양자수(n)는 2이고, 방위(부) 양자수(l)는 1이므로 (주 양자수+방위(부) 양자수)는 3이다.

오답 풀이
① 오비탈의 경계면 그림은 전자를 발견할 확률이 90 %인 공간을 나타낸 것이므로 경계면 바깥 영역에서도 전자를 발견할 수 있다.
② 다전자 원자에서 오비탈의 에너지 준위는 $2s<2p$이다.
③ (가)와 (나) 모두 s 오비탈이므로 방위(부) 양자수는 0으로 같다.
④ (나)에서 전자가 발견될 확률은 핵으로부터의 거리가 같으면 같다.

3 ^{63}Cu의 존재 비율을 a %라고 하면 ^{65}Cu의 존재 비율은 $(100-a)$ %이므로 다음 관계식이 성립한다.

$$62.9\times\frac{a}{100}+64.9\times\frac{(100-a)}{100}=63.5,\ a=70$$

따라서 존재 비율은 ^{63}Cu가 70 %이고, ^{65}Cu가 30 %이다.

4 ㄱ. (가)는 A이고 $1s$ 오비탈, (나)는 B이고 $2p$ 오비탈이다.

오답 풀이

ㄴ. A인 $1s$ 오비탈의 방위(부) 양자수 $l=0$이고, B인 $2p$ 오비탈의 방위(부) 양자수 $l=1$이다. 따라서 $a+b=1$이다.

ㄷ. $2p$ 오비탈의 자기 양자수는 $-1, 0, +1$ 중 하나이다.

5 A: Na 원자가 Na^+이 될 때 반지름이 작아진다.

오답 풀이

B: F 원자가 F^-이 될 때 반지름이 커진다.

C: Na^+과 F^-의 전자 수는 Ne과 같으므로 반지름은 핵전하가 작은 F^-이 Na^+보다 크다.

6 ④ (나)에서 3개의 $2p$ 오비탈의 에너지 준위는 같다.

오답 풀이

① 바닥상태 전자 배치는 (나) 1가지이다.

② 전자가 들어 있는 오비탈 수는 (가) 3, (나) 4, (다) 4이다.

③ (가)는 에너지 준위가 낮은 $2s$ 오비탈에 전자가 모두 채워지지 않고 $2p$ 오비탈에 전자가 채워지므로 쌓음 원리에 어긋난다.

⑤ (다)는 3개의 $2p$ 오비탈의 에너지 준위가 같은데 홀전자가 최대로 되는 전자 배치가 아니므로 훈트 규칙에 어긋난다.

7 X~Z는 각각 홀전자 수가 1인 Li, B, F 중 하나이다. 이때 이온화 에너지는 Li < B < F이고 제2 이온화 에너지는 B < F < Li이므로 X는 F이고, Z는 Li, Y는 B이다. 따라서 X~Z를 원자 번호 순으로 나열하면 X > Y > Z이다.

8 A에서 순차 이온화 에너지는 $E_5 \ll E_6$이므로 A의 원자가 전자 수는 5이다. 마찬가지로 B에서 순차 이온화 에너지는 $E_6 \ll E_7$이므로 B의 원자가 전자 수는 6이다.

9 ① A에서 3개의 $2p$ 오비탈의 에너지 준위는 같으므로 A의 전자 배치는 쌓음 원리와 훈트 규칙을 만족하는 바닥상태이다.

② 바닥상태 A의 전자 배치에서 가장 바깥 전자 껍질에 있는 전자는 6개이다.

③ B^+의 전자 수가 10이므로 B의 전자 수(=양성자수)는 11이다. 이로부터 바닥상태 B의 전자 배치는 $1s^2 2s^2 2p^6 3s^1$이므로 홀전자 수는 1이다.

⑤ C^-의 전자 배치는 1개의 오비탈에 들어 있는 두 전자의 스핀 방향이 서로 반대이므로 파울리 배타 원리를 만족한다.

오답 풀이

④ C^-의 전자 수가 10이므로 C의 전자 수(=양성자수)는 9이다. 이로부터 C는 2주기 원소이다.

자료 해설 ⊕ 원자와 이온의 전자 배치

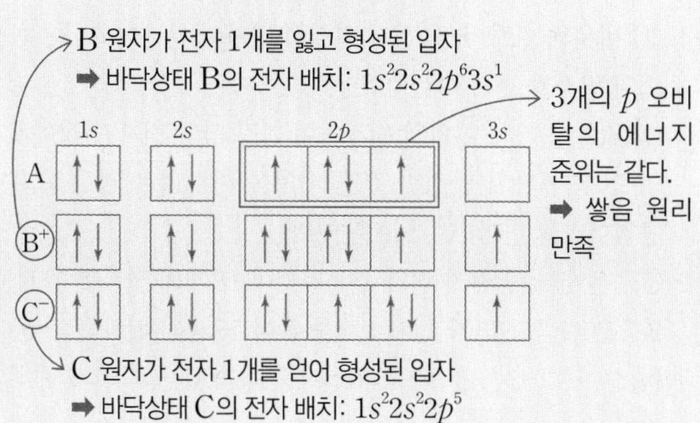
B 원자가 전자 1개를 잃고 형성된 입자
➡ 바닥상태 B의 전자 배치: $1s^2 2s^2 2p^6 3s^1$
3개의 p 오비탈의 에너지 준위는 같다.
➡ 쌓음 원리 만족
1s
2s
2p
3s
A
B^+
C^-
C 원자가 전자 1개를 얻어 형성된 입자
➡ 바닥상태 C의 전자 배치: $1s^2 2s^2 2p^5$

10 ㄱ. A~D의 원자 번호는 각각 12, 13, 7, 8이고, 이온의 전자 배치는 Ne과 같으므로 이온 반지름은 C(N)가 가장 크다.

ㄷ. C(N)와 D(O)는 같은 주기이고 원자 번호는 D > C이므로 원자가 전자가 느끼는 유효 핵전하는 D > C이다.

오답 풀이

ㄴ. A와 B의 제2 이온화 에너지는 각각 다음과 같은 전자 배치를 갖는 이온에서 전자 1개를 떼어낼 때 필요한 에너지이다.

A^+: $1s^2 2s^2 2p^6 3s^1$, B^+: $1s^2 2s^2 2p^6 3s^2$

따라서 제2 이온화 에너지는 A < B이다.

창의 · 융합 · 코딩 85~89쪽

정답 ②

다음은 학생 X가 그린 3가지 원자의 전자 배치 (가)~(다)와 이에 대한 세 학생의 대화이다.

1s
2s
2p
3s
(가) $_4$Be
(나) $_6$C
(다) $_{12}$Mg
(가)는 바닥상태 전자 배치야.
(나)는 쌓음 원리를 만족해.
(다)는 파울리 배타 원리를 만족해.
학생 A
학생 B
학생 C

제시한 의견이 옳은 학생만을 있는 대로 고른 것은?

① A ② B ③ A, B
④ B, C ⑤ A, B, C

❶ (가)에서 파울리 배타 원리, 쌓음 원리, 훈트 규칙이 모두 만족하는지의 여부를 살펴본다.
❷ (나)에서 전자가 채워지는 순서를 살펴본다.
❸ (다)에서 쌍을 이루는 전자의 스핀 방향을 살펴본다.

❶ (가)는 $2s$ 오비탈에 전자 1개만 들어 있고 $2p$ 오비탈에 전자가 들어 있으므로 쌓음 원리에 위배된다. 바닥상태 전자 배치는 파울리 배타 원리, 쌓음 원리, 훈트 규칙을 모두 만족하는 전자 배치이므로 (가)는 바닥상태 전자 배치가 아니다.

❷ (나)에서 3개의 $2p$ 오비탈의 에너지 준위는 같으므로 어느 오비탈이나 먼저 들어가도 상관없다. 따라서 (나)는 쌓음 원리를 만족한다.

❸ (다)에서 $3s$ 오비탈에 들어 있는 전자 2개의 스핀 방향이 같으므로 (다)는 파울리 배타 원리에 어긋난다.

1 ① 2 ④ 3 ② 4 ② 5 ① 6 ②

2 ^{4}He, ^{1}H, ^{12}C, ^{13}C의 양성자수와 중성자수는 다음과 같다.

원자	^{4}He	^{1}H	^{12}C	^{13}C
양성자수	2	1	6	6
중성자수	2	0	6	7

CH_4의 양이 0.4 mol일 때 원자 수비가 1 : 1이므로 $^{12}C^{1}H_4$과 $^{13}C^{1}H_4$이 각각 0.2 mol씩 들어 있다. 따라서 전체 양성자수를 $(0.1\times2+0.4\times10)$이라고 할 때 전체 중성자수는 $(0.1\times2+0.2\times6+0.2\times7)$이다. 따라서

$\frac{\text{전체 중성자수}}{\text{전체 양성자수}}=\frac{2.8}{4.2}=\frac{2}{3}$이다.

3 ㄷ. ㉢과 ㉣은 각각 2주기 16족, 2주기 15족 원소이므로 이온화 에너지는 ㉢<㉣이다.

오답 풀이

ㄱ. ㉠과 ㉡은 같은 2주기 원소이고 바닥상태 원자의 홀전자 수가 1로 같고 원자가 전자가 느끼는 유효 핵전하는 ㉠>㉡이므로 원자 번호는 ㉠>㉡이다. 이로부터 ㉠은 1족 원소일 수 없다.

ㄴ. ㉥과 ㉦은 같은 주기 원소이고 ㉦은 15족 원소이다. 또 바닥상태 원자에서 홀전자 수가 2인 ㉥은 14족 또는 16족 원소인데 원자가 전자가 느끼는 유효 핵전하는 ㉥>㉦이므로 ㉥은 16족 원소이다. 따라서 원자가 전자 수는 ㉥>㉦이다.

5 ㄱ. 원자 번호가 8~13인 원소 중 안정한 이온이 Ne의 전자 배치를 가지므로 W~Z는 각각 O, F, Na, Mg, Al 중 하나이다. 이때 W, X, Y의 홀전자 수는 같으므로 W, X, Y는 각각 F, Na, Al 중 하나이다. 이온 반지름은 O>F>Na>Mg>Al이고, 원자가 전자가 느끼는 유효 핵전하는 F>O>Al>Mg>Na이므로 W는 F, X는 Na, Y는 Al, Z는 O이다. 따라서 ㉠은 이온 반지름, ㉡은 원자가 전자가 느끼는 유효 핵전하이다.

오답 풀이

ㄴ. 제2 이온화 에너지는 W(F)<Z(O)이다.

ㄷ. 원자 반지름은 X(Na)>Y(Al)이다.

6 원자 번호가 3, 4, 11, 12, 13인 원소의 바닥상태에서 원자가 전자의 주 양자수가 3인 B와 D의 원자 번호는 11, 12, 13 중 하나이다. 3주기 원소의 원자 반지름은 $_{11}Na>{}_{12}Mg>{}_{13}Al$이고, 2주기 원소의 원자 반지름은 $_{3}Li>{}_{4}Be$이다. 또 1족 원소의 원자 반지름은 $_{11}Na>{}_{3}Li$, 2족 원소의 원자 반지름은 $_{12}Mg>{}_{4}Be$이다. 이로부터 원자 반지름이 가장 큰 E는 $_{11}Na$이다. B와 D는 3주기 원소이고 원자 반지름은 D>B이므로 D는 $_{12}Mg$, B는 $_{13}Al$이다. 2주기 원소 A, C의 원자 반지름이 A<C이므로 A는 $_{4}Be$, C는 $_{3}Li$이다.

ㄷ. 제2 이온화 에너지는 C($_{3}Li$)>E($_{11}Na$)이다.

오답 풀이

ㄱ. A는 $_{4}Be$이므로 바닥상태에서 홀전자 수는 0이다.

ㄴ. B는 $_{13}Al$, D는 $_{12}Mg$이므로 제1 이온화 에너지는 B<D이다.

3주 III. 화학 결합과 분자의 세계

1일 개념 확인 95쪽

1-1 (1) ❶ 수소 ❷ 산소 (2) 전자

1-2 (1) (가): (−)극, (나): (+)극 (2) 기체 A_2: 산소 기체, 기체 B_2: 수소 기체

2-1 ❶ 염화 이온 ❷ 나트륨 이온

2-2 (1) ❶ (−) ❷ (+) (2) 얻이 (3) 잃이

1-1 물을 전기 분해하면 (+)극에서는 물이 전자를 잃어 산소 기체가 발생하고, (−)극에서는 물이 전자를 얻어 수소 기체가 발생한다.

1-2 기체의 부피비는 $A_2 : B_2=1 : 2$이므로 A_2는 산소 기체, B_2는 수소 기체이며, 수소 기체가 발생하는 (가)는 (−)극, 산소 기체가 발생하는 (나)는 (+)극이다.

2-2 (1) 염화 나트륨 용융액을 전기 분해하면 음이온인 염화 이온은 (+)극으로 이동하고, 양이온인 나트륨 이온은 (−)극으로 이동하여 (+)극에서는 염소 기체가, (−)극에서는 금속 나트륨이 생성된다.

(2) (−)극에서 나트륨 이온이 전자를 얻는 반응이 일어나 금속 나트륨이 생성된다.

$2Na^{+}+2e^{-} \longrightarrow 2Na$

(3) (+)극에서 염화 이온이 전자를 잃는 반응이 일어나 염소 기체가 생성된다.

$2Cl^{-} \longrightarrow Cl_2+2e^{-}$

1일 개념 확인 97쪽

3-1 (1) ❶ 8 ❷ 0 (2) 옥텟 규칙

3-2 Cl^{-}, K^{+}

4-1 ❶ 2 ❷ 얻는다

4-2 (1) ❶ 2 ❷ 양이온 (2) ❶ 1 ❷ 음이온 (3) 네온

3-1 (1) 네온의 가장 바깥 전자 껍질의 전자 수는 8이고, 18족 원소의 원자가 전자 수는 0이다.

(2) 비활성 기체 이외의 원자들이 가장 바깥 전자 껍질에 8개의 전자를 가져 안정한 전자 배치를 이루려는 경향을 옥텟 규칙이라고 한다.(단, He은 예외)

3-2 Cl^{-}은 염소 원자가 전자 1개를 얻어 18개의 전자를 가지고, K^{+}은 칼륨 원자가 전자 1개를 잃어 18개의 전자를 가진다. Na^{+}, F^{-}, O^{2-}은 10개의 전자를 가져 네온과 전자 배치가 같다.

4-1 산소 원자는 가장 바깥 전자 껍질에 6개의 전자를 가지므로 전자 2개를 얻으면 옥텟 규칙을 만족한다.

4-2 (1) A는 원자 번호 12번 마그네슘이다. 가장 바깥 전자 껍질의 전자 2개를 잃으면 안정한 양이온이 되면서 옥텟 규칙을 만족한다.

(2) B는 원자 번호 9번 플루오린이다. 가장 바깥 전자 껍질에 전자가 7개 있으므로 전자 1개를 얻으면 안정한 음이온이 되면서 옥텟 규칙을 만족한다.

(3) A와 B는 안정한 이온이 되었을 때 전자 10개를 가지므로 네온과 전자 배치가 같다.

1일 기초 유형 연습 98~99쪽

1 (1) 기체 A: 산소, 기체 B: 수소 (2) 해설 참조 **2** ② **3** ④ **4** (1) A: 1, B: 1, C: 0 (2) A: 1족, B: 1족, C: 18족 (3) ㉠ B, ㉡ C **5** ⑤ **6** ①

1 (1) (+)극에 모인 기체 A는 산소이고, (−)극에 모인 기체 B는 수소이다.

(+)극: $2H_2O \longrightarrow O_2+4H^++4e^-$

(−)극: $4H_2O+4e^- \longrightarrow 2H_2+4OH^-$

(2) 모범 답안 **물 분자를 이루는 수소와 산소의 화학 결합에 전자가 관여하고 있다.**

2 ② (가)의 (+)극에서는 염화 이온이 전자를 잃어 염소 기체가 생성된다.

오답 풀이

① (가)의 (−)극에서는 나트륨 이온(Na^+)이 전자를 얻어 금속 나트륨이 생성된다.

③, ④ (나)의 (−)극에서는 물이 전자를 얻어 수소 기체가 발생하고, (+)극에서는 물이 전자를 잃어 산소 기체가 발생한다.

⑤ (나)의 (+)극에서 발생하는 산소 기체와 (−)극에서 발생하는 수소 기체의 부피비는 1 : 2이다.

3 ㄱ. 물에 전기 에너지를 가해 주면 전자를 잃거나 얻는 반응이 일어나 물이 성분 물질로 분해된다.

ㄷ. (가)는 (+)극에 연결되어 있으므로 물이 전자를 잃는 반응이 일어나고, (나)는 (−)극에 연결되어 있으므로 물이 전자를 얻는 반응이 일어난다.

오답 풀이

ㄴ. (+)극에 연결된 (가)에는 산소 기체가 모인다.

4 (1), (2) A와 B는 가장 바깥 전자 껍질에 전자가 1개 있으므로 원자가 전자 수가 1인 1족 원소이고, C는 가장 바깥 전자 껍질에 전자가 8개 있으므로 원자가 전자 수가 0인 18족 원소이다.

(3) B는 전자 1개를 잃어 안정한 양이온이 되면 C와 전자 배치가 같아진다.

5 ㄴ. A와 C는 전자를 얻어 안정한 음이온이 되면 D와 같은 전자 배치를 갖는다.

ㄷ. D는 가장 바깥 전자 껍질에 8개의 전자가 배치되어 있으므로 옥텟 규칙을 만족한다.

오답 풀이

ㄱ. B는 원자가 전자 수가 1인 금속 원소로, 전자 1개를 잃어 양이온이 되려는 경향이 강하다.

6 ㄱ. A^+은 전자 1개를 잃어 형성되었으므로 A의 전자 수는 11이고, B^{2-}은 전자 2개를 얻어 형성되었으므로 B의 전자 수는 8이다. 따라서 원자 번호는 A > B이다.

오답 풀이

ㄴ. A는 3주기 1족 원소이고, B는 2주기 16족 원소이므로 원자가 전자 수는 A가 1이고, B가 6이다. 따라서 원자가 전자 수는 A < B이다.

ㄷ. A는 3주기 원소, B는 2주기 원소이다.

자료 해설 ⊕ **이온의 전자 배치**

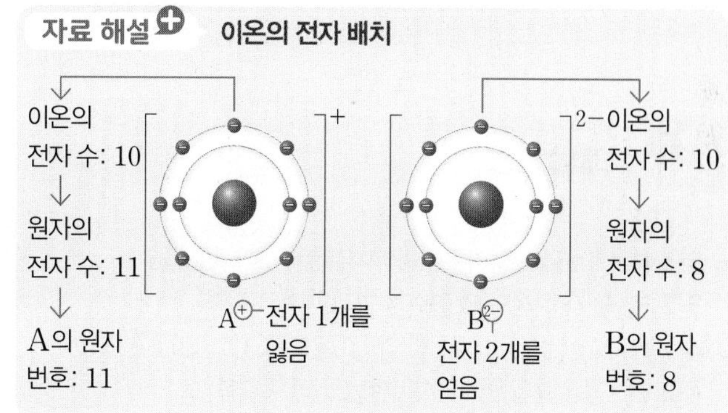

2일 개념 확인 101쪽

1-1 (1) 이온 결합 (2) MgF_2

1-2 (1) c (2) b (3) a

2-1 해설 참조, ❶ 1 ❷ 공유

2-2 (1) 2 (2) 네온

1-1 (1) 금속 원소인 마그네슘 원자와 비금속 원소인 플루오린 원자는 이온 결합을 형성한다.

(2) Mg은 전자 2개를 잃어 Mg^{2+}이 되고, F은 전자 1개를 얻어 F^-이 된다. 따라서 화합물을 생성할 때는 Mg^{2+} : F^- = 1 : 2의 개수비로 결합하여 MgF_2을 생성한다.

1-2 양이온과 음이온 사이의 거리가 가까워지면 처음에는 인력이 우세하게 작용해 에너지가 낮아진다. b 지점에서 인력과 반발력이 균형을 이룰 때 에너지가 가장 낮아져 이온 결합이 형성된다. 거리가 더 가까워지면 반발력이 커져 에너지가 높아진다.

2-1 수소 원자가 각각 전자를 1개씩 내놓아 1개의 전자쌍을 공유한다.

답 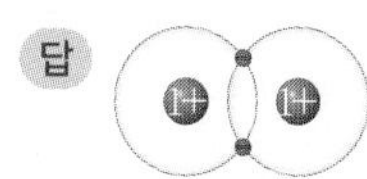

2-2 (1) A_2에서 각 A 원자는 전자를 2개씩 내놓아 2중 결합을 형성한다.
(2) B_2에서 각 B 원자는 옥텟 규칙을 만족하고 10개의 전자를 갖는다.

자료 해설 ⊕ **원자의 전자 배치**

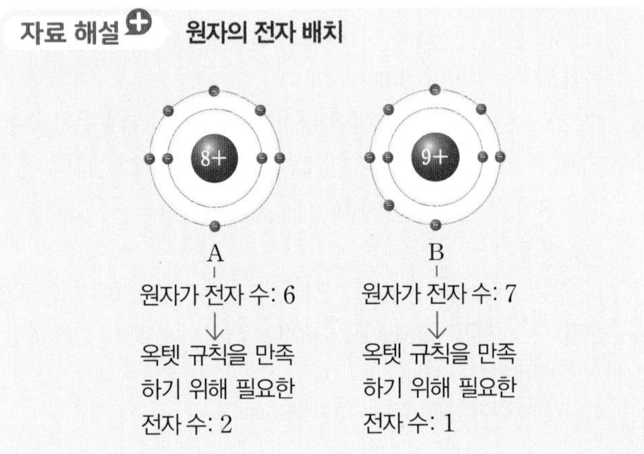

2일 개념 확인 103쪽

3-1 (1) (가): 금속 양이온, (나): 자유 전자 (2) Al, Cu
3-2 (1) ❶ 자유 전자 ❷ 금속 결합 (2) 자유 전자
4-1 (1) MgO (2) HCl, C(다이아몬드), CO_2 (3) Fe, Mg
4-2 A: 공유 결합, B: 금속 결합, C: 이온 결합

3-1 (1) 금속 결합은 (+)전하를 띠는 금속 양이온과 (−)전하를 띠는 자유 전자 사이의 정전기적 인력에 의해 형성되는 결합이다.
(2) NaCl: 이온 결합 물질
C(흑연), H_2O: 공유 결합 물질

4-1 MgO: 금속 원소와 비금속 원소의 결합으로 형성된 이온 결합 물질
HCl, C(다이아몬드), CO_2: 비금속 원소 사이의 결합으로 형성된 공유 결합 물질
Fe, Mg: 금속 결합 물질

4-2

물질	전기 전도성	
	고체	액체
공유 결합 물질	없음	없음
금속 결합 물질	있음	있음
이온 결합 물질	없음	있음

2일 기초 유형 연습 104~105쪽

1 해설 참조 **2** (1) NaF < CaO (2) MgO > CaO > SrO
3 ⑤ **4** (1) (가), (다) (2) (가) (3) (나) **5** ④ **6** ④

1 모범 답안 **B, 인력과 반발력이 균형을 이루어 에너지가 가장 낮은 지점에서 이온 결합이 형성되기 때문이다.**

2 (1) 이온 사이의 거리가 비슷할 때 이온의 전하량이 클수록 녹는점이 높다. 따라서 이온의 전하량이 NaF < CaO이므로 녹는점도 NaF < CaO이다.
(2) 이온의 전하량이 같을 때 이온 사이의 거리가 가까울수록 녹는점이 높다. 따라서 이온 사이의 거리가 MgO < CaO < SrO이므로 녹는점은 MgO > CaO > SrO이다.

3 ㄱ, ㄷ. 물 분자는 수소 원자와 산소 원자가 각각 전자를 1개씩 내놓아 공유하는 공유 결합으로 이루어져 있으며, 단일 결합이 2개 형성된다.
ㄴ. 산소는 옥텟 규칙을 만족하여 네온과 같은 전자 배치를 갖는다.

자료 해설 ⊕ **물 분자의 전자 배치**

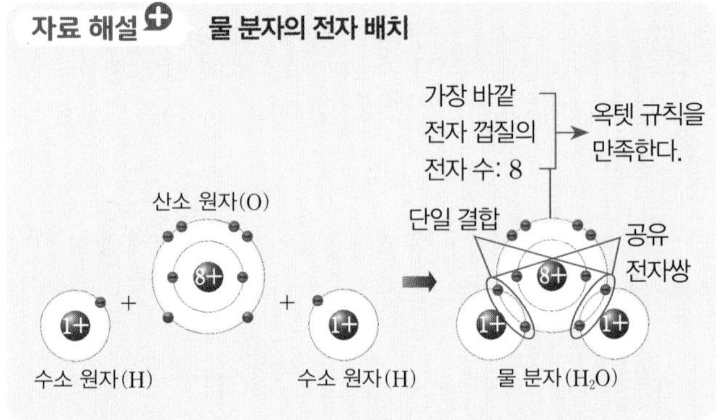

4 (1) (가)와 (다)는 공유 결정(원자 결정)인 공유 결합 물질이다.
(2) 흑연은 공유 결합 물질 중 예외적으로 고체 상태에서 전기 전도성이 있다.
(3) 염화 나트륨은 이온 결합 물질로, 고체 상태에서는 전기 전도성이 없지만 액체 상태와 수용액 상태에서 전기 전도성이 있다.

5 ㄱ. B는 가장 바깥 전자 껍질에 6개의 전자가 있으므로 옥텟 규칙을 만족하기 위해 2개의 전자가 필요하다. 따라서 B_2는 2개의 B 원자가 전자를 2개씩 내놓아 2중 결합을 형성한다.
ㄷ. A는 금속 원소로 전자를 2개 잃어 양이온이 되고, C는 비금속 원소로 전자를 1개 얻어 음이온이 된다. 따라서 A와 C는 1 : 2의 개수비로 결합하므로 이온 결합을 통해 AC_2를 형성한다.
오답 풀이
ㄴ. BC_2는 비금속 원소 사이의 공유 결합으로 형성된 공유 결합 물질이므로 액체 상태에서 전기 전도성이 없다.

6 A는 금속 결합 물질인 나트륨, B는 이온 결합 물질인 염화 나트륨의 결정 구조이므로 모두 액체 상태에서 전기 전도성이 있다.
오답 풀이
①, ③은 이온 결합 물질(B)에 대한 설명이고, ②, ⑤는 금속 결합 물질(A)에 대한 설명이다.

3일 개념 확인 107쪽

1-1 (1) > (2) < (3) > (4) <
1-2 A: Na, B: Mg, C: O, D: F
2-1 해설 참조, ❶ 플루오린(F) ❷ 음 ❸ 양 ❹ 극성 공유 결합
2-2 (1) δ^- (2) δ^+ (3) δ^- (4) δ^- (5) δ^+ (6) δ^+

1-1 같은 주기에서 원자 번호가 클수록 전기 음성도가 대체로 커지고, 같은 족에서 원자 번호가 클수록 전기 음성도가 대체로 작아진다.

2-1 플루오린 원자가 수소 원자보다 전기 음성도가 크므로 공유 전자쌍은 플루오린 원자 쪽으로 치우쳐 극성 공유 결합을 형성한다. 이때 플루오린 원자는 부분적인 음전하, 수소 원자는 부분적인 양전하를 띤다.

답 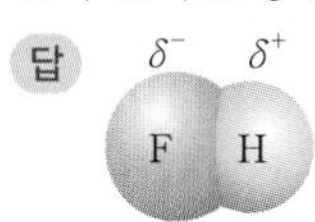

2-2 공유 결합을 형성한 두 원자 중 전기 음성도가 큰 원자는 부분적인 음전하, 전기 음성도가 작은 원자는 부분적인 양전하를 띤다.
전기 음성도는 (1) H < C, (2) C < F, (3) C < Cl, (4) H < O, (5) C < O, (6) N > H이다.

3일 개념 확인 109쪽

3-1 (1) 산소(O) > 수소(H) (2) 해설 참조
3-2 (1) 해설 참조 (2) 해설 참조
4-1 HF > HCl > HBr > HI
4-2 (1) F－H (2) C－H

3-1 (1) 전기 음성도는 산소(O) 원자가 수소(H) 원자보다 크다.
(2) 쌍극자 모멘트는 전기 음성도가 작은 원자에서 큰 원자로 향하는 화살표로 표시한다.

답 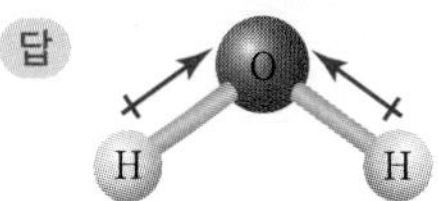

3-2 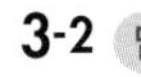 (1) 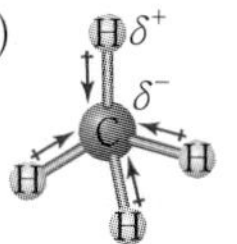

메테인(CH_4)

(2) 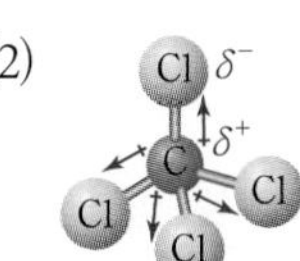

사염화 탄소(CCl_4)

4-1 두 원자의 전기 음성도 차가 클수록 결합의 극성이 크며, 전기 음성도 차는 HF > HCl > HBr > HI이다.

4-2 전기 음성도는 H < C < N < O < F이므로 전기 음성도 차가 가장 큰 결합은 F－H, 전기 음성도 차가 가장 작은 결합은 C－H이다.

 기초 유형 연습 110~111쪽

1 ④ **2** 해설 참조 **3** ④ **4** ③ **5** (1) X－X (2) X－Y > X－Z (3) $Y^{\delta^+}-Z^{\delta^-}$ **6** ②

1 ㄱ. CO_2, O_2는 2중 결합이 있으므로 다중 결합이 있는 분자는 2가지이다.
ㄷ. 무극성 공유 결합으로 이루어진 분자는 같은 원자로 이루어진 Cl_2, O_2 2가지이다.
오답 풀이
ㄴ. 극성 공유 결합으로 이루어진 분자는 서로 다른 원자로 이루어진 H_2O, CO_2, NH_3 3가지이다.

2 모범 답안 **(나), 염소(Cl) 원자가 수소(H) 원자보다 전기 음성도가 커 공유 전자쌍이 염소(Cl) 원자 쪽으로 치우치기 때문이다.**

3 A는 수소, B는 탄소, C는 산소, D는 플루오린이다.
ㄱ. A(수소)와 C(산소)는 서로 다른 원소이므로 극성 공유 결합을 한다.
ㄷ. D(플루오린)의 전기 음성도가 가장 크다.
오답 풀이
ㄴ. BA_4(CH_4)에서 B(탄소)는 A(수소)보다 전기 음성도가 크므로 부분적인 음전하를 띤다.

4 A는 탄소, B는 산소, C는 플루오린이다.
③ 전기 음성도가 A < B이므로 AB_2에서 A는 부분적인 양전하를 띤다.
오답 풀이
① C는 플루오린(F)으로 가장 바깥 전자 껍질에 전자가 7개 있으므로 옥텟 규칙을 만족하기 위해 1개의 전자가 필요하다. 따라서 C_2에서 공유 전자쌍 수는 1이다.
② AC_4는 극성 공유 결합으로 이루어진 분자이다.
④ 전기 음성도는 A < B < C이므로 C가 가장 크다.
⑤ 결합의 극성은 두 원자의 전기 음성도 차가 클수록 크다. 전기 음성도 차는 A－B 결합이 A－C 결합보다 작으므로 결합의 극성도 A－B 결합이 A－C 결합보다 작다.

5 (1) 무극성 공유 결합은 같은 원자 사이의 공유 결합이므로 X－X 결합이다.
(2) 두 원자의 전기 음성도 차가 클수록 결합의 극성이 크므로 X－Y 결합이 X－Z 결합보다 극성이 크다.
(3) 전기 음성도가 가장 큰 X는 F이다. 전기 음성도 차를 비교하면 Y는 전기 음성도가 가장 작은 H이고, Z는 Cl이다. Y－Z 결합에서 전기 음성도가 큰 Z는 부분적인 음전하, 전기 음성도가 작은 Y는 부분적인 양전하를 띤다.

6 ㄴ. 서로 다른 원자 사이에 형성되는 공유 결합은 극성 공유 결합이다. 따라서 (가)와 (나) 모두 극성 공유 결합이 있다.
오답 풀이
ㄱ. (가)에서 전기 음성도는 A > B, (나)에서 전기 음성도는 B > C이므로 전기 음성도는 A > B > C이다. 따라서 전기 음성도가 가장 큰 것은 A이다.

ㄷ. 전기 음성도가 A > B > C이므로 (가)의 A, (나)의 B는 부분적인 음전하를 띤다.

자료 해설 ⊕ **분자의 쌍극자 모멘트**

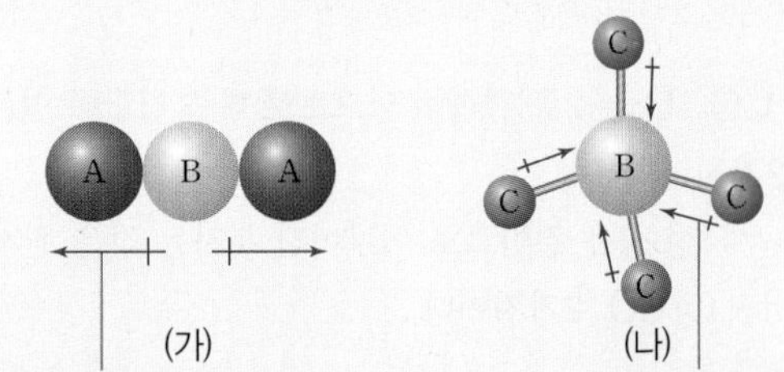

(가)
전기 음성도가 작은 원자에서 큰 원자 쪽으로 화살표가 향한다.
→ 화살표가 B에서 A 쪽으로 향한다.
→ 전기 음성도: A > B

(나)
화살표가 C에서 B 쪽으로 향한다.
→ 전기 음성도: B > C

개념 확인 113쪽

1-1 해설 참조
1-2 (1) 해설 참조 (2) 해설 참조 (3) 해설 참조 (4) 해설 참조
2-1 해설 참조
2-2 해설 참조

1-1 (1) 답 ·Ċ̣· (2) 답 ·N̈· (3) 답 :S̈· (4) 답 :F̈:

1-2 (1) 답 H:N̈:H, ㉠ 3, ㉡ 1 (N 아래 H) (2) 답 H:C:H, ㉠ 4, ㉡ 0 (C 위아래 H)

(3) 답 H:C⋮⋮N:, ㉠ 4, ㉡ 1

(4) 답 H:Ö:Ö:H, ㉠ 3, ㉡ 4

2-1 (1) 답 H−Cl (2) 답 H−O−H (3) 답 N≡N (4) 답 O=C=O

2-2 A는 옥텟 규칙을 만족하기 위해 전자 2개가 필요하므로 B 원자 2개와 각각 단일 결합을 형성한다.

답 AB_2, :B̈−Ä−B̈:

개념 확인 115쪽

3-1 (가) 직선형, (나) 평면 삼각형, (다) 정사면체형, (라) 180°, (마) 120°, (바) 109.5°
3-2 (1) ㉠ (2) ㉢ (3) ㉡ (4) ㉠
4-1 (1) ❶ 4 ❷ 0 ❸ 정사면체형 (2) ❶ 3 ❷ 1 ❸ 삼각뿔형 (3) ❶ 2 ❷ 2 ❸ 굽은 형
4-2 (1) BeF_2과 CO_2, 직선형 (2) BeF_2, CO_2, BCl_3, H_2S

3-2

H−C̈l:	:C̈l−B(−C̈l:)−C̈l:	:F̈−C(−F̈:)(−F̈:)−F̈:	H−C≡N:
직선형	평면 삼각형	정사면체형	직선형

(4) HCN과 같이 중심 원자에 다중 결합이 있는 경우, 다중 결합을 단일 결합으로 간주하여 분자 구조를 예측한다. 따라서 HCN은 직선형 구조이다.

4-1

구분	(1) CH_4	(2) NH_3	(3) H_2O
루이스 구조식	H−C(−H)(−H)−H	H−N̈(−H)−H	H−Ö−H
공유 전자쌍 수	4	3	2
비공유 전자쌍 수	0	1	2
분자 구조	정사면체형	삼각뿔형	굽은 형

4-2 CCl_4: 정사면체형, 입체 구조
BeF_2, CO_2: 직선형, 평면 구조
BCl_3: 평면 삼각형, 평면 구조
H_2S: 굽은 형, 평면 구조
NF_3: 삼각뿔형, 입체 구조

기초 유형 연습 116~117쪽

1 ⑤ **2** (1) (나) (2) (가) (3) (다) **3** ② **4** 해설 참조
5 ④ **6** ②

1 ⑤ 공유 전자쌍 수와 비공유 전자쌍 수는 4로 같다.

오답 풀이

① CO_2는 2중 결합이 있다.
②, ③ CO_2는 탄소가 중심 원자이고, 분자 구조가 직선형이므로 모든 원자는 한 평면에 존재한다.
④ 모든 원자는 가장 바깥 전자 껍질에 8개의 전자를 가지므로 옥텟 규칙을 만족한다.

2

구분	(가)	(나)	(다)
공유 전자쌍 수	4	3	3
비공유 전자쌍 수	2	9	1
분자 구조	평면 삼각형	평면 삼각형	삼각뿔형 (입체)

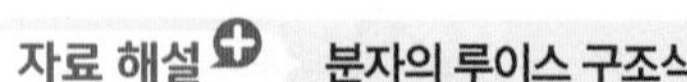

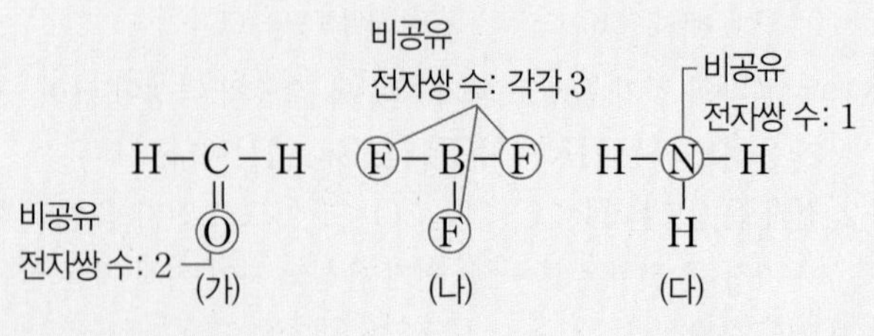

3 ㄴ. 다중 결합은 단일 결합으로 간주하여 분자의 구조를 예측한다. 예를 들어 2중 결합을 가진 CO_2는 직선형 구조이다.

오답 풀이

ㄱ. 전자쌍들은 서로 반발력이 작용한다.

ㄷ. 비공유 전자쌍 사이의 반발력이 공유 전자쌍 사이의 반발력보다 크다.

4 모범 답안 **(가)>(나)>(다), 비공유 전자쌍에 의한 반발력이 공유 전자쌍에 의한 반발력보다 크기 때문이다.**

5 입체 구조는 NF_3와 CF_4이고, 이 중 공유 전자쌍 수가 3인 것은 NF_3이다.

오답 풀이

①, ②, ③ O_2, HCl, BCl_3는 평면 구조이다.

⑤ CF_4는 입체 구조이지만 공유 전자쌍 수가 4이다.

6 A는 수소, B는 탄소, C는 질소이다.

ㄴ. BA_4(CH_4)는 정사면체형 구조로, 결합각은 109.5°이다.

오답 풀이

ㄱ. C_2(N_2)에는 3중 결합이 있다.

ㄷ. BA_4(CH_4)의 공유 전자쌍 수는 4, CA_3(NH_3)의 공유 전자쌍 수는 3이므로 공유 전자쌍 수는 $BA_4 > CA_3$이다.

5일 개념 확인 119쪽

1-1 (1) ❶ 무극성 ❷ 무극성 ❸ 띠지 않는다 (2) ❶ 극성 ❷ 대칭 ❸ 무극성
1-2 (1) 해설 참조 (2) (나)
2-1 (1) ❶ 극성 ❷ 극성 (2) ❶ 굽은 형 ❷ 극성
2-2 (1) HF, HCN, O_2 (2) HF, NH_3, HCN, CH_3Cl (3) O_2

1-1 (1) Cl_2는 같은 원소로 이루어진 이원자 분자로, 두 원자 사이의 결합이 무극성 공유 결합이고, 각 원자는 부분적인 전하를 띠지 않는다.

(2) C－H는 서로 다른 원자 사이의 결합이므로 극성 공유 결합이지만 CH_4은 정사면체형 구조로 분자의 구조가 대칭이므로 무극성 분자이다.

1-2 (1) H_2O에서 원자의 전기 음성도는 H<O이고, BCl_3에서 원자의 전기 음성도는 B<Cl이다.

답

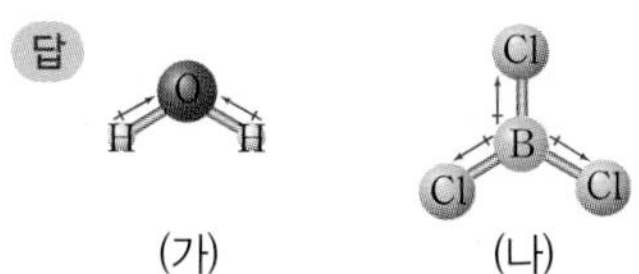

(가) (나)

(2) (나)는 대칭 구조이므로 쌍극자 모멘트 합이 0인 무극성 분자이다.

2-1 (1) 서로 다른 원소로 이루어진 이원자 분자는 극성 공유 결합을 하며, 극성 분자이다.

(2) H－S는 극성 공유 결합이며, 비대칭 구조를 이루어 결합의 쌍극자 모멘트 합이 0이 아니므로 극성 분자이다.

2-2 (1) HF, HCN, O_2는 직선형 구조, NH_3는 삼각뿔형 구조, CH_4은 정사면체형 구조, CH_3Cl은 사면체형 구조이다.

(2) 분자의 쌍극자 모멘트 합이 0이 되려면 O_2와 같이 무극성 공유 결합으로만 이루어지거나 CH_4과 같이 대칭 구조를 가져서 쌍극자 모멘트가 상쇄되어야 한다.

(3) 무극성 공유 결합은 같은 원소끼리의 결합이다. 따라서 O_2는 무극성 공유 결합으로만 이루어져 있다.

5일 개념 확인 121쪽

3-1 (1) O_2: 무극성, H_2S: 극성 (2) $O_2 < H_2S$
3-2 (1) HCl, C_2H_5OH(에탄올), NH_3
(2) I_2, C_6H_6(벤젠), CO_2
4-1 (1) A: 무극성, B: 극성 (2) A: 노말헥세인, B: 물
4-2 (나), (라)

3-1 (1) O_2는 무극성 공유 결합으로 이루어진 무극성 분자이다. H_2S는 극성 공유 결합으로 이루어져 있으나 비대칭 구조이므로 극성 분자이다.

(2) 분자량이 비슷할 때 무극성 분자보다 극성 분자의 끓는점이 더 높다.

3-2 극성 물질은 극성 용매에 잘 용해되고, 무극성 물질은 무극성 용매에 잘 용해된다.

극성 물질: HCl, C_2H_5OH(에탄올), NH_3

무극성 물질: I_2, C_6H_6(벤젠), CO_2

4-1 (1) 극성 분자의 원자들은 부분적인 전하를 가지므로 대전체를 가까이하면 대전체로 끌려가고, 무극성 분자는 대전체로 끌려가지 않는다. 따라서 A는 무극성 분자, B는 극성 분자이다.

(2) 노말헥세인은 무극성 분자, 물은 극성 분자이다.

4-2 극성 분자는 부분적인 전하를 가지므로 전기장에서 일정하게 배열되고, 무극성 분자는 부분적인 전하를 가지지 않으므로 전기장에서 무질서하게 배열된다. (가)와 (다)는 무극성 분자, (나)와 (라)는 극성 분자이다.

5일 기초 유형 연습 122~123쪽

1 ④ **2** (1) X: O, Y: F, Z: C (2) ❶ (나) ❷ 직선형 ❸ 0
3 (가) CS_2, (나) HCN, (다) CCl_4, (라) HCl **4** (1) ㉠ 직선형, ㉡ 정사면체형 (2) (나) **5** 해설 참조 **6** ④

1 ㄱ. 극성 분자는 H_2O, NH_3 2가지이다.

ㄴ. 서로 다른 원자 사이의 결합은 극성 공유 결합이다.

오답 풀이

ㄷ. 대칭 구조를 갖는 분자는 BeF_2, CO_2, CF_4 3가지이다.

2 (1) X는 원자가 전자 수가 6이므로 16족인 산소(O), Y는 원자가 전자 수가 7이므로 17족인 플루오린(F), Z는 원자가 전자 수가 4이므로 14족인 탄소(C)이다.
(2) (가)는 분자 구조가 굽은 형이므로 결합의 쌍극자 모멘트 합이 0이 아니기 때문에 극성 분자이고, (나)는 분자 구조가 직선형으로 대칭이므로 결합의 쌍극자 모멘트 합이 0이기 때문에 무극성 분자이다.

3 (가) 다중 결합이 있고 쌍극자 모멘트의 합이 0인 분자: CS_2
(나) 다중 결합이 있고 쌍극자 모멘트의 합이 0이 아닌 분자: HCN
(다) 다중 결합이 없고 입체 구조인 분자: CCl_4
(라) 다중 결합이 없고 평면 구조인 분자: HCl

자료 해설 분자의 분류

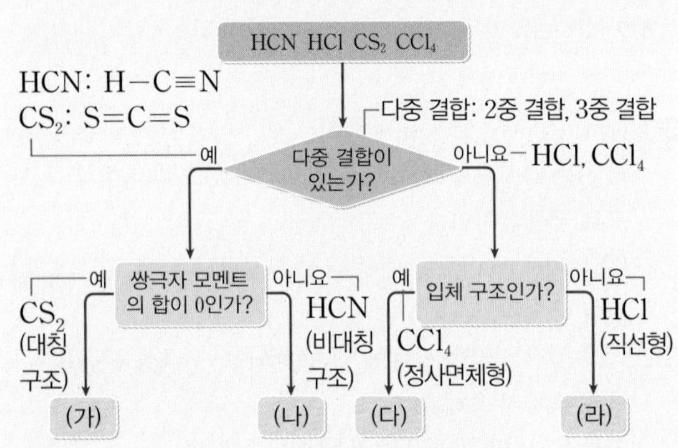

4 (가)는 CO_2, (나)는 H_2O, (다)는 CH_4이다. 즉, X는 수소(H), Y는 산소(O), Z는 탄소(C)이다. CO_2의 분자 구조는 직선형, CH_4의 분자 구조는 정사면체형이다. (가)~(다) 중 극성 물질은 (나) H_2O이다.

5 모범 답안 **A, A는 대전체 쪽으로 끌려가므로 극성 물질이고, 극성 물질은 극성 용매인 물에 잘 녹기 때문이다.**

6 ㄱ. (가)와 (다)는 분자량이 비슷하므로 극성 분자인 (가)의 끓는점이 더 높다.
ㄴ. (나)는 극성 분자이므로 결합의 쌍극자 모멘트 합이 0보다 크고, (다)는 무극성 분자이므로 결합의 쌍극자 모멘트 합이 0이다. 따라서 분자의 쌍극자 모멘트는 (나)>(다)이다.
오답 풀이
ㄷ. 극성 분자는 기체 상태로 전기장에 넣었을 때 일정한 방향으로 배열된다. 극성 분자는 (가)와 (나) 2가지이다.

3주 누구나 100점 테스트 124~125쪽

1 ④ **2** ① **3** ② **4** ② **5** ③ **6** ① **7** (가): 정사면체형, (나): 직선형, (다): 삼각뿔형, 결합각: (나)>(가)>(다) **8** 해설 참조 **9** ② **10** ⑤

1 이온 결합은 금속 양이온과 비금속 음이온의 결합이고, 공유 결합은 비금속 원소 사이의 결합이다.
이온 결합 물질: MgO, NaF, NaCl, $CuSO_4$
공유 결합 물질: HF, H_2, CF_4, CO_2, H_2O, BF_3

2 ㄱ. A는 Na, B는 Mg, C는 F, D는 Cl이므로 A와 B는 금속 원소이다.
오답 풀이
ㄴ. 이온 사이의 거리는 AC<AD이므로 녹는점은 AC가 AD보다 더 높다.
ㄷ. B^{2+}과 D^-은 1 : 2의 개수비로 결합하여 BD_2를 형성한다.

자료 해설 원자와 이온의 전자 수

이온식	A^+	B^{2+}	C^-	D^-
전자 수	10	10	10	18

원자 A의 전자 수: 11 / 원자 C의 전자 수: 9 / 원자 B의 전자 수: 12 / 원자 D의 전자 수: 17

3 ㄴ. (가)와 (나)는 모두 공유 전자쌍 수가 4이다.
오답 풀이
ㄱ. (가)는 극성 분자, (나)는 무극성 분자이다.
ㄷ. (가)와 (나)는 모두 서로 다른 원자 사이의 결합인 극성 공유 결합만 있다.

4 A는 수소, B는 리튬, C는 붕소, D는 질소, E는 플루오린이다. 따라서 (가)는 HF, (나)는 LiF, (다)는 BF_3, (라)는 NF_3이다.
ㄴ. (다)는 평면 삼각형, (라)는 삼각뿔형이므로 결합각은 (다)가 더 크다.
오답 풀이
ㄱ. 이온 결합 물질은 (나) (LiF) 1가지이다.
ㄷ. (다)에서 C(붕소)는 옥텟 규칙을 만족하지 않는다.

5 W는 수소, X는 플루오린, Y는 탄소, Z는 질소이다.
ㄱ. 전기 음성도는 X(F)>Z(N)>Y(C)이다.
ㄷ. WX(HF)에서 전기 음성도가 큰 X(F)가 부분적인 음전하를 띤다.
오답 풀이
ㄴ. YX_4(CF_4)에는 비공유 전자쌍이 12개 있다.

6 (가)는 C_2F_2, (나)는 OF_2, (다)는 CO_2이다.
ㄱ. (가)와 (다)는 다중 결합이 있다.
오답 풀이
ㄴ. (나)는 극성 분자, (다)는 무극성 분자이므로 쌍극자 모멘트는 (나)>(다)이다.
ㄷ. (가), (나), (다) 모두 평면 구조이다.

7 A는 수소(H), B는 탄소(C), C는 질소(N)이다.

화합물	(가)	(나)	(다)
화학식	CH_4	N_2	NH_3
분자 구조	정사면체형	직선형	삼각뿔형
결합각	109.5°	180°	107°

8 모범 답안 (가): 무극성 분자, (다): 극성 분자, (가)는 정사면체형 구조로 대칭 구조이므로 결합의 쌍극자 모멘트 합이 0이고, (다)는 삼각뿔형 구조로 비대칭 구조이므로 결합의 쌍극자 모멘트 합이 0이 아니기 때문이다.

9 A는 나트륨, B는 염소, C는 수소, D는 산소이다.
② A(Na)는 3주기 원소, D(O)는 2주기 원소이다.

오답 풀이

① $D_2(O_2)$에는 2중 결합이 있다.
③ 비공유 전자쌍 수는 $B_2(Cl_2)$는 6, $C_2D(H_2O)$는 2이다.
④ AB(NaCl)는 이온 결합 물질이므로 액체 상태에서 전기 전도성이 있다.
⑤ A(*s*)(Na)는 금속 결합 물질이므로 펴짐성이 있다.

10 ㄱ. AB는 전기장에서 일정하게 배열하므로 극성 분자이다.
ㄴ, ㄷ. (나)에서 A가 (−)극을 향하고 있으므로 A는 부분적인 양전하를 띤다. 따라서 전기 음성도는 A＜B이다.

창의 • 융합 • 코딩 126~131쪽

정답 ③

다음은 염화 나트륨의 화학 결합 모형과 이에 대한 세 학생의 대화이다.

제시한 내용이 옳은 학생만을 있는 대로 고른 것은?

① A ② C ③ A, B
④ B, C ⑤ A, B, C

❶ 주어진 원소가 금속 원소인지 비금속 원소인지 알아야 한다.
❷ 주어진 원소가 옥텟 규칙을 만족하기 위한 방법을 알아야 한다.

❶ 다음은 금속 원소와 비금속 원소의 특성입니다.
• 금속 원소는 주기율표에서 왼쪽과 가운데에 위치하고, 전자를 잃고 양이온이 되기 쉬우며, 상온에서 고체 상태(단, 수은은 액체)이고, 열과 전기를 잘 통한다.
예 나트륨, 마그네슘, 칼륨, 칼슘 등
• 비금속 원소는 주기율표에서 오른쪽에 위치하고, 전자를 얻고 음이온이 되기 쉬우며, 상온에서 기체나 고체 상태(단, 브로민은 액체)이고, 열과 전기를 잘 통하지 않는다.
예 염소, 플루오린, 산소, 질소, 탄소 등

❷ 금속 원소와 비금속 원소는 화학 결합을 통해 옥텟 규칙을 만족한다. 나트륨은 원자가 전자 수가 1이므로 전자를 1개 잃어 양이온을 형성하고 네온과 같은 전자 배치를 가져 옥텟 규칙을 만족한다. 염소는 원자가 전자 수가 7이므로 전자를 1개 얻어 음이온을 형성하고 아르곤과 같은 전자 배치를 가져 옥텟 규칙을 만족한다. 금속 양이온과 비금속 음이온은 정전기적 인력에 의해 이온 결합을 형성한다.

1 ③ **2** ③ **3** ⑤ **4** ③ **5** ②

2 ③ 펴짐성(전성)과 뽑힘성(연성)이 있는 것은 금속 결합 물질인 (다)이다.

오답 풀이

① 25 ℃에서 고체로 존재하는 물질은 녹는점이 25 ℃보다 높은 (가), (다) 2가지이다.
② (가)는 이온 결합 물질이므로 힘을 가하면 쉽게 부스러진다.
④ (나)는 25 ℃에서 기체로 존재하며, 고체와 액체 상태에서 전기 전도성이 없으므로 비금속 원자들이 전자쌍을 공유하여 형성된 공유 결합 물질이다.
⑤ (다)는 금속 결합 물질로 자유 전자가 존재한다.

3 (가) 물에 잘 용해되는 것은 NaCl, H_2O_2이고, 물에 잘 용해되지 않는 것은 I_2, Cu이다.
(나) 이온 결합 물질인 것은 NaCl이고, 이온 결합 물질이 아닌 것은 I_2, Cu, H_2O_2이다.
(다) 액체 상태에서 전기 전도성이 있는 것은 Cu, NaCl이고, 전기 전도성이 없는 것은 I_2, H_2O_2이다.
A에서 NaCl, Cu / H_2O_2, I_2으로 분류되어야 하므로 A에는 (다)가 적절하다. B에서 NaCl과 Cu를 구분해야 하므로 B에는 (가)와 (나)가 적절하고, C에서 H_2O_2와 I_2을 구분해야 하므로 C에는 (가)가 적절하다.

자료 해설 ⊕ 분자의 분류

분류 기준

(가) 물에 잘 용해되는가? → 예: NaCl, H_2O_2 / 아니요: I_2, Cu
(나) 이온 결합 물질인가? → 예: NaCl / 아니요: I_2, Cu, H_2O_2
(다) 액체 상태에서 전기 전도성이 있는가? → 예: Cu, NaCl / 아니요: I_2, H_2O_2

5 물은 극성 용매, 노말헥세인은 무극성 용매이다.
ㄱ. 극성 물질인 $CuCl_2$가 극성 용매인 물에 잘 녹으므로 '극성 물질은 극성 용매에 잘 용해된다.'는 ㉠에 적절한 가설이다.
ㄴ. I_2은 무극성 용매인 노말헥세인에 잘 녹는 무극성 분자이므로 쌍극자 모멘트가 0이다.

오답 풀이

ㄷ. 물은 극성 물질이고, 노말헥세인은 무극성 물질이므로 잘 섞이지 않는다.

IV. 역동적인 화학 반응

1일 개념 확인 137쪽

1-1 ㉠ 정반응, ㉡ 역반응, ㉢ 가역 반응
1-2 (1) (가), (라) (2) (나), (다), (마)
2-1 (1) 증발 속도 > 응축 속도 (2) (가) = (나) = (다) (3) (다)
2-2 ㄱ, ㄴ, ㄷ, ㄹ

1-1 반응 조건에 따라 정반응과 역반응이 모두 일어날 수 있는 반응을 가역 반응이라고 한다.

1-2 (가)~(마)를 화학 반응식으로 나타내면 다음과 같다.
(가) 물의 증발과 응축: $H_2O(l) \rightleftharpoons H_2O(g)$
(나) 메테인의 연소 반응:
$CH_4(g) + 2O_2(g) \longrightarrow CO_2(g) + 2H_2O(l)$
(다) 마그네슘과 염산의 기체 발생 반응:
$Mg(s) + 2HCl(aq) \longrightarrow MgCl_2(aq) + H_2(g)$
(라) 황산 구리(II) 오수화물의 분해와 생성 반응:
$CuSO_4 \cdot 5H_2O(s) \rightleftharpoons CuSO_4(s) + 5H_2O(l)$
(마) 염산과 수산화 나트륨 수용액의 중화 반응:
$HCl(aq) + NaOH(aq) \longrightarrow H_2O(l) + NaCl(aq)$

2-1 (1) 처음에는 물의 증발 속도가 수증기의 응축 속도보다 빠르다.
(2) 일정한 온도에서 물의 증발 속도는 일정하다.
(3) (다)에서 물의 증발 속도와 수증기의 응축 속도가 같은 동적 평형에 도달한다.

2-2 동적 평형에 도달하면 설탕의 용해 속도와 석출 속도가 같아서 겉보기에는 변화가 일어나지 않는 것처럼 보인다. 이때 설탕물의 농도, 설탕의 용해 속도와 석출 속도, 석출되는 설탕 분자 수는 모두 일정하다.

1일 개념 확인 139쪽

3-1 A, B
3-2 (1) $[H_3O^+] = 1.0 \times 10^{-7}$ M, $[OH^-] = 1.0 \times 10^{-7}$ M
(2) 해설 참조
4-1 (1) 작아 (2) 14 (3) 산성 (4) 염기성 (5) 1, 13
4-2 (1) 100배 (2) 4.7 (3) 0.01 M

3-1 온도가 일정하면 물의 이온화 상수(K_w)가 일정하다.

3-2 (1) 순수한 물은 전기적인 중성을 띠므로 H_3O^+의 농도와 OH^-의 농도가 같다.
(2) 모범 답안 **온도가 높아질수록 물의 이온화 상수는 커진다.**

4-1 (2) 25 ℃에서 물의 이온화 상수(K_w) $= [H_3O^+][OH^-] = 1.0 \times 10^{-14}$이므로 pH + pOH = 14이다.
(5) 25 ℃에서 0.1 M $HCl(aq)$의 pH $= -\log[H_3O^+] = -\log 0.1 = 1$이고, pOH $= 14 - 1 = 13$이다.

4-2 (1) 토마토의 pH = 4, 우유의 pH = 6이다. pH가 1만큼 작아질 때 수용액의 $[H_3O^+]$는 10배 커지므로, 토마토의 $[H_3O^+]$는 우유의 $[H_3O^+]$의 100배이다.
(2) 베이킹 소다의 pH = 9.3이므로 pOH = 14 − 9.3 = 4.7이다.
(3) 표백제의 pH = 12이므로 pOH $= -\log[OH^-] = 2$이다. 따라서 표백제의 $[OH^-] = 0.01$ M이다.

1일 기초 유형 연습 140~141쪽

1 ③ **2** ④ **3** ③ **4** ④ **5** (1) 1.0×10^{-4} M
(2) $[H_3O^+] < [OH^-]$ (3) (다) **6** ③

1 ㄱ, ㄴ. (가)에서 Br_2의 증발 속도는 응축 속도보다 빠르다. 충분한 시간이 흐른 후 (나)에서 Br_2의 증발 속도와 응축 속도가 같아진다.
오답 풀이
ㄷ. 동적 평형 상태인 (나)에 도달하기 전까지 Br_2의 증발 속도가 응축 속도보다 빠르므로 $Br_2(g)$ 분자의 수는 (가) < (나)이다.

2 (가)는 증발 속도, (나)는 응축 속도를 나타낸 그래프이다. t_1에서는 증발 속도가 응축 속도보다 빠르고, t_2에서 동적 평형에 도달하여 증발 속도와 응축 속도가 같아진다.
④ 용기 속 액체 A는 계속 증발하므로 액체 A 분자의 수는 t_2보다 t_1에서 더 많다.

3 ㄱ. 25 ℃에서 $K_w = [H_3O^+][OH^-] = 1.0 \times 10^{-14}$이므로 순수한 물의 pH = pOH = 7이다.
ㄴ. 물의 자동 이온화 반응은 정반응과 역반응이 모두 일어날 수 있는 가역 반응이다.
오답 풀이
ㄷ. 온도가 높아지면 물의 이온화 상수(K_w)가 커지므로 pH는 작아진다.

4 (가) 25 ℃의 순수한 물에서 $[H_3O^+] = 1.0 \times 10^{-7}$ M이므로 pH $= -\log(1.0 \times 10^{-7}) = 7$이다.
(나) 0.01 M $HCl(aq)$에서 $[H_3O^+] = 0.01$ M이므로 pH $= -\log 0.01 = 2$이다.
(다) 물 100 mL에 $NaOH(s)$ 0.01 mol을 녹여 만든 수산화 나트륨(NaOH) 수용액의 몰 농도는 0.1 M이다.
pOH $= -\log 0.1 = 1$이므로 pH $= 14 - 1 = 13$이다.
따라서 pH를 비교하면 (다) > (가) > (나)이다.

5 (1) (가)의 pOH는 4이므로 pOH $= -\log[OH^-] = 4$이므로 $[OH^-] = 1.0 \times 10^{-4}$ M이다.

(2) (나)의 pOH=6, pH=14-6=8이므로 염기성 용액이다.

(3) (가)의 pOH=4, pH=14-4=10이므로 염기성 용액이고, (다)의 pOH=10, pH=14-10=4이므로 산성 용액이다.

6 ㄱ. 두 수용액에 공통으로 들어 있는 ▲는 H^+이므로 ◆는 B^-이다.

ㄴ. $HB(aq)$에서 H^+의 양(mol)은 0.2몰이고 용액의 부피는 2 L이므로 $[H_3O^+]$는 0.1 M이다. 따라서 $HB(aq)$의 pH는 1이다.

오답 풀이

ㄷ. $[H_3O^+]$가 $HA(aq) > HB(aq)$이므로 pH는 $HA(aq) < HB(aq)$이다. 따라서 pOH는 $HA(aq) > HB(aq)$이다.

2일 개념 확인 143쪽

1-1 (1) ○ (2) × (3) × (4) ○
1-2 (1) A (2) B
2-1 (1) 수소 이온(H^+), 산 (2) 수산화 이온(OH^-), 염기 (3) 산, 염기 (4) 양쪽성 물질
2-2 (1) 산, 염기 (2) 산, 염기 (3) 산, 염기

1-1 (2) 산 수용액은 푸른색 리트머스 종이를 붉게 변화시킨다.
(3) 산 수용액은 금속과 반응하여 수소 기체를 발생시킨다.

1-2 실험 결과로 보아 A는 산성, B는 염기성, C는 중성 수용액이다.

2-1 (1), (2) 아레니우스는 물에 녹아 수소 이온(H^+)을 내놓는 물질은 산, 수산화 이온(OH^-)을 내놓는 물질은 염기라고 하였다.

2-2 H^+을 내놓는 물질은 브뢴스테드·로리 산, H^+을 받는 물질은 브뢴스테드·로리 염기이다. H_2O은 양쪽성 물질로 (1)에서는 염기, (2)에서는 산으로 작용한다.

2일 개념 확인 145쪽

3-1 (1) ○ (2) ○ (3) × (4) ○
3-2 100 mL
4-1 0.05 M
4-2 (1) Na^+ (2) (가), (나) (3) (다)

3-1 (3) Cl^-과 Na^+은 구경꾼 이온이고, 알짜 이온은 H^+과 OH^-이다.

3-2 산과 염기가 완전히 중화하려면 산이 내놓은 H^+의 양(mol)과 염기가 내놓은 OH^-의 양(mol)이 같아야 한다. 0.1 M HCl 200 mL를 완전히 중화하는 데 필요한 0.2 M NaOH 수용액의 최소 부피(mL)를 x라고 하면 중화 반응의 양적 관계는 다음과 같다.

$1 \times 0.1\,M \times 200\,mL = 1 \times 0.2\,M \times x$, $x = 100\,mL$

4-1 HCl 40 mL를 완전히 중화하는 데 0.2 M NaOH 수용액 10 mL가 사용되었으므로, HCl의 몰 농도를 x라고 하면 중화 반응의 양적 관계는 다음과 같다.

$1 \times x \times 40\,mL = 1 \times 0.2\,M \times 10\,mL$, $x = 0.05\,M$

4-2 (1) 구경꾼 이온인 Na^+은 반응에 참여하지 않으므로 처음에 넣어 준 개수 그대로 변하지 않는다.
(2) BTB 용액은 염기성인 (가)와 (나)에서는 파란색, 중성인 (다)에서는 초록색을 띤다.
(3) 생성된 물 분자 수는 완전히 중화된 (다)에서 가장 많다.

2일 기초 유형 연습 146~147쪽

1 ④ **2** ③ **3** 0.04 mol **4** ③ **5** (1) A: Cl^-, B: Na^+, C: OH^-, D: H^+ (2) 염기성 (3) 0.15 **6** (1) 피펫 (2) 0.8 M

1 오답 풀이

ㄷ. (다)에서 H_2O은 H^+을 내놓으므로 브뢴스테드·로리 산이다.

2 ㄱ. 혼합한 NaOH 수용액과 HCl의 부피비가 1 : 2인데, 혼합 용액 속 구경꾼 이온인 Na^+과 Cl^- 수의 비도 1 : 2이므로, 두 용액의 몰 농도는 같다.

ㄴ. 혼합 용액에 H^+이 남아 있으므로 산성 용액이다. 따라서 혼합 용액의 pH는 7보다 작다.

오답 풀이

ㄷ. 혼합 용액에 0.2 M NaOH 수용액 10 mL를 넣으면 OH^-이 4개 더 들어가므로 남아 있는 H^+ 수보다 많다. 따라서 혼합 용액은 염기성이 된다.

3 0.2 M HCl 300 mL에 들어 있는 H^+의 양은 $0.2\,M \times 0.3\,L = 0.06\,mol$이고, 0.1 M NaOH 수용액 400 mL에 들어 있는 OH^-의 양은 $0.1\,M \times 0.4\,L = 0.04\,mol$이다. H^+과 OH^-은 1 : 1의 몰비로 반응하여 물(H_2O)을 생성하므로 생성된 물의 양은 0.04 mol이다.

4 단위 부피당 생성된 물 분자 수에 혼합 용액의 부피를 곱하면 다음과 같이 생성된 전체 물 분자 수를 구할 수 있다.

(가) $2N \times 15 = 30N$ (나) $3N \times 20 = 60N$
(다) $3N \times 20 = 60N$

이때 생성된 물 분자 수는 반응한 H^+이나 OH^- 수와 같다.

ㄱ. (가)가 중성 또는 염기성이라면 (나)에서 HCl의 부피가 반으로 줄었으므로 생성된 전체 물 분자 수는 $15N$이어야 한다. 이 조건을 만족하지 않으므로 (가)는 산성이며, NaOH 수용액 5 mL에 들어 있는 OH^- 수는 $30N$이라는 것을 알 수 있다.

ㄴ. (나)에서 NaOH 수용액 15 mL에 들어 있는 OH^- 수는 $90N$이고, 생성된 전체 물 분자 수는 $60N$이다. 따라서 HCl 5 mL에 들어 있는 H^+ 수는 $60N$이며, 단위 부피당 이온 수는 HCl이 NaOH 수용액보다 더 많다. 따라서 몰 농도는 HCl이 NaOH 수용액보다 크다.

오답 풀이

ㄷ. (다)에서 HCl 10 mL에 들어 있는 H^+ 수는 $120N$이고, NaOH 수용액 10 mL에 들어 있는 OH^- 수는 $60N$이다. 따라서 H^+ $60N$과 OH^- $60N$이 반응하여 물을 생성하고, 혼합 용액에는 H^+ $60N$, Cl^- $120N$, Na^+ $60N$이 존재한다. 따라서 혼합 용액에 들어 있는 전체 양이온 수는 $120N$이다.

5 (1) A는 HCl을 넣는 대로 그 수가 증가하므로 Cl^-이다. B는 HCl을 넣어도 그 수가 변하지 않고 일정하므로 Na^+이다. C는 HCl을 넣는 대로 감소하다가 중화점 이후에는 존재하지 않으므로 OH^-이다. D는 중화점 이전에는 존재하지 않다가 중화점 이후에 증가하므로 H^+이다.

(2) (가)는 중화점에 도달하기 전이므로 용액의 액성은 염기성이다.

(3) 0.3 M NaOH 수용액 20 mL를 완전히 중화하는 데 사용한 x M HCl의 부피는 40 mL이다.

$1 \times 0.3\ \text{M} \times 20\ \text{mL} = 1 \times x\ \text{M} \times 40\ \text{mL},\ x = 0.15$

6 (2) 식초 10 mL를 완전히 중화하는 데 사용한 0.2 M NaOH 수용액의 부피는 40 mL이다. 식초 속 CH_3COOH의 몰 농도를 x라고 하면 중화 반응의 양적 관계는 다음과 같다.

$1 \times x \times 10\ \text{mL} = 1 \times 0.2\ \text{M} \times 40\ \text{mL},\ x = 0.8\ \text{M}$

3일 개념 확인 149쪽

1-1 (1) 산화 (2) 환원, 산화 (3) 산화

1-2 산화되는 물질: C, 환원되는 물질: CuO

2-1 (1) ○ (2) ○ (3) ×

2-2 (1) ❶ 산화 ❷ 환원 (2) ❶ 환원 ❷ 산화

1-2 CuO는 산소를 잃어 Cu로 환원되고, C는 산소를 얻어 CO_2로 산화된다.

2-1 Na은 전자를 잃어 Na^+으로 산화되고, Cl_2는 전자를 얻어 Cl^-으로 환원되므로 전자는 Na에서 Cl로 이동한다.

2-2 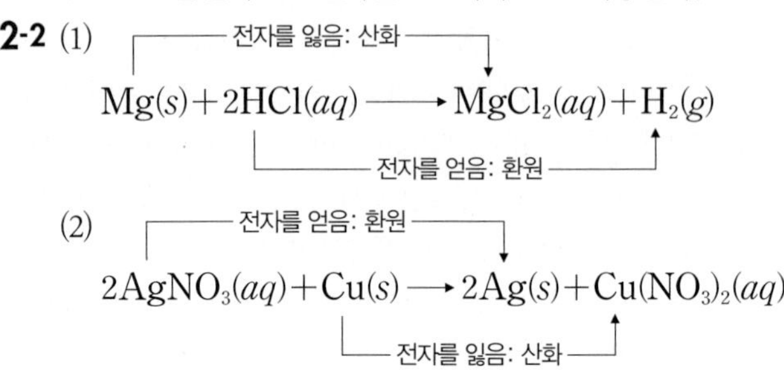

3일 개념 확인 151쪽

3-1 (1) ○ (2) × (3) ○ (4) × (5) ○

3-2 (1) 0 (2) +5 (3) +4 (4) −1 (5) −2 (6) +7 (7) −1 (8) +6

4-1 (1) 감소, 환원 (2) 증가, 산화 (3) 산화제

4-2 (1) 산화제: Cl_2, 환원제: KI (2) 산화제: O_2, 환원제: H_2 (3) 산화제: $AgNO_3$, 환원제: Fe

3-1 (2) H_2O에서 전기 음성도는 H < O이므로 O의 산화수는 −2, H의 산화수는 +1이다.

(4) 화합물에서 H의 산화수는 대체로 +1이지만, NaH과 같은 금속의 수소 화합물에서 H의 산화수는 −1이다.

3-2 (2) H의 산화수는 +1이고, O의 산화수는 −2이며, 화합물을 이루는 원자들의 산화수 합은 0이어야 한다. 따라서 N의 산화수(x)는 $(+1)+x+(-2)\times 3=0,\ x=+5$이다.

(3) 전기 음성도는 C < O이므로 O의 산화수는 −2, C의 산화수는 +4이다.

(6) K의 산화수는 +1이고, O의 산화수는 −2이며, 화합물을 이루는 원자들의 산화수 합은 0이어야 한다. 따라서 Mn의 산화수(x)는 $(+1)+x+(-2)\times 4=0,\ x=+7$이다.

(7) 화합물에서 O의 산화수는 대체로 −2이지만, 과산화물에서는 −1이다.

4-1 (1), (2) N의 산화수는 0에서 −3으로 감소하고, H의 산화수는 0에서 +1로 증가한다.

(3) N_2는 자신은 환원되면서 H_2를 산화시키는 산화제이다.

4-2 산화제는 자신은 환원되면서 다른 물질을 산화시키는 물질이고, 환원제는 자신은 산화되면서 다른 물질을 환원시키는 물질이다.

(1) 산화수 증가: 산화 (KI의 −1 → I_2의 0)

$$\underset{\text{환원제}}{\overset{-1}{2KI(aq)}} + \underset{\text{산화제}}{\overset{0}{Cl_2(g)}} \longrightarrow \overset{-1}{2KCl(aq)} + \overset{0}{I_2(s)}$$

산화수 감소: 환원 (Cl_2의 0 → KCl의 −1)

(2) 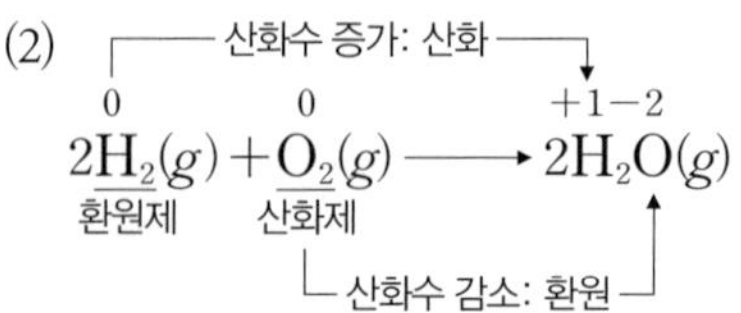

(3) 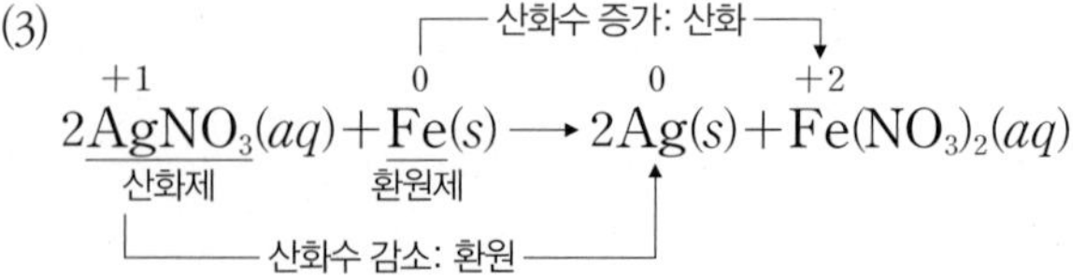

3일 기초 유형 연습 152~153쪽

1 ② **2** ② **3** ① **4** ③ **5** (1) -2, $+4$, 0
(2) (가) SO_2, (나) Cl_2 **6** ⑤

1 ㄴ. Zn은 전자를 잃고 Zn^{2+}으로 산화되므로 Zn의 산화수는 0에서 $+2$로 증가한다.

오답 풀이

ㄱ. Cu^{2+}은 전자를 얻어 Cu로 환원된다.

ㄷ. Cu^{2+} 1개가 감소할 때 Zn^{2+} 1개가 생성되므로 수용액 속 양이온 수는 변하지 않는다.

2 (가)의 CH_4에서 C의 산화수는 -4이고, (나)의 HClO에서 Cl의 산화수는 $+1$이며, (다)의 H_2에서 H의 산화수는 0이다. 따라서 밑줄 친 원자들의 산화수의 합은 -3이다.

3 (나)와 (라)는 반응 전후에 각 원자의 산화수가 변하지 않으므로 산화 환원 반응이 아니다.

4 ㄱ. (가)에서 Cu의 산화수는 0에서 $+2$로 증가한다.

ㄷ. CuO와 H_2O에서 O의 산화수는 -2로 같다.

오답 풀이

ㄴ. (나)에서 ㉠은 H_2이다. H의 산화수는 0에서 $+1$로 증가하므로 H_2는 CuO를 환원시키는 환원제로 작용한다.

5 (가)

산화수 증가: 산화

$$\overset{-2}{2H_2\underline{S}(g)} + \overset{+4}{\underline{S}O_2(g)} \longrightarrow 2H_2O(l) + \overset{0}{3S(s)}$$

환원제 산화제

산화수 감소: 환원

(나)

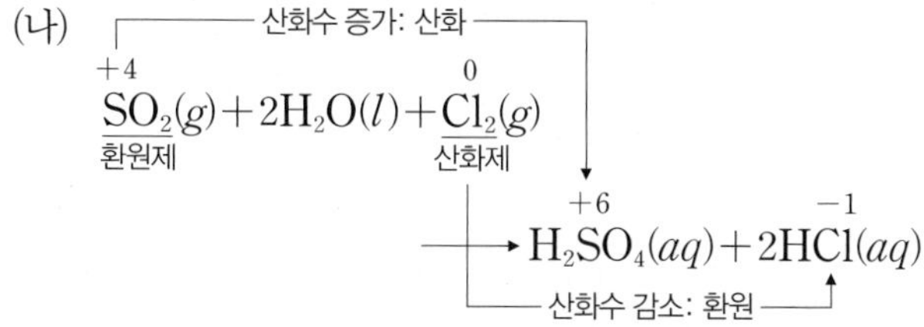

6 ㄱ. (가)에서 C의 산화수는 0에서 $+2$로 증가한다.

ㄴ. (나)에서 C의 산화수는 $+2$에서 $+4$로 증가한다. 따라서 CO는 자신은 산화되면서 Fe_2O_3을 환원시키는 환원제이다.

ㄷ. (다)에서 C의 산화수는 변하지 않는다.

4일 개념 확인 155쪽

1-1 (1) × (2) ○ (3) ○ (4) ○
1-2 (1) $+4$ (2) 2, 1 (3) 4
1-3 (1) $a=3, b=1, c=2, d=1$
1-4 (1) 1 증가한다. (2) 5 감소한다.
(3) $5Fe^{2+}+MnO_4^-+8H^+ \longrightarrow 5Fe^{3+}+Mn^{2+}+4H_2O$

1-2 (2) S의 산화수는 $+4$에서 $+6$으로 2 증가하고, Cl의 산화수는 0에서 -1로 1 감소한다.

(3) 증가한 산화수와 감소한 산화수가 같도록 계수를 맞추고, 산화수가 변하지 않는 원자들의 수가 같도록 계수를 맞추면 $a=2$, $b=2$이다. 따라서 a와 b의 합은 4이다.

1-3 N의 산화수는 NO_2에서 $+4$, HNO_3에서 $+5$, NO에서 $+2$이다. 각 원자의 산화수 변화를 확인하여 증가한 산화수와 감소한 산화수가 같도록 계수를 맞추면 $a=3$, $c=2$, $d=1$이다. 그리고 산화수가 변하지 않는 H와 O 원자의 수가 같도록 계수를 맞추면 $b=1$이다.

1-4 Fe의 산화수는 $+2$에서 $+3$으로 1 증가하고, Mn의 산화수는 $+7$에서 $+2$로 5 감소한다. 증가한 산화수와 감소한 산화수가 같도록 계수를 맞추면 $a=5$, $b=1$, $c=5$, $d=1$이다. 그리고 산화수가 변하지 않는 H와 O 원자의 수가 같도록 계수를 맞추면 $e=4$이다.

4일 개념 확인 157쪽

2-1 (1) 증가 (2) 6 (3) 3
2-2 (1) ○ (2) × (3) ×
2-3 0.65 g
2-4 (1) 5.6 L (2) 5 mol

2-1 (1) C의 산화수는 $+2$에서 $+4$로 증가한다.

(2) Fe_2O_3과 CO는 1 : 3의 몰비로 반응하므로 Fe_2O_3 2몰을 모두 환원하는 데 필요한 CO의 최소 양(mol)은 6몰이다.

(3) Fe_2O_3과 CO_2의 계수비는 1 : 3이므로 Fe_2O_3 1몰이 환원될 때 CO_2는 3몰 생성된다.

2-2 (2) Ag의 산화수는 $+1$에서 0으로 감소한다.

(3) 0.1 M $AgNO_3(aq)$ 100 mL에는 Ag^+이 0.01몰 들어 있고, Cu와 $AgNO_3$은 1 : 2의 몰비로 반응한다. 따라서 수용액 속의 Ag^+을 모두 환원하는 데 최소 0.005몰의 Cu가 필요하다.

2-3 0.2 M $HCl(aq)$ 100 mL에는 HCl가 0.02몰 들어 있고, Zn과 HCl는 1 : 2의 몰비로 반응한다. 따라서 0.2 M $HCl(aq)$ 100 mL를 모두 환원시키는 데 최소 0.01몰의 Zn이 필요하다. Zn의 원자량은 65이므로 필요한 Zn의 최소 질량은 0.01 mol × 65 g/mol = 0.65 g이다.

2-4 (1) $KMnO_4$과 Cl_2의 계수비는 2 : 5이므로 $KMnO_4$ 0.1몰이 반응할 때 Cl_2는 0.25몰 발생한다. 0 ℃, 1 기압에서 기체 1몰의 부피는 22.4 L이므로 발생하는 Cl_2의 부피는 0.25 mol × 22.4 L/mol = 5.6 L이다.

(2) $KMnO_4$ 1몰이 반응할 때 Mn의 산화수가 5 감소하므로 이동하는 전자는 5몰이다.

기초 유형 연습 158~159쪽

1 ② **2** ③ **3** ① **4** (1) $a=4, b=2, c=2, d=2$
(2) 18.4 g **5** ④ **6** ④

1 ㄴ. 각 원자의 산화수 변화를 확인하여 증가한 산화수와 감소한 산화수가 같도록 계수를 맞추면 $a=3$, $b=3$이다. 따라서 $a+b=6$이다.

오답 풀이

ㄱ. Fe의 산화수는 +3에서 0으로 3 감소하고, C의 산화수는 +2에서 +4로 2 증가한다. 따라서 ㉠=3, ㉡=2이므로 ㉠>㉡이다.

ㄷ. CO에서 C의 산화수가 증가했으므로 CO는 자신은 산화되면서 Fe_2O_3을 환원시키는 환원제로 작용한다.

2 Sn의 산화수는 +2에서 +4로 2 증가하고, Mn의 산화수는 +7에서 +2로 5 감소한다. 증가한 산화수와 감소한 산화수가 같도록 계수를 맞추면 $a=2$, $c=2$이고, 산화수가 변하지 않는 H와 O 원자의 수가 같도록 계수를 맞추면 $b=16$, $d=8$이다. 따라서 $a+b+c+d=28$이다.

3 ㄱ. OF_2에서 전기 음성도가 더 큰 F의 산화수가 −1이므로 O의 산화수는 +2이다. 따라서 (가)에서 O의 산화수는 0에서 +2로 2 증가한다.

오답 풀이

ㄴ. I의 산화수는 −1에서 0으로 증가하므로 I^-은 자신은 산화되면서 다른 물질을 환원시키는 환원제로 작용한다.

ㄷ. Br의 산화수는 +5에서 −1로 6 감소하고, I의 산화수는 −1에서 0으로 1 증가한다. 증가한 산화수와 감소한 산화수가 같도록 계수를 맞추면 $a=6$, $c=3$이고, 산화수가 변하지 않는 H와 O 원자의 수가 같도록 계수를 맞추면 $b=6$, $d=3$이다. 따라서 $a+b+c+d=18$이다.

4 (1) Cu의 산화수는 0에서 +2로 2 증가하고, N의 산화수는 +5에서 +4로 1 감소한다. 증가한 산화수와 감소한 산화수가 같도록 계수를 맞추면 $b=2$, $c=2$이고, 산화수가 변하지 않는 H와 O 원자의 수가 같도록 계수를 맞추면 $a=4$, $d=2$이다.

(2) Cu와 NO_2의 계수비가 1 : 2이므로 Cu 0.2몰이 모두 반응했을 때 NO_2는 0.4몰 발생한다. NO_2의 분자량은 46이므로 발생하는 NO_2의 질량은 0.4 mol × 46 g/mol = 18.4 g이다.

5 ㄱ. Ag의 산화수는 +1에서 0으로 1 감소한다.

ㄴ. Mg 1몰이 반응할 때 산화수가 2 증가하므로, Mg 0.1몰이 반응할 때 이동하는 전자는 0.2몰이다.

오답 풀이

ㄷ. 0.1 M $AgNO_3(aq)$ 200 mL에는 $AgNO_3$이 0.02몰 들어 있고, Mg과 $AgNO_3$은 1 : 2의 몰비로 반응한다. 따라서 0.1 M $AgNO_3(aq)$ 200 mL를 모두 환원하려면 Mg은 최소 0.01몰이 필요하다.

6 ㄱ. 금속 X 이온과 금속 Y는 1 : 2의 개수비로 반응하였으므로 금속 X 이온과 금속 Y 이온의 전하의 비는 2 : 1이다. 그리고 금속 Y 이온과 금속 Z는 3 : 1의 개수비로 반응하였으므로 금속 Y 이온과 금속 Z 이온의 전하의 비는 1 : 3이다. 따라서 금속 X 이온과 금속 Z 이온의 전하의 비가 2 : 3이므로 산화수비도 2 : 3이다.

ㄴ. 금속 X 이온이 들어 있는 수용액에 금속 Y를 넣었더니 반응이 일어났으므로 금속 Y는 금속 X보다 산화되기 쉽다. 또 금속 Y 이온이 들어 있는 수용액에 금속 Z를 넣었을 때 반응이 일어났으므로 금속 Z는 금속 Y보다 산화되기 쉽다. 따라서 금속 Z는 금속 X보다 산화되기 쉽다.

오답 풀이

ㄷ. 금속 Y가 금속 X보다 산화되기 쉬우므로 금속 Y 이온이 들어 있는 수용액에 금속 X를 넣으면 반응이 일어나지 않는다.

5일 개념 확인 161쪽

1-1 (1) 작다 (2) 높아 (3) 방출 (4) 발열
1-2 (가), (다)
2-1 (1) × (2) × (3) ○ (4) ○ (5) ×
2-2 (1) 흡열 반응 (2) 주위의 온도는 낮아진다.

1-1 (1), (2) 발열 반응에서 생성물의 에너지 합은 반응물의 에너지 합보다 작다. 따라서 반응이 일어날 때 에너지 차이만큼 열을 방출하여 주위의 온도가 높아진다.

1-2 (나), (라) 질산 암모늄의 용해와 탄산수소 나트륨의 열분해는 흡열 반응이다.

2-1 (2) 흡열 반응이 일어날 때 주위의 온도는 낮아진다.

(5) 휴대용 손난로는 발열 반응을 이용한 예이고, 휴대용 냉각 팩은 흡열 반응을 이용한 예이다.

2-2 (1) 흡열 반응에서 생성물의 에너지 합은 반응물의 에너지 합보다 크다.

(2) 흡열 반응이 일어날 때 에너지 차이만큼 열을 흡수하여 주위의 온도가 낮아진다.

5일 개념 확인 163쪽

3-1 (1) 비열 (2) 질량, 온도 변화 (3) J/(g·℃), J 또는 kJ
3-2 ㄱ, ㄴ, ㄹ
4-1 (1) (가) 통열량계, (나) 간이 열량계 (2) (가)
4-2 8.4 kJ

3-1 (2) 물질이 방출하거나 흡수하는 열량은 그 물질의 비열에 질량과 온도 변화를 곱하여 구한다.

3-2 $NaOH$을 용해시킬 때 발생하는 열량을 구하려면 용액의 비열, 질량, 온도 변화를 알아야 한다. 이 중 용액의 질량에서 $NaOH$의 질량은 알고 있지만 물의 질량을 추가로 알아야 하며, 용액의 온도 변화에서 처음 물의 온도는 알고 있지만 반응 후 용액의 최고 온도를 추가로 알아야 한다.

4-1 단열이 잘되어 열 손실이 거의 없으므로 열량을 비교적 정확하게 측정할 수 있는 열량계는 통열량계이다.

4-2 열량(Q)=비열(c)×질량(m)×온도 변화(Δt)
$=4.2\ J/(g\cdot ℃)\times 200\ g \times 10\ ℃=8400\ J=8.4\ kJ$

5일 기초 유형 연습 164~165쪽

1 ④ **2** ② **3** ① **4** ② **5** (1) 열을 방출한다. (2) 440 J/g **6** 252 kJ/mol

1 마그네슘(Mg)과 염산(HCl)의 반응은 발열 반응이다.

오답 풀이
ㄹ. 수산화 바륨 팔수화물과 질산 암모늄의 반응은 흡열 반응의 예이다.

2 ㄷ. 산과 염기의 중화 반응은 발열 반응이므로 물이 생성되는 반응과 열의 출입 방향이 같다.

오답 풀이
ㄱ. 생성물의 에너지 합이 반응물의 에너지 합보다 작으므로 열을 방출하는 발열 반응이다.
ㄴ. 물이 생성될 때 주위의 온도는 높아진다.

3 ㄱ. (가)는 메테인(CH_4)의 연소로, 열을 방출하는 발열 반응이다. 이때 주위의 온도는 높아진다.

오답 풀이
ㄴ. ㄷ. (나)는 탄산수소 나트륨($NaHCO_3$)의 열분해로, 열을 흡수하는 흡열 반응이다. 흡열 반응에서 생성물의 에너지 합은 반응물의 에너지 합보다 크다.

4 ㄴ. (나)에서 지퍼 백이 차가워졌으므로 NH_4NO_3의 용해는 흡열 반응이다. 흡열 반응이 일어날 때 주위의 온도는 낮아진다.

오답 풀이
ㄱ. 각 원자의 산화수 변화가 없으므로 산화 환원 반응이 아니다.
ㄷ. 흡열 반응에서 반응물의 에너지 합은 생성물의 에너지 합보다 작다.

5 (1) 고체 X가 물에 용해된 후 온도가 높아졌으므로 발열 반응이다. 따라서 고체 X가 물에 용해될 때 열을 방출한다.
(2) 열량(Q)$=4\ J/(g\cdot ℃)\times 110\ g\times 10\ ℃=4400\ J$
용해된 고체 X의 질량은 10 g이므로 고체 X 1 g이 물에 용해될 때 출입하는 열량은 $\frac{4400\ J}{10\ g}=440\ J/g$이다.

6 각 용액의 밀도가 1 g/mL이므로 혼합 용액의 질량은 400 g이고, 온도 변화는 3 ℃(=28 ℃−25 ℃)이다. 따라서 발생하는 열량(Q)$=4.2\ J/(g\cdot ℃)\times 400\ g\times 3\ ℃=5040\ J$이다.
0.1 M $HCl(aq)$ 200 mL와 0.1 M $NaOH(aq)$ 200 mL에 들어 있는 H^+과 OH^-의 양(mol)은 각각 0.02 mol이므로 중화 반응하여 생성되는 물의 양(mol)은 0.02 mol이다. 따라서 물 1 mol이 생성될 때 발생하는 열량은 $\frac{5040\ J}{0.02\ mol}=252000\ J/mol=252\ kJ/mol$이다.

4주 누구나 100점 테스트 166~167쪽

1 ① **2** ③ **3** (1) A: 염기성, B: 산성, C: 중성 (2) A: 8, B: 5, C: 7 **4** ③ **5** ③ **6** +4, +5, +2 **7** ③ **8** 해설 참조 **9** $2K_2Cr_2O_7(aq)+2H_2O(l)+3S(s) \longrightarrow 4KOH(aq)+2Cr_2O_3(s)+3SO_2(g)$ **10** ①

1 ㄱ. t_1은 동적 평형에 도달하기 전이므로 증발 속도가 응축 속도보다 빠르다. 따라서 $a<1$이다.

오답 풀이
ㄴ, ㄷ. $\frac{\text{응축 속도}}{\text{증발 속도}}=1$인 t_3에서 동적 평형에 도달하였다. t_2는 동적 평형에 도달하기 전이므로 $b<1$이다.

2 ㄷ. 같은 온도에서 고체의 용해도는 일정하므로, 고체 A를 더 넣어도 용해된 A의 질량은 변하지 않는다.

오답 풀이
ㄴ. 동적 평형 상태에서도 용해와 석출은 계속 일어난다.

3 (1) $[H_3O^+]>[OH^-]$이면 산성, $[H_3O^+]<[OH^-]$이면 염기성, $[H_3O^+]=[OH^-]$이면 중성이다.
(2) 25 ℃에서 $K_w=[H_3O^+][OH^-]=1.0\times 10^{-14}$이다. 이를 이용하여 각각의 몰 농도를 구할 수 있다.
A ➡ $[H_3O^+]:[OH^-]=1:10^2=10^{-8}:10^{-6}$
$pH=-\log[H_3O^+]=-\log 10^{-8}=8$
B ➡ $[H_3O^+]:[OH^-]=10^4:1=10^{-5}:10^{-9}$
$pH=-\log[H_3O^+]=-\log 10^{-5}=5$
C ➡ $[H_3O^+]:[OH^-]=1:1=10^{-7}:10^{-7}$
$pH=-\log[H_3O^+]=-\log 10^{-7}=7$

4 (나) 과정 후 용액에 존재하는 양이온의 종류가 2가지이고, 양이온 수비가 1 : 1이므로 용액에 존재하는 H^+ 수를 $2N$, Na^+ 수를 $2N$이라고 가정할 수 있다. (나) 과정 후 용액에 존재하는 Cl^- 수는 $4N$이므로, $HCl(aq)$ V mL에는 H^+ $4N$, Cl^- $4N$이 존재하고, $NaOH(aq)$ V mL에는 Na^+ N, OH^- N이 존재한다.
ㄱ. (다) 과정 후 양이온 수비가 1 : 1이므로 용액에는 Na^+ $2N$과 K^+ $2N$이 존재한다. (나) 과정 후 용액에 H^+ $2N$이 존재하는데, (다) 과정에서 OH^- $2N$이 들어왔으므로 (다) 과정 후 용액은 중성이 된다.

ㄷ. $HCl(aq)$과 $NaOH(aq)$의 단위 부피당 이온 수비가 4 : 1이므로 $HCl(aq)$과 $NaOH(aq)$을 1 : 4의 부피비로 혼합하면 용액은 중성이 된다.

오답 풀이

ㄴ. $KOH(aq)$ V mL에 K^+ $2N$, OH^- $2N$이 존재하므로, 단위 부피당 이온 수는 $KOH(aq)$이 $NaOH(aq)$보다 많다.

5 ㄱ. (가)에서 NO는 산화되므로, 다른 물질을 환원시키는 환원제이다.

ㄴ. (나)에서 증가한 산화수와 감소한 산화수가 같도록 계수를 맞추고, 산화수가 변하지 않는 원자들의 수가 같도록 계수를 맞추면 $a=3$, $b=2$, $c=1$이다.

오답 풀이

ㄷ. (나)에서 NO_2와 NO의 계수비는 3 : 1이므로 NO 2몰이 생성될 때 반응한 NO_2의 양(mol)은 6몰이다.

6 (나)에서 N의 산화수는 NO_2에서 $+4$, HNO_3에서 $+5$, NO에서 $+2$이다.

7 전기 음성도가 Z > X > Y이면 (가)에서 X 원자는 2개의 Y 원자로부터 전자 2개를 가져오고 Z 원자에게 전자 1개를 빼앗기므로 X의 산화수는 -1이다. 이때 Y의 산화수는 $+1$, Z의 산화수는 -1이다. 이를 (나)에 적용하면 X 원자는 Y 원자로부터 전자 1개를 가져오고, 2개의 Z 원자에게 전자 2개를 빼앗기므로 X의 산화수는 $+1$이다.

8 모범 답안 **환원제, S의 산화수는 0에서 +4로 증가하므로, S은 자신은 산화되면서 다른 물질을 환원시키는 환원제이다.**

9 Cr의 산화수는 $+6$에서 $+3$으로 3 감소하고, S의 산화수는 0에서 $+4$로 4 증가한다. 증가한 산화수와 감소한 산화수가 같도록 계수를 맞추면 $a=2$, $c=2$이고, 산화수가 변하지 않는 H와 O 원자의 수가 같도록 계수를 맞추면 $b=2$이다.

10 ㄱ. (나)에서 나무판 위의 물이 얼었으므로 반응이 일어날 때 열을 흡수하는 흡열 반응이다. 이때 주위의 온도는 낮아진다.

오답 풀이

ㄴ. 흡열 반응에서 반응물의 에너지 합은 생성물의 에너지 합보다 작다.

ㄷ. 수산화 나트륨의 용해는 열을 방출하는 발열 반응이다.

창의 · 융합 · 코딩 169~173쪽

정답 ①

다음은 식초 속 아세트산의 함량을 구하기 위해 학생 A가 수행한 실험 과정이다.

[실험 과정]

(가) 표준 용액으로 0.1 M $NaOH(aq)$을 준비한다.

(나) 식초 w g을 완전히 중화시키는 데 필요한 $NaOH(aq)$의 부피를 구한다.

학생 A가 사용한 실험 장치로 가장 적절한 것은?

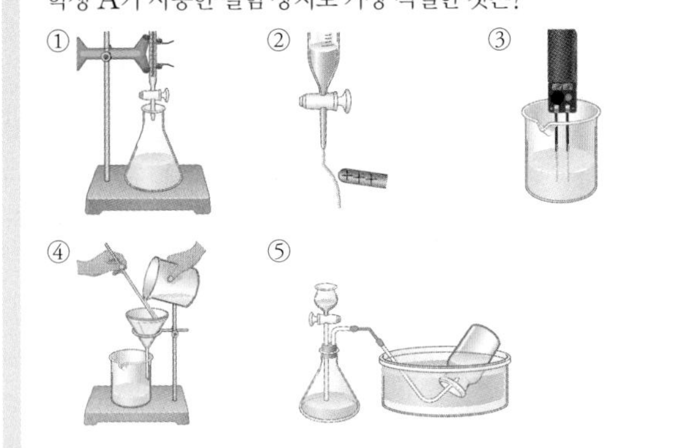

❶ 식초 속 아세트산의 함량을 구하기 위해서는 중화 적정을 이용해야 한다.

❷ 중화 적정 방법을 설명할 수 있고, 이때 이용하는 실험 장치에 대해 알아야 한다.

❶ 식초 속 아세트산의 함량을 구하기 위해 중화 적정을 이용한다.
식초 속 아세트산의 함량을 구하려면 산 수용액인 식초를 염기 표준 용액으로 중화 적정해야 한다.

❷ 중화 적정 방법을 설명할 수 있다.
삼각 플라스크에 농도를 알고자 하는 식초와 지시약을 넣고, 뷰렛에는 농도를 알고 있는 표준 용액인 $NaOH(aq)$을 넣는다. 뷰렛의 꼭지를 열어 $NaOH(aq)$을 식초에 천천히 떨어뜨리면서 중화점을 찾는다.

1 ② **2** ㄱ, ㄴ, ㄷ **3** ㄱ, ㄷ **4** ⑤ **5** ④ **6** ③

2 ㄴ. (나)의 정반응에서는 NH_3가 염기이고, H_2O이 산이지만, 역반응에서는 NH_4^+이 산이고, OH^-이 염기이다. 따라서 NH_3의 짝산은 NH_4^+이고, H_2O의 짝염기는 OH^-이다.

3 ㄷ. 산의 H^+과 염기의 OH^-은 1 : 1의 몰비로 반응하여 물을 생성한다. 중화점에서 H^+과 OH^-은 각각 0.003 mol씩 존재하므로 생성된 물의 양(mol)도 0.003 mol이다.

오답 풀이

ㄴ. H_2SO_4 10 mL를 적정하는 데 사용한 0.1 M NaOH 수용액의 부피가 30 mL이므로 H_2SO_4의 농도를 x M이라고 하면 중화 반응의 양적 관계는 다음과 같다.

$2 \times x\,\text{M} \times 10\,\text{mL} = 1 \times 0.1\,\text{M} \times 30\,\text{mL}$, $x=0.15$

5 H_2O에서 H의 산화수가 $+1$이므로 O의 산화수(㉠)는 -2이다. OF_2에서 전기 음성도는 O < F이므로 F의 산화수는 -1, O의 산화수(㉡)는 $+2$이다. H_2O_2에서 전기 음성도는 H < O이므로 H의 산화수는 $+1$, O의 산화수(㉢)는 -1이다. 따라서 ㉠+㉡+㉢ $=-1$이다.

6 학생 A: (가)에서 Cl의 산화수가 0에서 -1로 감소하므로 Cl_2는 환원되었다.
학생 B: (나)에서 C의 산화수가 0에서 $+4$로 증가하므로 C는 산화되었다. 따라서 C는 환원제로 작용한다.

오답 풀이

학생 C: (다)의 SO_2에서 O의 산화수가 -2이므로 S의 산화수는 $+4$이다.